JN122932

YOSHIRO

世界を驚かせた
伝説の日本人ラテン歌手

YOSHIRO広石

YOSHIRO

世界を驚かせた伝説の日本人ラテン歌手

目次

本書は一九七六年から一九七八年の間に、音楽誌『月刊ラティーナ（旧中南米音楽）』にて連載された『ラテンアメリカ歌街道』に、大幅に加筆・修正を行い、一冊にまとめたものである。

序章
終戦、そして南米へ

1948年 両親と姉ふたりと

終戦の日

一九四五年八月一五日正午、いつものように防空頭巾をかぶり、いつでも防空壕に逃げられる用意をしていた私に「今日は空襲は無い。一二時から天皇陛下のお話があるよ」と父が言い、例の玉音放送を聞きながら「これでいいんだよ、戦争は終わったんだから」と気丈に一家を諭す。広石家は祖母、両親、姉ふたりと私の六人家族で空襲を逃れて大分市から同県、杵築市の守末地区にある祖母の実家に疎開していたのだ。後年TVで見る終戦の日に国民が泣き崩れるシーンとはいささか違っていた。

私にとって何よりも嬉しかったのは、それまで離れの土蔵でこっそり蓄音機で聴いていた禁じられていた敵国、米英のレコードと同じ洋楽が間もなくラジオから流れて来るようになったことだ。

東京大空襲で多くが破壊されたと聞いていたのに、終戦から二か月後の一〇月には並木路子（注）の『リンゴの唄』が大流行、一日中ラジオから流れていた。この歌が戦争で痛めつけられていた日本人の心をどれだけ鼓舞させただろうか、今の人達には想像し難いと思う。

昭和二〇年代は歌謡曲という言葉はまだ使われておらず、流行歌と呼ばれ、それを歌う人は流行歌手、アメリカ他、外国の歌を歌う人はジャズシンガーの括りで

並木路子（1921-2001）松竹歌劇団出身。東京大空襲で母を、戦争で兄と父と恋人を亡くしている。『リンゴの唄』は松竹映画『そよかぜ』の挿入歌。

笠置シヅ子（1914-1985）戦前からの服部良一門下生。戦中はジャズ禁止で辛酸を舐める。戦後『東京ブギウギ』他ブギウギものでヒットを飛ばすも１９５０年代のはじめ、TVタレント、女優に転向。

淡谷のり子（1907-1999）昭和初期から洋楽を歌い、戦後はブルースの女王として君臨。代表曲は『別れのブルース』他。

美空ひばり（1937-1989）戦後天才少女歌手として

あった。そして笠置シヅ子㊟の『東京ブギウギ』ほかブギウギシリーズ、レコード会社の宣伝シリーズでアメリカのヒットソングを日本語で歌うスウィングの女王、ワルツの女王、ハワイアンの女王、戦前に煽情的過ぎると軍部から睨まれていた淡谷のり子㊟がブルースの女王と呼ばれ、一挙に花咲く女王達。戦時中に抑圧されていた反動からか次から次へと流行歌手やジャズ歌手が生まれてきた。少し遅れて天才少女歌手、美空ひばり㊟、江利チエミ㊟、雪村いづみ㊟の三人娘のジャズが流れ、只々それに夢中の私であった。紅白歌合戦には流行歌手に交じりジャズ、タンゴ、シャンソンを原語で歌う歌手の比率が今より高く、それがなお嬉しかった。

　祖母の実家の庭には季節の花が一年中咲いており、鳥や虫と戯れ、近くの絨毯の様な蓮華草の花が咲く畑では、近所の友達と相撲を取ったり追っかけっこに明け暮れる日々だった。そして何よりも祖母と並んで蚊帳の中で眠る幸せ。その後何年経っても祖母と暮らしたこの幼い頃の日々が一番幸せだった。

思春期に入って知った自分の性（さが）

　間もなく両親は、戦前から大分市で経営していた学校を再建するために、空襲で焼けた校舎と隣接した自宅を建て直し、暫くは週末だけ杵築に戻るという日々が始

デビューして以来、歌謡曲・映画・舞台で活躍。昭和最大級の国民歌手となった。愛称は〝お嬢〟。

江利チエミ (1937-1982) 進駐軍のキャンプ廻り出身。美空ひばりと比べると『テネシーワルツ』『トゥーヤング』など洋楽路線からスタートしたが、後年は歌謡曲のヒットも多数リリース。高倉健と結婚しTVや映画で大活躍したが、45歳で突然死。

雪村いづみ (1937-) 三人娘の中では生涯アメリカンスタンダードに徹し、アメリカの人気番組に何度も出演。歌唱もスタイルも抜群で、いまも活躍中である。

まった。姉ふたりは私より一〇歳も年上だったので通学の為、大分市に戻った。歳が離れていた末っ子の私はうんと可愛がられて育ち、小学校の課外授業で旅回りの大衆演劇一座を見て火がつき、このまま一座に入りたいと真剣に考えもした。一方サーカスを見に行っては病み付きになり、綱渡りの練習に励み、いつか何でもいいからスポットライトを浴びる仕事がしたいなあ、と幼い夢を膨らませていた。

すぐ実行に移したのは、桜の木と我が家の柱の間に藁縄を張り傘をさしては来る日も来る日も綱渡りの練習をし、近所の友達に無理やり来て貰い、うまくいけば拍手をしてもらう、とにかく芸事に夢中な楽しい日々だった。少なくとも小学校三年生くらいまでは。

前から感じていたことではあるが、近所の友達にも「吉郎（キツロウ　私の実名）ちゃんは変わっとるのう」と事あるごとに言われ、また一年歳をとる毎に漠然と、自分は人と違い過ぎているのではないかと不安になっていった。決定的なのは私が少し早すぎた第二次性徴を迎える小学校五生年頃、自分のセクシャリティーに疑問を持つようになったことである。はっきりしたのは、今でいう性的マイノリティであるということだ。その時代の文献に病気、その他と書かれており、私がこの世に存在してはいけないような言葉の数々に愕然として死をも考えるようになった。このトラウマは生涯私を悩ませる。しかし、この時代の文献はすべてが誤りであり、医学、心理学の専門家でさえも、何の証明もないまま我々の存在を悪と決め込んだのである。初めにこの事情を知った上で読んでいただくと、この音楽を通しての旅行記の裏側までもより鮮明に浮かび上がるのではないか。そして後年、歌の世界に入り、海外に進出した際、私のような人と違う、つまり性的マイノリティ故の繊細な感性が、歌に反映され、むしろ追い風になり、それが武器にもなったことを、あえて冒頭に書かせていただく。

　話は戻るが、小学校五年の頃、私はひとり、三島由紀夫（みしまゆきお）の『仮面の告白』（注）、『禁色』（注）、そして芥川龍之介（あくたがわりゅうのすけ）の小説を読み耽っては、死について考える物思う子供になっていた。

　その頃、父に連れられて見た映画、江利チエミ主演の『猛獣使いの少女』（注）の中で年上の男性に憧れるチエミが演ずる少女が切なく歌う『トゥー・ヤング』が心に沁み、私を誘っているようで、歌手になりたいという気持ちは確固たるものになっていく。

　中学に入り、大分市の両親の元へ行った私は、学校は欠席がちでピアノ、バイオリン、バレーの練習を両親の許可もなく始め、周りからは益々「変わっとるのう、お前は」と言われ、思春期の不安定な時期に入ると、一刻も早くこの地から逃れて、東京に行くことを考え始めていた。

　現実逃避させてくれるのはやはり音楽で、中学一年生の夏休みを利用して別府港から瀬戸内汽船に乗り込み、翌朝大阪に着いた私は繁華街をうろつき、今では考

『仮面の告白』
三島由紀夫初の書き下ろし長編小説。〝出生時の風景の記憶〟であまりにも有名。同性愛をテーマにした日本文学史上の大問題作。

『禁色』
読みは「きんじき」。アンダーグラウンド・ゲイシーンを赤裸々に綴った三島由紀夫渾身の大傑作。

『猛獣使いの少女』
佐伯幸三（さえきこうぞう）監督の大映映画１９５２年作。アメリカ帰りという設定の江利チエミや千秋実（ちあきみのる）が達者な英語を披露する娯楽大作。

えられない程あったジャズ喫茶（今でいうライブハウス）に入り、当時ジャズシンガーとして売れっ子だった朝丘雪路（注）の歌に感激した。彼女は紅白歌合戦の常連であり、田舎から出てきた私にとっては衝撃であった。そして休憩時間にバンドに掛け合い、一曲歌わせて欲しいと申し出た私は、バンドマスターの前で当時一二、三歳のひばりの歌で覚えた『上海』（注）をアカペラでちょっと歌ってみせ、有無を言わせず飛び入りで歌った。半ズボンで坊主の子供がいきなり歌い出したので、ウケたというより客は唖然として面白がっていた。「またいつでも歌いにおいで」と言われ、高揚した気分で店を出た。

私がこれ程までに苦しんでいることを学校中に知ってもらいたく、授業前に大量の睡眠薬を飲んだことがあった。ところが皮肉にも大きなイビキをかきはじめた私に気が付いた同級生が「広石君眠っとるよ」と先生に伝えるも「広石は疲れとるから眠らせとけ」とお咎めなし。そして次の授業の時も益々大きなイビキをかいているのに気付いた誰かが揺り動かしたところ、そのまま倒れてもまだ眠っていたらしい。異変を感じた先生が近所の病院に運び込み、一命を取り留めたのだった。

私が何かに悩んでいたことは学校中の先生も気づき、授業中でも辛い顔をすれば「広石、大分川に行って遊んで来い」と私を気遣ってくれた。さぼりながらも学校の成績は良かったので、父はなんと私を東大へ入れさせたかったらしく大分の進学校である高校へ入学させた。しかし心ここにあらず、私は密かに東京行きを準備し

朝丘雪路（1935-2018）
宝塚歌劇団出身。日本画家の父、伊東深水に溺愛され浮世離れしたお嬢様キャラを生涯貫き通した。津川雅彦夫人。

『上海』
原曲はドリス・デイ『(Why Did I Tell You I Was Going To) Shanghai』。

美輪明宏（1935-）
当時は丸山明宏。

浜村美智子（1937-）
モデル出身ならではの日本人離れしたスタイルとエキゾティックな雰囲気でたちまち話題を集める。10代でカリプソ娘として『バナナボート』でスターダムへ。その後アメリカのパティー・ペイジ・ショーにも出演。現在も活躍中。

ていた。

一九五七年上京する

一九五七年、美輪明宏（注）がシャンソン『メケメケ』で一世を風靡し、まだ一〇代後半の浜村美智子（注）が『バナナボート』でミリオンセラーを獲得した。戦後初と言われた茶髪のロングヘアーに長い素足、大胆かつセクシーな衣装でデビュー、当時娯楽が今ほど無かったこともあろうが昭和三二年はこのふたりが日本の音楽の世界の話題を二分したと言っても過言では無いだろう。

このような時代を先取りしたふたりの出現を見て、私でも芸能界なら受け入れられる、その他に生きていける場所があろうかと衝撃を受け、この年の八月二五日、東京行きを決行した。ただ、父母と大学だけは出るという約束だったので、まずは東邦音楽短期大学の付属高校に転入、同時に多くのジャズシンガーを育てた水島早苗（注）先生、ラテンは東京キューバンボーイズ（注）の初期に在籍していたパーカッショニストの吉田秀士先生、踊りは大正時代の浅草オペラから戦後は日劇や東宝で洋舞ダンサーとしてスターだった益田隆先生の門をたたいた。この三人の先生の教えが的確で私の基盤を作ってくれたのだった。

間もなく水島早苗先生が経営する歌舞伎町にあったジャズバー「ユーカリ」に練

水島早苗（1909-1978）
戦前からトニー相良の名前でジャズボーカリストとして活躍。1957年「水島早苗ボーカル研究所」を設立しマーサ三宅、金子晴美、佐良直美、伊集加代らを育成した。

見砂直照と東京キューバンボーイズ
1949年結成。以後、日本を代表するラテン・ビッグバンドとして不動の地位を築き、日本のラテン音楽界を牽引。1980年、ラストコンサートを開く。見砂氏は1990年逝去、その後息子の和照氏をリーダーとして再始動。2019年に70周年記念コンサートを開く。

習も兼ねて毎晩出演させてもらえるようになった。この店は会員制で著名な作家、俳優、当時名の知れたミュージシャンが集まり、時としてセッションが始まったりして、ここで私は歌の基礎から学ぶことができた。

　これまで悩んでいたことがまるで嘘の様であり、東京って何と自由なんだろうと喜びをかみしめ、店が終わると当時まだ文化的であった歌舞伎町界隈を飲んで回った。居酒屋に入れば当時多かった流しが、「こんばんは～！　何かお好みの曲をおっしゃってください」と言って入ってくる。ひとりでアコーディオンを弾きながら昭和歌謡から流行りのジャズ、タンゴまで歌える人もいるし、ふたり一組でギターとアコーディオンで客の好みに合わせ、時には演奏だけ、そしてハワイアンも歌うというスタイルの者もいた。この人達は流しの組合に所属していて、そのレパートリーの多さは二〇〇〇曲近い人もいると聞いた。この流し出身のスターは少なくない。時として馴染みの客に「広ちゃんも、歌って」と請われ、『キエン・セラ』(注)と『ベサメ・ムーチョ』(注)のキーだけ伝えると「あいよっ！」と阿吽(あうん)の呼吸でイントロが始まる。私が高校生だと知っているので気を利かせてその場の飲み代は払ってくれるし、おまけにチップまではずんでくれるので躊躇なく受け取りまた次の店へ飲みに行く。嗚呼、東京に出てきてよかった、とつくづく思うのだった。

　また転校先の高校はとても自由で、クラスにもプロの歌手がおり、昼間から「これからジャズ喫茶で歌うので早退させていただきます」と先生に断るとなんのお咎

『キエン・セラ』
Quien Sera
ルイス・デメトリオ作のラテンの大スタンダードナンバー。ラテン界に留まらずビョークから林家三平までカバーしている。英語タイトルは『Sway』。

『ベサメ・ムーチョ』
Besame Mucho
メキシコのコンスエロ・ベラスケス作。力道山お気に入りの曲。初期のビートルズがカバーしていることはあまりにも有名。

めも受けないのである。

初舞台は一九五七年　米軍キャンプのショー

折もおり、その年の一〇月に横須賀の米軍キャンプのショーで歌うはずだった歌手が病気になったということで、いきなり私に白羽の矢が立った。若かったとはいえ、この短期間でよく五曲も英語詞を覚えられたものだと、今更ながら感心する。和製プラターズ(注)のメインボーカルとして全員アメリカ人の客の前で、フルバンドをバックに私がソロを歌うということで、『オンリーユー』、『煙が目にしみる』等を気狂いのように勉強し、心臓が飛び出るくらい緊張してアメリカ人のMCで勢いよく飛び出たのはいいが、そのままアイススケートのようにステージの端まで転んで滑って、歌う前から拍手喝采を浴びてしまった。それが功を奏して和やかなムードになり、おそらく子供に見えただろうこともプラスして最後まで拍手の嵐で初ステージを終えることができた。

間もなく美輪明宏のホームグラウンドでもあり、多くのシャンソン歌手のメッカでもあったかの有名な「銀巴里(ぎんパリ)」、少し遅れてできた電通通りにあった日航ホテルの地下、「日航ミュージックサロン」に毎週ホームグラウンドとして出演する機会を得た。その後有名になった岸洋子(きしようこ)(注)、金子由香利(かねこゆかり)(注)、佐良直美(さがらなおみ)(注)、加藤登紀(かとうとき)

プラターズ The Platters
1953年LAで結成。分裂を続けながら現在も活動を続ける超長寿コーラスグループ。

岸洋子 (1935-1992)
『夜明けのうた』で有名なシャンソン歌手。越路吹雪に続く歌手として人気を得ていたが、病魔に倒れる。

金子由香利
岸洋子と人気を分けたシャンソン歌手。ヒット曲に『逢いびき』等。1987年紅白歌合戦に出場。

佐良直美 (1945-)
『世界は二人のために』の大ヒットで有名。作曲も手掛ける。80年代まではTVで大活躍していたが実業家に転身。

子（こ）（注）他数えきれない歌手と共演するのが楽しみだった。ごくたまに呼ばれることがあった「銀巴里」は、シャンソンがメインの店で私だけがいつも浮いていたので、そのうち疎遠になっていったが、私を東京へ呼び寄せるきっかけになった美輪明宏さんとも何度かお話することができ、光栄だった。

当時どこの音楽喫茶もそうであったように、学生や普通の勤め人の中に著名人も交わっていたことが私は気に入っていた。この「日航ミュージックサロン」にはラテン好きの作家、五味康祐（ごみやすすけ）（注）、デビューしたばかりの梅宮辰夫（うめみやたつお）（注）、三島由紀夫などが来ては休憩時間や終演後に後部席にあるバーのカウンターで好きなものを奢ってくれ、若い私にはついていけない哲学論などが出てきて惑わされたりした。

三島氏の魅力的な人柄は当時から規格外で、私が小学生の時に氏の著書を読んで矢も盾もたまらず東京に出てきたことを初めてお会いした時に伝えたことがあった。そんなこともあり、レストランでよくご馳走してくださったりと私を気遣ってくれていた。

ある時私が氏に「三〇歳までに死にたいのですよ、若さがなくなるのが怖いのです」と言ったところ、当時三〇歳前後だったろうか、三島氏は「その気持ちわかるよ。僕は四〇歳までにそうしようかと決めているんだ」と予言めいたことを言ったが、その後私がアルゼンチン公演中、あのような形で他界されたというニュースが現地でもトップニュースにもなり驚くよりも、嗚呼！　やっぱりそうだったのか！

加藤登紀子（1943-） シャンソン出身で『知床旅情』ほかヒット曲多数。

五味康祐（1921-1980） 剣豪小説の大家にしてオーディオマニアの神様。

梅宮辰夫（1938-2019） 東映東京の看板スター。コメディからやくざ映画TVバラエティまでなんでもこなし実業家としても成功した。

というのが私の正直な気持ちであった。多くの識者がしたり顔でいかにも深く掘り下げたような文章を私は読んだが、どれも当たっていないような気が何故かした。

当時はキャバレーやジャズ喫茶、ダンスホールがごまんとあり、スターバンドであった、有馬徹とノーチェ・クバーナ（注）に声を掛けられたり、駆け出しの私でも仕事にあぶれるということはなかった。学校を午前中で早退し、昼食を食べながら客が聞くジャズ喫茶に出てはアメリカンポップスとラテンを歌い、夜はダンスホールのビッグバンドで歌い、親の仕送りは必要としないほどに音楽仕事で稼げた時代であった。米軍キャンプに出るときは特別で、前座の私が三曲歌い終わり、メインの歌手が出てもまだ私のための拍手が続き、ショーが中断することもしばしばあったので、すでに私の心は外国へと向き始めていた。

後年悔やまれるのは、一九六〇年、鳴り物入りでNHKの八時のゴールデンタイムに、高橋圭三（注）アナウンサーが司会を務める歌番組『歌の広場』（注）に毎週、今月のニューボイスとして出演していた時のことである。その頃までは音楽のジャンル分けがなく（外国曲を総じて軽音楽と呼んでいた）、歌謡曲の中にジャズ歌手やラテン歌手、シャンソン歌手がごく普通に一緒に出演していた。

私はジャズ歌手を目指して上京したのだが、その頃からジャズは廃りはじめ日本の歌謡曲（この頃から流行歌という言葉は使われなくなった）が主流になりつつあった。私は持ち歌のラテンを歌いながら、NHKから提供された歌謡曲を同時に

有馬徹とノーチェ・クバーナ
1954年結成。間もなくNHKの紅白歌合戦の常連バンドとなり、当時東京キューバンボーイズと並ぶラテン・ビッグバンドとして人気は不動のものとなる。有馬氏は1993年に他界するも、その後、淡谷幹彦氏をリーダーとし2019年、65周年記念コンサートを開く。

高橋圭三（1918-2002）
NHKアナウンサーから日本初のフリーアナウンサーに転じ、国会議員にまでなった。佐藤栄作の国民葬の司会も務めた。

『歌の広場』
1956年から1964年まで旧NHKホールより公開生放送。

歌っており、三橋美智也(注)のシングル盤のB面にある『稲っこヤーイ』という民謡歌謡の様な歌を歌ったが、なぜか評判が良く、この歌でNHKが一押しする歌手として売り出したいという話になった。その二年前大ヒットしたペギー葉山(注)の『南国土佐を後にして』を手掛けた妻木良夫(注)プロデューサーが同じ路線で売り出したいと強く希望していたのだ。しかしこのような民謡歌謡の歌い方もわからなかった私はこの歌が売れるとも思えず、強引に粘る妻木プロデューサーに、丁重に断りを入れたのだった。

その後、日本に帰る度、天下の美空ひばりのプロデューサーや、越路吹雪(注)のプロデューサーの企画にも乗れず、特に一九六七年オーケストラの伴奏録音も済ませ、後は私の歌録音だけという直前になってどうにも堪らず、断りを入れたのだったが、あの美空ひばりのプロデューサーの仕事を蹴った歌手として暫くの間バッシングを受けた。この歌謡曲の様なラテンに体が拒否反応を示し、例えヒットしたとしても、この曲を歌い続けることには耐えられないだろうと思ったからである。今、時として思うのはあの時無理してでも従ってヒットが出ていれば、私はこの国でもう少しは知名度が上がり、「ではお待ちかねの」と言って一曲歌えば日本でここまで苦労しなくて良かったのではないかと、ふと思うことがある。

三橋美智也 (1930-1996)
北海道出身。民謡と演歌で「三橋で明けて三橋で暮れる」と評されたほどの人気を誇った。愛称は〝ミッチー〟。

ペギー葉山 (1933-2017)
『ドミノ』でデビュー。ジャズ歌手だったが、売れたのは『南国土佐を後にして』である。『ドレミの歌』は不滅の金字塔となった。

妻木良夫
『歌の広場』のプロデューサー。民謡調を嫌がるジャズ歌手ペギー葉山に『南国土佐を後にして』を唄わせるため、女子トイレ前に座り込んで談判したという。

越路吹雪 (1924-1980)
元宝塚歌劇団男役トップ

ベネズエラ行きの話舞い込む

一九六四年、東京オリンピックの年、ベネズエラから〝コーヒールンバの女王〟と言われたエディス・サルセード（注）が来日、日航ホテルに二日間出演した。光栄にも私はゲストとして呼ばれ、三曲ほど歌ったが、この日を境に私の運命が変わったのである。

すでに海外に行こうと用意していたプロモーション用の一二曲入りソノシート（日本語、英語、スペイン語、イタリア語で録音されていた）を彼女に聞いて欲しいとプレゼントした。そして偶然にもその中に収録されていたベネズエラのトロピカル色強い『エスパニョーラ』が彼女の耳に引っかかったのだ。

「明日ＮＨＫに出るんだけれど、話したいこともあるし来ない？」と誘われ、翌日内幸町の旧ＮＨＫホールに彼女のショーを見に行った。ライブ後、「実は日本に来る前にベネズエラからラテンアメリカ全域へ売り出せそうな日本人がいたらスカウトして来てほしいと言われていたの。あなたベネズエラに来る気はない？」と言われ、「もちろん行きたいけれど、どうやっていけばいいの？」と答えた。「実は私はラディオ・カラカスＴＶの専属で、南米でも人気番組の『エル・ショー・デ・レニー（レニー・ショー）』にレギュラーで出ているのよ。毎週世界のスターを呼ぶ人気番組なの。はっきりは言えないけれども飛行機代、ホテル代プラス最低二週間

スター、シャンソン歌手、女優。和製エディット・ピアフにして不朽のゲイアイコン。

エディス・サルセード
Edith Salcedo (1937-)
ベネズエラ出身。幼少時からカラカスのラジオ局で唄い、『コーヒー・ルンバ』（原題『モリエンド・カフェ』）で有名。

契約で二〇〇〇ドル（当時の日本円で七二万円、因みに当時のサラリーマンの初任給は二万円くらいだったと思うけれども、詳しいことは私が帰国してからプロモーターと相談するわ」

あまりの大きな話にそんな夢みたいな、と半信半疑で聞いたけれども、真実味もあったので、その日は興奮のあまり朝まで飲み明かした。

とうてい本場の人に歌では敵わない、とタップダンスや日本舞踊、はたまた歌舞伎の早変わりの引き抜きを習得しようと練習する毎日。その忙しさの合間に歓送会と称して毎週末朝まで飲んでは体調を壊す無様な有様であった。

海外でのデビューへ向けて

出発当日の一九六五年四月二五日、近くに住む祖母と次姉の部屋にリヤカーで私の荷物一式を運び込んでいる引越しの最中、別府の病院から、長い間入院中だった父が今朝一時過ぎに他界したという知らせが舞い込んだ。

大分に住んでいた母も見送りのために上京しており、皆私の門出の日でもあるので、発つまでは知らせるかどうか話し合っていたらしいが、姉に促され、一同テーブルに座った。尋常な雰囲気ではないことはすぐに気がついた。姉が「キツロウさん、お父様、今朝亡くなったのよ」と言って私の手を握った。暫くの沈黙の後、「まさか」と言って号泣している私の隣で、「泣くのは止しなさい」と言いながら姉も号泣していた。皆私がそのまま空港へ行くか別府へ帰るかの答えを待っていたらしい。時間が迫っていたので、私は「ベネズエラへ行く」とはっきり答えた。もし今日の便を逃したら、仕事はキャンセルされるかもしれないし、二度とこのチャンスはやってこないかもしれないという思いと、成功して父に天国で喜んでもらいたいという強い思いもあった。

夕方、少し遅れて着いた羽田空港のロビーには、私を応援してくれていた、後に横綱となる玉ノ海関(注)、その一門と親方が待っており、今でも親しくしている歌仲間も見送りに来てくれていた。空港で今日一日のこと、明日からのことを考え、悲しみと不安と希望の混ざったとにかく慌ただしい出発だった。

初めて知るアメリカ

当時はベネズエラ行きの経由地であるアメリカ本土までの直行便というものがなく、ホノルル〜アンカレッジ〜ロサンゼルスという航路だったが、ホノルルの空港で外国に来たという実感が湧き、ロサンゼルス空港ではすべての規模雰囲気からしてまるでハリウッド映画に出てくるアメリカがそこにあるようで、長い間憧れていたアメリカに来たという実感と興奮が嫌が応にも高まっていた。

玉ノ海正洋(1944-1971)
第51代横綱。全盛期に虫垂炎の悪化で突然死した悲劇のヒーロー。

その年の海外に渡航した日本人は一五万人と言われており、当時いわゆる海外旅行というのは、限られた人しかできないものだったのである。一ドル三六〇円、持ち出し金は五〇〇ドルまででは観光旅行もできなかっただろう。

途中寄ったマイアミの空港には、前年日本にショーで来ていた際に親しくなったキューバ系のダンサーのチェロが前夜のステージのメイクのまま迎えに来てくれており、ステージで踊るが如く歩いて注目を浴びていた。その場が小さな舞台になったかのような雰囲気を彼女が作り出しており、キューバやブラジルにはとびきりクレイジーなショーに関わる人達がいて、彼女もその類のひとりだった。

彼女がいきなり「ねえ、皆さん知ってる？彼は日本ですごく有名な歌手なのよ。ヒロイシ、皆さんに歌を披露したら？」と言い出し、私が歌を躊躇する前に、彼女はすでに手と口でリズムを刻みながら踊り出していた。マイアミには亡命キューバ系のコミュニティが多く、さらにラテンアメリカ人も多く住んでいるので、そのようなノリに周りも特に驚きもしない。少数の楽しむ人、一瞥もしないで通り過ぎる人、私はあの光景を今でもはっきりと覚えている。アメリカやラテンアメリカにはクレイジーなほど魅力的という空気があり、それを求めるオーディエンスも多いのだ。

外に出て、彼女の車に乗ろうとした時、ひとりのハンサムなポリスが近づいてきて「エクスキューズ・ミー、ミス。ここはタクシーの駐車場であなたは駐車違反をしているんですよ」と優しく彼女に注意をしてきた。

チェロが「まあ、粋じゃないわねあなた。今日は私の人生で最高に幸せな日なのよ。なぜなら彼は日本から来た大スターで、この日をずっと楽しみにしていたの。あなたに私達の楽しい瞬間を壊す権利なんてないわ」と返すと、ポリスは「ですがミス、これは決まりなのです」と真面目に答えた。

チェロは「オー、ユー・アー・キディング！（あなた冗談でしょう⁉）ユー・アー・ソー・セクシー」と言ってポリスの胸毛を触り、その中からキュッと一本ひっこ抜き、いきなり股間に手を回し、「サッチ・ア・セクシー（なんてセクシーなんでしょう）」と言って、一瞬虚を突かれたポリスが言葉を失っている間に車に乗り込み、「ハリー・アップ！」と言って急発進した。振り向いた私の後ろではあっけにとられたポリスが呆然と突っ立ったままだった。平和で快楽的なアメリカがそこにあった。

なんというエロス‼

祖母と

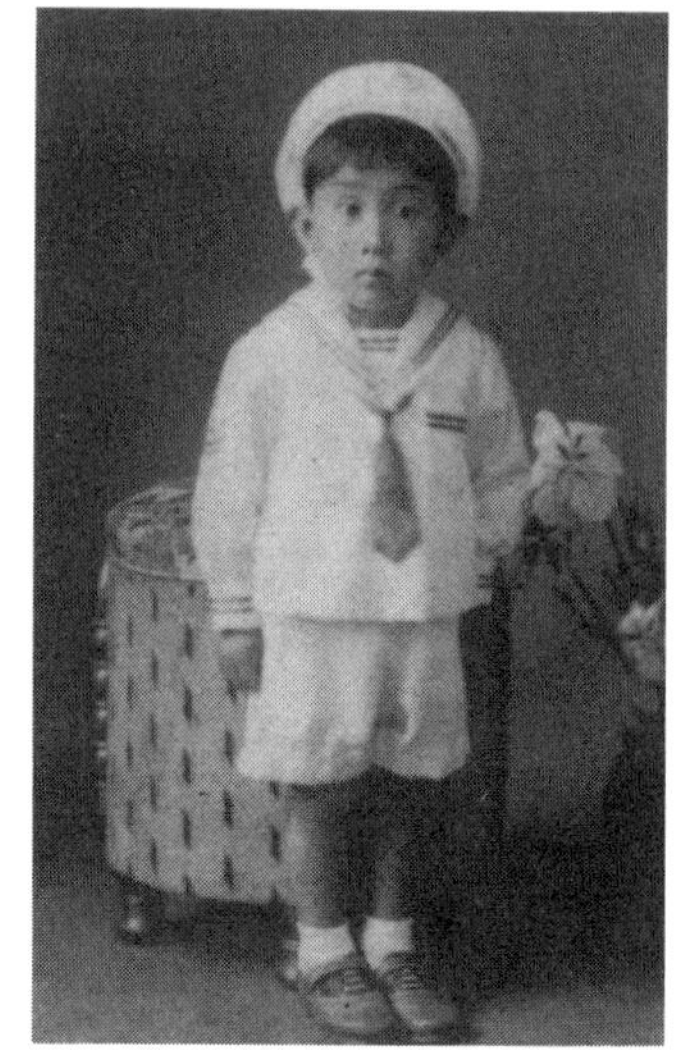

幼少期

当時美空ひばりが一番気に入っていたビックバンド、小野満とスイングビーバーズ（上野のダンスホール）

17歳 デビュー

1964年 東京

1965年 マイアミ チェロと

第1章
オイルマネーに沸くベネズエラ

1965年 カラカス『エル・ショー・デ・レニー』にてエディス・サルセードと

さんざんだった、南米第一夜

一九六五年四月二八日、二一時過ぎ、私はカリブ海上空を飛ぶヴァリグ航空の乗客の一員だった。

間もなく到着するベネズエラのカラカス空港では、私のために大勢の報道機関が今や遅しと待ちかまえているはずなのである。

「こんな夢みたいなことがあっていいのだろうか……」

つい三日前、東京を発つ日に父が亡くなるという不幸もしばし忘れ、新しい期待と不安にすっかり落着きをなくし、鎮静剤を飲み続けたが一向に効かない。

この日までの六か月間というもの、私と契約したカラカスのエージェントから、現地の新聞や雑誌の切りぬきが毎週のように送られて来た。そこには「東洋のスーパー・スター、カラカスに来たる」「東洋のヌエバ・オーラ（ヌーベルバーグ）ヨシロー」「ヨシローのレコードが東京のラジオから流れない日はない」といった、九〇パーセント以上ウソででっちあげられた私に関する記事が出ており、それらを見るにつけ私は顔面蒼白になってうろたえるのだった。

間もなくカラカスのマイケティア空港（現シモン・ボリバル空港）に着陸のアナウンスが流れた時、あの背の高い男性キャビンアテンダントに思いっきり文句を言ってやりたくなった。マイアミからこの機に搭乗してすぐ「カラカスに着く三〇分前には知らせてくれるように。着替えの都合もあるから」としつこく頼んでおいた上、つい先程も「トダビア（まだ）・カラカス?」と片言スペイン語で訊ねたら、先方も「トダビア」と答えたではないか。しかし、文句よりも何よりも、一刻も早く着替えねば……。

「タラップを降りる時は、必ずキモノを着てくるのよ、新聞社のカメラマン達が待ちかまえているから。それに、あなたはすでにスターであることを忘れないでね」と、私が東京ではスターでないことを自信をもって証明するようなエディスの手紙を思い出した。今夜のために三波春夫（みなみはるお）(注)と張り合っても負けない程派手なキモノを作り（北斎の波の向こうに富士山が見える例の絵柄が入っていた）、スターらしくタラップを降りるポーズまで何日も前から練習したのである。

若さゆえの感傷から、空港での晴れ姿を目に浮かべては、せまい自分のアパートでひとり感激し、いつしか涙ぐむ始末。日本でもステージに立てば、もはや南米の大観衆を前にしたような陶酔にひたり、これまた泣けて仕方のない日々だった。既にスターになった、と錯覚していたのである。

話がそれてしまったが、ベルト着用のまま、機内備品の毛布でうまく隠しながら洋服からキモノに着替えることがどれだけ至難の業であるか、ご想像いただきたい。

飛行機はすでに着陸していた。通路に立つ乗客の無遠慮な視線などかまってはいられない。

三波春夫（1923-2001） ド派手な和服と〝お客様は神様です〟のフレーズで有名なシベリア抑留経験をもつ演歌歌手、浪曲師。ヒット曲は多く、『チャンチキおけさ』『東京五輪音頭』『世界の国からこんにちは』など。

中途半端な着替えがすむと、今度は欲ばって制限以上に持ち込んだ荷物をどうやって持って降りるかが問題だった。パン・アメリカンのショルダー・バッグを二つ十文字に、両手に引きずるように下げた紙袋には、今脱いだばかりの洋服類がねじこんであった。やっとよろけながら立ち上がった私を、キャビンアテンダントは急がせる。これでどうやってカメラマンに向かってポーズをとれというのであろうか。

おそるおそるタラップに立つが、その下には誰もいない。そこから入管への道のりは長かった。夜とは言え、カリブ海独特のべとつくような暑さは、みるみるキモノを濡らし、肌にまといつく。下げた紙袋のひもが切れ、押しこんだ靴がころりと落ちる。帯はゆるみ、胸ははだけ、裾をひきずり、やっとロビーに出ると迎えのサルセードやスタッフは、そんなみっともない私の姿を見つけるや、顔色を変え、歓迎の抱擁もそこそこに報道陣に見られないよう、そそくさと車に私を押しこんだ。

母親に手をひかれた女の子が「ママ、あのチニート（中国人）は、いったい何してるの？」と不思議そうに訊ねていたのを覚えている。

このように、空港でのインタビューは大失敗。報道陣から逃れプロモーターと親しい記者とカメラマンひとり、そしてサルセードとその友人が同じ車に乗りホテルへ向かう道中、覚えたてのスペイン語「ケ・ビスタ・タン・リンダ（なんと綺麗な景色でしょう）」と言ってみたが、外は真夜中で暗く、曇り空であった。

初めてのTV出演

明けて、四月二九日。

今日から早速仕事が始まる。契約は一五日間、契約書にはその間にラディオ・カラカスTV局の音楽番組『エル・ショー・デ・レニー』に一四本に出演すること、と示されている。

これは、軽妙なウィットとユーモアでベネズエラのみならず他のラテン諸国でも知られ、かの有名なサン・レモ音楽祭の司会としても有名なレニー・オトリーナ(注)がホストの、ベネズエラ版『エド・サリバン・ショー』(アメリカでこの当時一番視聴率の高かった番組)といったものである。毎週、日曜日は夜八時から一時間半、月曜から金曜は正午より一時半まで。昼休みが長くオフィスに勤める人々も自宅で食事をする習慣のある国だから、昼のこの時間帯はゴールデン・アワーで、視聴率も高い。常時三、四人の外国からの有名なゲストが出演し、日本でも知られる多くの世界的なスターもこの番組に一度は出演している。日本のTV界と比べ、なぜこんなにもギャラの高いであろうスターをひっきりなしに呼べるのか、不思議に思っていた。

後にわかったことであるが、当時この国は石油産出量世界第二位と言われ、ラテンアメリカでは一番金持ちの国だったのである。

レニー・オトリーナ Renny Ottolina (1928-1978)
イタリア系ヴェネズエラ人のカリスマ放送人。1958年から1971年まで『エル・ショウ・デ・レニー』のホストを務める。その後政治家に転身し、1978年、ベネズエラ大統領選に出馬。同年、謎の飛行機事故で死去。

五月二日、私のデビューの日の分をビデオ撮りするので、指定の二時間も前から緊張してスタジオ入りしていたが、同日が最後の日のゲストも何人かいて、夜遅くまで収録に時間がかかり、私はもっぱら待たされ、見学のみで終わってしまった。しかし、日本で大切にしていたレコードのスター本人達が気づけば私の横に立っていたり歌っていたりしていて、時差と疲れの中でも私の興奮は最高潮に達していた。『シガモス・ペカンド』をリバイバルヒットさせた、チリのトリオ、エルマノス・アリアガーダ。この一九六五年、日本人歌手伊東ゆかり(注)とともにサン・レモ音楽祭で『恋をする瞳』を歌い、入賞したイタリアのブルーノ・フィリッピーニ。ベネズエラのカルテット、ロス・ナイペス。このグループの紅一点ミルタ・ペレスは、後にソロ歌手になり、六九年、ブエノスアイレスの音楽祭で『ラ・ナベ・デル・オルビード(忘却の小船)』をひっさげ優勝した。わが国では、メキシコのホセ・ホセ(注)のヒット曲として知られているが、本家はこちらである。後年彼女と度々共演し、その度にうまくなっていくのに感嘆したものである。

以上三組のゲストは、この年のヒット曲をかかえていることもあり、スタジオでもファンにかこまれて熱演していたが、私を一番喜ばせたのはキューバ出身の〝エル・グァラチェーロ〟ロランド・ラセーリエ(注)である。グァラチェーロとはグァラーチャ(キューバのリズムのひとつ)歌手のことだ。

この頃、キューバ出身の大スターといえば、トロピカルものを得意とするセリ

伊東ゆかり (1947-)
ナベプロのスパーク三人娘のひとり。アメリカンポップスで人気を博した。

ホセ・ホセ
Jose Jose (1948-2019)
メキシコの〝歌の王子〟。フランク・シナトラが惚れ込みデュエット・アルバム制作の話もあった。

ロランド・ラセーリエ
Rolando Laserie
(1923-1998)
キューバのグアラーチャやソンが得意でラテン諸国で名を挙げる。

セリア・クルス
Celia Cruz (1925-2003)
サルサの女王。亡命キューバ人の神的カリスマ歌手。70年代はファニアレコードの金看板として活躍。

ア・クルス(注)、ミスター・ババルーことミゲリート・バルデス(注)、ラテンソウルの女王ラ・ルーペ(注)、このロランド・ラセーリエ、ボレロ(注)やバラードではオルガ・ギジョー(注)、ブランカ・ローサ・ヒル(注)、異論を唱える人もあろうが、以上が六大スターとして知られていた。幸運にも私は後年ラセーリエ以外の五人とも共演することが出来たし、いずれゆっくり記すとして、当面はロランドのことだ。

ロランドのこと

彼はトレードマークの鳥打ち帽をかぶり、リハーサルからグァグァンコー（アフリカ色の強いキューバ音楽のひとつ）のリズムに乗って調子がいい。日本のＴＶスタジオのあの張りつめた雰囲気しか知らない私は、この日スタジオ入りした時からあまりのリラックスムードに驚かされていたのだが、これはまたどうだろう流石はカリブ海に面した国のこと、リズムが流れだすと、スタジオ中がとたんに浮かれ出し、かけ声が乱れとぶ。公開録音ではなく、スタッフのほかには三〇人ほどの見学者があるだけだが、カメラマンまで身体を揺らす。アフリカ系キューバ人独特の、張りのあるラセーリエの声は、日本で聴いたレコード通りである。

ラテン音楽の中でも、特にキューバのトロピカルものに心酔していた私は、いつしか見学の女性と踊り出していた。それまで大人しく、というよりはむしろおどお

ミゲリート・バルデス Miguelito Valdes (1912-1978)
ハバナ出身の元ボクサー。戦前からニューヨークで自身のオーケストラを率いて活躍。

ラ・ルーペ La Lupe (1939-1992)
エキセントリックすぎるパフォーマンスと奔放な私生活の芸風で人気を博す。50代の若さでニューヨークで他界。

ボレロ
19世紀に生まれたキューバの音楽形態のひとつ。その後、全ラテンアメリカ及びヨーロッパに広がり、日本でもこのリズムを借用したラテン歌謡として広まった。

オルガ・ギジョー

どと見学していたこの東洋の少年？（実際私は一六歳ぐらいに見られていたらしい）が、いきなりとりつかれたように踊り出したので、スタジオの連中が注目し出す。その視線を意識して、踊りがますますオーバーになる。

曲が間奏になって、ロランドがアドリブで早口に「このチニートは、サボール・トロピカル（トロピカルの味）を持ってるね」とふざけると、司会のレニーがすかさず「君、中国人じゃないよ、日本人だよ」とこれもリズムに乗って言う。

ロランドのショーはこのように冗談ばかりが続き、スタッフも踊っているので、いつになったら本番のビデオ撮りかと他人事ながら気にしていたら、もう本番中だと言われてびっくり。トロピカルものには、このような盛り上がった雰囲気が不可欠だ。

私のように、これ見よがしにに暴れて踊らなくても、ほんの二、三歩動き、腰をひねるだけで体がしなりリズム感が溢れ、カッコいい。

カリブ海諸国のトロピカル音楽（後にサルサというジャンルが作られた）、これらには必ずかけ声が入る。この時にも見学者達が、さかんに「サボール！」「アイ・ナマ」そして「コン・ムーチャ・サルサ（ソースをたくさんきかせて。つまり、激しくやって）」と歌手にハッパをかけていた。

トロピカル（サルサ）の歌手が歌う時のかけ声には、トレードマークみたいなものがあり、セリア・クルスは、よく「アスーカル！（砂糖）」「サボール！」「バー

Olga Guillot (1922-2010)
「ボレロの女王」としてラテンアメリカで名を挙げた。

ブランカ・ローサ・ヒル
Blanca Rosa Gil (1937-)
亡命キューバ人歌手。ドラマティックなボレロを歌い人気を博す。現在はプエルトリコ在住。

ジャ（行け）！」、ラ・ルーペは「アーイ」と一声感極まったような、セクシーなダミ声を出す。このロランドは「デ・ペリークラ（文句なし）！」がおはこ。

いつまでも続くキューバン・メドレーを耳に、私は明日の自分の歌のことを考え、武者ぶるいしていた。

エキゾティカ・ジャパン

一九六五年四月三〇日。

この日『エル・ショー・デ・レニー』のスタジオセットは日本一色。スタジオの雰囲気はラテンアメリカ独特のクレイジーかつ快楽的なものであった。会場に入るなり、バンドがコンパルサ（キューバの伝統的なカーニバルの音楽）を奏で、スタッフ一同私を拍手で迎えてくれた。私も踊りながらスタジオの中央に出て行き、あえて日本式に真面目にお辞儀をした。何食わぬ顔をしていたが、取材陣やスタッフからこの日本人はいったい何をするのだろうという好奇の目が注がれており、本当はかなり緊張していた。このお祭りの音楽で入場するということは、日本のTVスタジオでは考えられない。日を重ねるうちに感じたことは、スタジオの雰囲気は何も演出しなくても日本よりもはるかに面白い。それは彼らの国民性がなせる技であろう。

私の出演部分は、まず、エディス・サルセードとそのクアルテット、ロス・コロラミコスが、怪しげな日本庭園風景をバックに『コーヒー・ルンバ』を日本語で歌うところから始まる。そして彼女が「私が昨年日本に行った時、私達と同じようにトロピカルの味をもってスペイン語で歌う日本人と共演しました。彼を是非ベネズエラの皆さんに今夜この番組で紹介したいのです。彼は日本では大スターです（かなり苦しい嘘）」といった内容を喋り、私の『サヨナラ（英語バージョン）』（当時この歌はマーロン・ブランドとミヨシ梅木（注）が主演した映画の主題歌で大ヒットした）、『スキヤキ』に入る。

鳥居のうしろ、お宮の階段らしきものでキモノを着、傘をさして下りながら歌い始めるのは、日本人の私にとって異国的すぎて照れくさいが、我慢しながらもなりきっていた。後日談だが、当時私のプロモ・レコードに吹き込まれていた坂本九（注）とまったく同じアレンジのレコードがほぼ毎日ラジオからかかっていたので、ほとんどの人は坂本九とヨシロウが同じ歌手だと思い込んでいたようだ。その後、よく「あなた坂本九ですか?」と聞かれていたが、プロモーターに言われていたので「そのような者です」と答えていた。

すべてが〝東洋調エキゾティズム〟である。笑いがとまらなかったのは、『サヨナラ』が終わり、すぐ『スキヤキ』のイントロに入るところでキモノの早変りがあるのだが、その手助けをしてくれる六人のダンサーだ。芸者の扮装のつもりだが山

ミヨシ梅木 (1929-2007) 小樽市出身のジャズ歌手。ナンシー梅木として知られる。戦後まもなくジャズ歌手として人気を博し、紅白歌合戦の常連として活躍。1955年渡米しミヨシ・ウメキと改名。1957年『サヨナラ』でアカデミー助演女優賞を受賞。以降ブロードウェイやTVで活躍した。

坂本九 (1941-1985) バンドボーイを経てロカビリー歌手に。永六輔、中村八大作の『上を向いて歩こう』が『スキヤキ』として全米チャート1位。一躍国際スター歌手となる。TVや映画で幅広く活躍をつづけたが1985年 日航123便墜落事故で死去。

本寛斎が発表するパリ向け和風浴衣もどき、髪は東南アジアの相撲とりもかくや、珍奇な歩き方にチャイニーズスタイルの扇子の持ち方、その扇子には私が読めもしない漢字もどきが書かれ、カメラがその字を大写しにする。振付師にせよ、衣裳係にせよ、知らぬ他国のことに出来るだけのことをしたのだし、気分を害さぬ程度にクレームをつけた。

早変りもうまくは行かない。『スキヤキ』のイントロは一〇秒ぐらい、カメラに写ったままダンサー達は、踊りながらさり気なく私のキモノを引き抜き、私は別の衣装になっているのだが、こんなことに慣れているはずもない彼女達、慌ててしまって、胸ははだけ帯は斜めになっており、まるでサマにならない。しかし六人とも大まじめだ。

やっとのことでこの二曲が終わり、ホストのレニーがサルセードに「あなたはウソつきだね。ヨシローはスペイン語で歌わないじゃないか」「あら、見ててごらんなさい」と、エディスが受ける。そして私の、いや、おそらく世界でも前代未聞の『グラナダ』に入るのだ。

『グラナダ』――その波紋

〝ヨシローのスペイン語は完璧〟と宣伝されていただけに、先程までの気楽さは吹っ飛んでしまった。アグスティン・ララ(注)のこの名作が、私がスペイン語圏で初めて歌うスペイン語曲なのである。時差の疲れと緊張が相まって吐きそうなほどに緊張してしまい、本番に入ると、もう立ってはいられず、曲の途中ですわりこんでしまった。ハンカチを持ってきてもらい、その中に吐いてしまったのだ。

見かねたレニーが「うまく歌えてるよ」と、やさしく声をかけてくれる。スタッフの励ましで、再びビデオカメラがまわり出す。

なぜ前代未聞か、と言うならば、スペインの古都を讃えたこの曲を歌うのに、私はキモノを着ている。前半はごく一般的な『グラナダ』のカデンツァ、その後ラテン・ロックのリズムに一転したところから、手にした傘をやおら歌舞伎の大見得よろしく開き、更に扇子を指にはさんでクルクルまわすのである。

喜ぶスタッフの声援に、私もついつい浮かれ、今度は下駄でタップを始める。意中にあった振付けも忘れて、思うがまま一気に歌い踊った。

歌はともかく、ベネズエラ初の東洋からのゲストの奇想天外なショーは、五月二日放映以後あらゆる意味で話題になった。その代表がアバニーコ（扇子）である。派手な舞扇（まいおうぎ）だ。

世界中めぐり歩いたわけではないから一概には言えないけれど、外国での扇子は本来婦人の装身具である。スペインのフラメンコだって、メキシコのベラクルスの踊りだって同じこと、男性が扇子を持つ例などない。だから、扇子を持つ男はマリ

アグスティン・ララ Agustin Lara (1897-1970)
メキシコの国民的作曲家。代表曲『Granada』『Solamente una vez』など。

コン（ゲイ）だ、と言うことになる。たちまち〝ヨシロウはゲイだ〟との噂が出たらしい。カラカスの『ウルティマ・ノティシアス』紙五月一四日号では「日本では扇子は、男性も使用する」のタイトルのもと、一ページ全部をさいてくれたものである。これはルイス・ロドリゲス（以下R）という記者のインタビュー記事なのだが、その一節を記してみると、

R　アバニーコ（扇子）の評判は良くない、知ってますか？
私　らしいですね。でも私にはワケが分からないのですが。
R　アバニーコは女性だけが用いるもの、みんなそう考えているんです。
私　とんでもない。日本では男性も使うんです。男性にとってもアバニーコは装身具なんですよ。

扇子がこんなに問題になるとは思ってもいなかった。ともあれこの放送は翌日の夜のゴールデン番組で放映され、この年の最高視聴率を叩き出した。

優れたホスト、レニー・オトリーナ

カラカスでの人気にくらべ、その後の私は何度も厚い壁にぶつかった。同様にその後のラテン歌手のめまぐるしい移り変わりを考えると、ちょうどラテン音楽の過渡期にあたるこの頃、ベネスエラに来た意義は深い。ちょうどボレロやオーソドッ

クスなトロピカルものの全盛から、ロックやゴーゴーなどのムシカ・モデルナ（新しい音楽）、日本ではラテン・ポップスと呼ばれているジャンルに移り変る時代で、もはや若手でボレロを歌う歌手は時代遅れとまで言い切る人もいたし、女性ボレロ歌手のベテラン、オルガ・ギジョーでさえスタイルを変えつつあった。そんな中で、現地の音楽事情の予備知識のない若手の私が、てらいもなくオーソドックスなボレロを歌うので、むしろ好感をもたれ、ボレロの再燃に一役買ったと言っても過言ではないだろう。

人間の一生にあって、幸運の女神はそう度々微笑みかけてはくれはしないが、今まで私の生きて来た二四年間で、このカラカス滞在中ほど微笑みかけてくれたことは他にない。それは微笑というより、あえてバカ笑いと言わせていただく。

他人の不幸を喜ぶわけではないが、他のゲスト達の思わぬハプニングが、私の立場を有利にする結果になった。

その中でもメイン・ゲストだったイタリアの人気歌手リタ・パボーネ（注）が、番組の中で彼女の出演するところだけ彼女専属の司会者を使うと言い張ったのに対しレニー・オトリーナは「これは私の番組だから」と、けんもほろろに断ったことから、心証を害したこの大スターは、高いキャンセル料を払って帰国してしまった、と聞かされた。その分だけ私の出演時間と曲目も増え、TVやラジオのスポットも〝ヨシロウ〟の名が前日より大きく扱われる。リハーサルの時間もたっぷりもらっ

リタ・パボーネ
Rita Pavone (1945-)
イタリア・トリノ生まれの女性カンツォーネ歌手。日本でも『恋の意気地なし』がヒットした。

た。

このような時勢、毎日地元ベネズエラからもあらゆるタイプの歌手がＴＶに出演する。もう少しスタジオの様子を綴ってみたい。

私のＴＶデビューの翌日、五月三日（月）は昼の放映である。ここで他のゲストのハプニングその二がおきた。ブルーノ・フィリッピーニが、本番中だと言うのに伴奏のテンポが遅すぎるとどなったため、オーケストラは彼の伴奏をボイコットしてしまった。とうとう彼は最終日まで、あまり巧くない自身のピアノ弾き語りでお茶をにごしたのだが、もともとオーケストラ用にアレンジされた曲が、これで盛り上がるはずもない。

ホストのレニー・オトリーナは、単に司会者として優れているだけでなく、機を見るに才たけ、リタ・パボーネとブルーノ・フィリッピーニのトラブルで、一時は視聴率も危ぶまれた時、すぐ私を中心に立て、わざとボレロをオーソドックスに歌わせ、リタに当て付けるように当時大ヒットした『二万四〇〇〇回のキス』（注）をイタリア語で私に歌わせ、アメリカのポピュラーやラテン・ポップスでは思いきりモダンな衣裳を私に要求した。この番組のゲストは毎回二曲だが、前記ふたりの歌手のトラブルで私は四曲歌うことになった。

スターとは、プロとは何であるかを、身にしみるほど教えてくれたのも彼であった。例の扇子の一件で、ある日の新聞に「珍奇なグラナダを歌うヨシロウ」という

『二万四〇〇〇回のキス』24000 Baci
〝イタリアのエルビス〟アドリアーノ・チェレンターノのツイストのリズムで作られた大ヒット曲。世界中の歌手が歌い、日本では藤木孝がヒットさせた。

見出しで「歌はいい。けれど私はワースト・ドレッサーの表彰状をあげたい。あの名曲『グラナダ』をキモノを着て扇子を持ち、傘まで差し、下駄でタップまでして、前代未聞である」と書かれ、今後キモノや扇子は一切使いたくないとレニーに泣きつくと、「新聞でこれだけ大きな話題になるのは、いいことじゃないか。実はみんな喜んでいるんだよ。ヨシロウは誰もやらなかったことをやっているパイオニアなんだし、まず視聴者はそれを期待しているんだから。ヒット曲のない君に必要なのは、話題だよ。キモノの時は必ず扇子を使い、思い切り日本的に、その反対に洋服の時は世界の最新で驚かせてほしい」と、こともなげに言った。その上、翌日の番組では「日本の文化も知らない三流新聞」と、当の新聞社の名を挙げ、日本では男も扇子を使う習慣があることを長々と喋ったものである。

ベネズエラの新聞記者のボス的存在、日本びいきで、サルセードの親友でもあるファン・ベネ氏は、待ってましたとばかり私にひっかけて日本文化について一ページもさく。その後も彼は毎日のように私の記事を書きまくり、レニーとサルセードもTVで口を開けばオウムのごとく私のことをしゃべる。一方、例の新聞も反撃、その矛先が私からレニーの悪口へとうつった。

レニーは番組のコントにも私を起用し、スペイン語の歌とは対照的に会話の方は僅かしか出来ない私が失敗する面白さもとり入れた。

日本でも生番組中にハプニングを期待して、あの手この手を使っているが、どれも演出だけが目立つ。真似好きの日本のＴＶ界だが、そこでまだ一度もやっていない面白い経験をカラカスでした。これぞハプニングの真骨頂だろう。

いつも昼の放映はナマなのだが、ある時一回だけ翌日の分をビデオ収録したことがあった。ハプニングはそこで起こった。

ちょうど私がボレロの名曲『ペルフィディア』(注)を歌っていた時だが、途中で歌詞を間違えたので、伴奏にストップのサインを出す。

レニーがニヤニヤしながら、「ケ・テ・パーサ？（どうしたの）」「歌詞を間違えたので、もう一度お願いします」「それほど気にならなかったのに……それに、もう少しで番組が終わるし、時間がないよ」「だって、こんなみっともない歌を放映されちゃ恥ずかしいもの」「恥ずかしいって言ったって、もう視聴者は見ているんだよ」「ふざけないで下さい。今はビデオ録画なんだから、もう一度撮り直してくれてもいいじゃないですか！」と、私の声も少し荒くなる。こういう難しい話になると、スペイン語がまだ下手だったので、英語に変わる。

「なに、ビデオだって？　冗談はよしてくれ。今、君がどなってるのも、もう全部ＴＶに流れているんだよ、これは生番組なんだから。誰だ、ヨシロウに嘘を教えたのは！」と、こちらはスペイン語、スタジオの人々にも視聴者にもハッキリ分かるようにレニー。彼の意図がつかめない私は、ますます怒りたける。

「よし、マエストロ、もう一度間奏から演奏してあげてくれ」と、レニーは笑い

『ペルフィディア』Perfidia
メキシコのボレロ作曲家アルベルト・ドミンゲスの名曲。サビア・クガートやナット・キング・コールからベンチャーズまでカバーしている。

をこらえた声、そこで音楽が流れだしたが、私は歌いもせず更に声を荒げて「始めからやって！」とオーケストラにどなる。カメラマンが「ヨシロウ、そんなみっともない顔をしちゃあＴＶの向こうのお客さんに笑われるぜ」「うるさい、黙れ！」と私はカメラマンをにらみつける。

実は、やはりビデオ録画だった。録画が終って彼は、「ごめんよ、ヨシロウ。ちょうど時間がオーバーしたので、今の『ペルフィディア』の場面だけ、明日はカットするよ。ただ君をからかっただけさ」と事も無げに言った。

ところが翌日この大モメの場面は、カットされずにそのままＴＶに流されたのである。番組の最後にレニーの「この番組でヨシロウが口にした、わが国では下品とされることばは、意味は同じようなものですが、すべて日本語ですから悪しからず」と言うシャレが入った。この修羅場をわざとノーカットで放映し、視聴者を翻弄させたのである。これもまた大きな話題になった。

ベネズエラのスター達

私の一か月のベネズエラ滞在中には、他局の番組にもメキシコからトリオ・ロス・パンチョス(注)やマルコ・アントニオ・ムニェス(注)が出演していたが、皮肉なことに海外勢よりも地元ベネズエラの歌手の何人かの方が、どう見ても音楽的に優れ

トリオ・ロス・パンチョス Trio Los Panchos
日本でもブームを起こした世界的なメキシコ人トリオ。ソンブレロ（メキシコの伝統的なハット）にポンチョというステレオタイプは彼らが日本にもたらした。

マルコ・アントニオ・ムニェス Marco Antonio Muniz (1933-)
１９６０年代に高い人気を誇ったメキシコ人歌手。

ホセ・ルイス・ロドリゲス Jose Luis Rodriguez Gonzalez (1943-)
１９８０年代、フリオ・イグレシアス、ロベルト・カルロスと並ぶラテンアメリカ三大歌手のひとり。ニックネームはエル・プーマ。

ていて、ある日ふとそのことをベネズエラの歌手にもらすと、待ってましたとばかり、「この国は外タレに弱いんだよ。石油で金があるので、出演料だって他の国よりずっと多く出すし、そのためわれわれの仕事場は狭められているんだ。本当に良いゲストなら歓迎だけどね」とボヤく。人気に酔いしれていた世間知らずの私は、それがもしかしたら私への皮肉であるかも知れないと気づく余裕は、とてもなかった。

当時我が国で知られるラテン歌手のほとんどはまずメキシコでヒットした歌手達であるが、この年知ったベネズエラの男性歌手ホセ・ルイス・ロドリゲス（注）、女性ではミルラ・カステジャーノ（注）などは、もっとラテンアメリカで活躍し、我が国のファンにもなじみになってもらいたい、一流歌手である。さらに言えば日本にも公演に来たバンド、グアコ（注）にいたっては、日本のプロミュージシャンが仕事を休んででも見に行くほどの超一流グループである。

五月一六日、ラディオ・カラカスTVとの契約も終わり、闘牛場や野球場のような大きな会場でのライブもこなし、連日のパーティやら、コロンビア、パナマ、ペルーなど巡演の打合せ、レコーディングの話などで、もはや正気の沙汰ではないほどに浮かれていた。サミー・デイヴィス・ジュニア（注）やポール・アンカ（注）らも出演した番組に、自分もゲスト出演したという単純な理由から、まるで彼らと同じレベルの人気者になったような錯覚におちい入り、その人気を試すため、昼となく夜

ミルラ・カステジャーノ Mirla Castellanos (1941-)
美貌で有名なベネズエラを代表する実力派女性歌手。

グアコ　GUACO
サルサからジャズ、ロック、ファンクまであらゆる要素を取り入れた独特のサウンドを奏でるベネズエラの長寿グループ。

サミー・デイヴィス・ジュニア Sammy Davis Jr.(1925-1990)
アメリカショービジネス界の最高峰で、白人と同格に扱われた最初の黒人歌手。

ポール・アンカ Paul Anka (1941-)
レバノン系カナダ人の

となく出歩いては、サインに群がる人波の中で酔いしれ、このまま時が止まってくれればいいのにと思っていた。もっとも実力以上に思いがけなく人気の出た日本のジャリタレに群がるプロダクション同様、海千山千のプロモーターが私のこの〝変な人気〟で儲けようと、毎日私のホテルに来ては、一緒にはしゃいでいたことも確かだ。

亡命したキューバ人の集まりに招かれ、そこで初めて見たサンテリア(注)の儀式に度肝を抜かれた。太鼓の音に導かれ、参加者の多くはトランス状態になってゆく。神に捧げるために生きた鶏の首をはねる。サンテリアの儀式につきもののかなりディープなアフリカ系のリズムと踊りである。その他、一時は白人によって禁止され、黒魔術と言われたハイチのブードゥー、ブラジルのカンドンブレ、どちらもルーツは西アフリカから奴隷が持ってきた宗教と儀式である。ショックに近いような魂の震えを感じたのもこの時である。

一か月前の日本とこの地での差を考えるともう二度と日本には帰りたくない、柱にしがみついても帰りたくない。毎日その強い思いを胸に、自由に生きていくことの幸せを感じていた。なぜなら日本では私のような人間の居場所は無いと思っていたし、この地では歌だけでなく、私のような性的少数者を受け入れてくれる世界があったのだ。クリスチャンが多いラテンアメリカで聖書の教えに忠実に暮らしているお固い面もあるかと思えば、生来の民族性からか、皆快楽的なことこの上ない。

ポップシンガー。

サンテリア　アフリカ伝来の宗教儀式。

エロくて自由。それが音楽に直結しているので、なおさら私の生き方と合っている。どぎついほど快楽的なことを見聞きし、経験したが、それは後のお楽しみとしよう。

そんな日々の中で〝恐いくらいに幸せ〟だった。一夜、家族にこの喜びを手紙に書きながら、羽田を発つ日、会うことも出来ず淋しく死んでいった父を思って泣いた。

〝夏のトウフとスターの人気は三日ともたぬ〟という言葉が、身にしみて分かったのは、その後間もなくメキシコに発ってからである。そして、外国で歌っていく厳しさなども、分かってくるようになるのだが……。

メキシコへ旅発った理由は

一九六五年五月二六日。有頂天になっていた私に、突然のアクシデントが起きた。余勢をかって、次のツアーへの夢に胸をふくらませていたところへ、四日後の予定地コロンビアが政情不安に陥り、当分興行活動が出来ないという。

外国では、契約書という紙切一枚が絶対的なもので、

一、天災

二、戦争

三、政治的暴動が起きた場合のみ、この契約書は無効となる。つまり、私の契約書は反故同然、夢は見事破れたわけである。

南米の諸事情に詳しいサルセードと記者のベネ氏は明日にでも日本に帰るべきだという。けれど、やっと苦労してここまで来たのにハイそうですかと素直に帰るような私ではない。こちらでは私の本当に好きな歌がオーディエンスの好みともぴったり合った。せっかく成功したかに見えたのに、この種の歌が受け入れられない日本に帰り、無理して日本人が要求するラテンを歌う日々を思うことは不可能であった。さらにこの一か月、私の生まれた性のままに正直に生きられたのである。もしかしたら私が人気を得たからではなく、私自身を生きることができた充足感の方が大きかったような気がする。人間とは、生まれたままの自分を正直に生きられることが一番幸せなのではなかろうか。

日本では、これから数か月から一年、私が送るニュースをマネージャーの故小澤氏（元小澤音楽事務所社長）と、今でも芸能界の大物記者K氏がマスコミに流し、帰国までに〝私の計算〟ではスター誕生という筋書きが出来ていたのである。それに、カラカスでの収入の一か月分を稼ぐには、日本ならその頃のサラリーマンの年収の一〇年分に値する（ただし当時は一ドル＝三六〇円）。

タレントの涙物語を私は好まないが、日本を発つ日に死んだ父の葬式にも出られなかった私は、もっと成功するまでは帰れない、という固い誓いもあった。それに、私は勝手に、日本中の期待を一身に背負って、はるばる南米にやって来た歌手のような錯覚をしていた。

心配顔のサルセードとベネ氏に送られその三日後、知人とてないメキシコへと旅立った。五月二九日、カリブ海の太陽もまだ上らぬ早朝であった。

1965年 カラカスの路上にて

1965年 カラカスの路上にて2

1965年 ベネズエラ TVショー

1965年 ベネズエラ TVショー2

エディス・サルセードとTVショーにて共演

第2章
メキシコからアメリカへ

ハリウッドにて

メキシコ最初の夜

五月三一日。マイアミからの乗り継ぎで、夜遅くやっとメキシコ市に着いた。疲労に加えて高地にある街のため軽い高山病で頭痛がするが、そんなことでのんびりホテルで休むわけにはいかない。こんなことになるとは知らず、日本に送金したばかりの私の手元にはそれほど多くのお金が残っていたわけではなかった。

このラテン音楽の都でベネズエラの夢をもう一度と、サルセードの紹介状片手に新聞社「エクセルシオル」「シネ・ムンディアル」の門をたたいた。お目あてのふたりの記者は五時ごろにしか来ないと言われても、二時から両社の間を何度も往復し、「まだか、まだか」とせまる。

運悪く今日会えず、明日まで待つ不安を考える。そんな風にしてやっと会えたメキシコでの最初の記者が「シネ・ムンディアル」社のトゥルヒージョ氏であった。

一九六五年といえば、東京オリンピックや皇太子殿下御夫妻の訪メキシコの翌年であり、ロス・パンチョスやロス・トレス・ディアマンテス(注)の日本での成功がメキシコ人の記憶にまだ新しく、ちょっとした日本ブームであったから、私もまんざら招かれざる客ではなかった。

その夜急遽連れて行かれたのは、私と同じ年齢で売り出し中だったメキシコの俳優ホルヘ・リベーロ(注)と、ハリウッド女優ルーシー・ベガの共演作品発表レセプ

ロス・トレス・ディアマンテス
Los Tres Diamantes
1948年に活動を開始したメキシコのボーカルグループ。ロス・パンチョスと並んで、人気を博した。代表曲は『Cuando Me Vaya』『Te Quiero, Dijiste』。

ホルヘ・リベーロ
Jorge Rivero (1938-)
メキシコを代表する国際的俳優。代表作は『アダムとイブの罪』。70年代は『ソルジャー・ブルー』『リオ・ロボ』などハリウッドの大作西部劇にも出演。

ションで、ここでトゥルヒージョ氏が「カラカスの『エル・ショー・デ・レニー』に出演した日本のヨシロウが、ふたりのためお祝いにかけつけた」と一芝居うって紹介してくれた。そして嫌がるふりをする私に、あえてアルバロ・カリージョ(注)のヒット作二曲を歌わせ、それが伴奏とかみ合わずうまく歌えていない割に拍手が多かったのは、丁度アルバロの芸能生活五〇周年記念のショーをあるクラブでやっていて、アルバロはその時話題の人だったため、とは後で知ったことである。

すっかりメキシコの夜に酔った私は、朝からの空腹を満たすべく残されたオードブルに最後までしがみついていた。トゥルヒージョ氏は、調教師のように私をふたりの俳優にぴったりくっつかせ、いつも写真に収まるよう気を配ってくれたが、その写真が翌日から新聞や雑誌に載ったのはもちろんである。

想い出の『ラ・メンティーラ（いつわり）』

その翌日六月一日。私の見果てぬ夢の話をきいてくれた「エクセルシオル」紙の当時メキシコ芸能界のナンバーワン記者ラウル・セルバンテス・アジャラ氏は、この夜、アルバロ・カリージョのショーに案内してくれた。同席したのは、カメラマンと私の今後に興味を示してくれたプロデューサーであった。

アルバロ氏は『ラ・メンティーラ』(注)、『サボール・ア・ミ』(注)他数々のヒット

アルバロ・カリージョ
Alvaro Carrillo
(1921-1969)
メキシコ出身、モダン・ボレロのシンガーソングライター。アルバロの生涯はホセ・ホセ主演で映画化されている。

『ラ・メンティーラ』
La Mentira
故フランク・シナトラが英語でアメリカに紹介した。

『サボール・ア・ミ』
Sabor A Mi
日本で1950年代、『ケ・セラ・セラ』他のヒットで人気を得た大スター、ドリス・デイが英語でアメリカに紹介した。

で知られるシンガーソングライターである。この日を境にその後、当人の好みも手伝って、私も両曲の代表的な歌手として語り継がれるようになった。

日本では、ラテン歌手といえば、張りのある豊かな声量で情熱的に歌い、また陽気に無用な巻き舌を使えば素晴らしいと思う人も多かったこの時代だが、アルバロは巨体に似合わず、彼の声は優しく、少ししゃがれた声で呟くように淡々と歌うがやたら心に染み入る。

大人の歌手のなせるわざか、その曲を作った人にのみ出せる味わいか。この年の大ヒットとなった『ラ・メンティーラ』を歌い出した時、客席のあちらこちらから「アイ！　アイ！」と溜息がもれ、「ノ・ジョーレス（泣くなよ）」とかたわらの恋人を抱きしめる男もいる。

メキシコでは、自分の好みの歌が始まったり、歌が佳境に入ると、一斉に「アイ・アイ！」と感極まった声が入り乱れ女性はもちろんマチョの国であるはずの男性も実によく涙を流す。「ノ・ジョーレス」というのも、むしろ掛け声の役目もあり、浪曲や歌舞伎の佳境に入る掛け声にどこか似ていてタイミングがよく、耳というより官能で音楽を受けとめる感じの彼らが恍惚とした目をステージに向けると、魅惑的な雰囲気が漂う。苦しい時も多かったにもかかわらず、私がこの国を去り難かったのは、何よりもまず音楽とエロスが混在したステージを務めるスリルであった。

また、私はこの時『ラ・メンティーラ』はすべて私の好みに合わせて作られていると思った程で、今でもこの歌を耳にすると涙腺がゆるむ。

頃合いを見てアルバロは私を客に紹介し、運よく持っていた彼のヒット曲『ウン・ポコ・マス（もう少しだけ）』の入ったソノシート・レコードをその場で彼にプレゼント。『サボール・ア・ミ』のイントロが始まると、私にも歌えと彼は促す。臆する私を同席の大男三人が、「ウン・ドス・トレス！（一、二、三）」と弾みをつけ、ステージに押し出した。

この偉大なアーティストに遠慮しながら、さり気なくマイクに近づくフリをしていきなり図々しく自分のショーの如く歌い出した。歌い終えた後、アルバロが何か言ったのだが、その言葉が分る程スペイン語が達者でなかった私が、ラウルの説明でアルバロのジョークにひとりバカ笑いした時、客席は甘いボレロに静まりかえっていた。

その帰途に立寄った名高いマリアッチ広場での流しの歌い手の声量豊かな歌も、実にメキシコの民族色豊かであると異国情緒に浸ったのだった。

キモノ　キモノ　キモノ

その後一週間、前記のふたりの記者は、折にふれマスコミでの話題作りに協力してくれ、マネージャーのグスターボと私はせっせと売り込みに明け暮れた。目立つようにと常にキモノ着用を命じられた私は忠犬のように喜んで従った。この頃デビュー間もない橋幸夫の舞台でしか見られないようなキモノ姿の日本人が、毎朝九時ごろ、おどおどとホテルを出てくる様子を想像していただきたい。場所は観光客の多いファアレス通り、ホテル前に待ちかまえるタクシーの運転手達にも曖昧に答え、ホテル横のアラメダ公園にそそくさと消える。名物の靴みがきが声をかけるが、足袋と草履に気がつき、黙りこむ。公園の反対側の出口から、誰も見ていないのを見とどけて、素早く小さな路地に駆け込む。薄汚れた道には、朝から酔っ払いが寄りかかり、淀んだ目で不思議そうに私を見つめる。

その奥の方に、屋根の広い体育館風の、これも汚れた市場があり、入口では裸足のインディオの女達が（今ではメキシコ先住民と呼ばれている）、果物や生きたニワトリなどを並べて客を待っている。

私はそれを横目に建物に入り、トリやブタの足などがぶら下がった店々の一角の立食い食堂で朝食をとる。実はホテルの一〇分の一くらいの値段で済むからである。

何くわぬ顔でホテルに戻ると、ヒゲの支配人がいんぎんに迎え「ミスター・ヨシロウ、今朝も貴方様のことが新聞に載っていましたが、TV出演はいつでございますか？」とくる。私は逃げるがごとくエレベーターに飛び乗るのが常であった。運悪くロビーに日本人観光客がいようものなら彼はすっ飛んで行き、「日本から有名なヨシロウが来て、当ホテルにご滞在中でございます。もちろん皆様は彼をご存知でしょうね」とやらかすのだった。

売り込み実況記

連日の売り込みは一喜一憂のくり返しで、外国のショー・ビジネスの厳しさや日本のシステムとの違いも分かってきた。

日本のようにＴＶ局は多くないため、短期間に番組のかけ持ち出演する歌手など皆無である。セ・ケマ（燃えつきて灰になる）と言われ、出すぎても歌手の価値は下がるし、飽きられるということが一番歌手にとっては致命傷であった。今でも私は毎日ＴＶに同じ歌手が出ている日本の状況が、日本人でありながら理解できないのだ。

ましてや外国人の私など、最初に出演する番組の価値次第でその後のランクも決まる。ナイトクラブやキャバレーの世界でも同じだ。一般に外国ではこの種の店ではショーが売り物であって、日本でいうホステスはいない。クラブでは毎日競って新聞にショー案内を載せるから、どこに誰が出ているかすぐに分かる。二流クラブに出演でもしようものなら、その歌手のランクも二流と思われ、その後一流のクラブに出るのにかなりの苦労をする。しかも、このように新聞に載る案内だけで、地方のクラブや他の国からのプロモーターもランクを決めるのでかなり注意する必要があった。

一流と呼ばれるクラブの事務所は、いつも売り込みの歌手やマネージャーで溢れ、日本でも名の知られた歌手の顔が見られる。「アスタ・マニャーナ（明日また）」と、明日に延ばす習慣になれた彼らは、この言葉を聞くと、さして気にも留めず、翌日もまたクラブの事務所に売り込みに来る。

一般にメキシコその他の国でも金曜日に新しいショーが始まると、週末の二日間だけのショーと長期のショーがあり、初めは二週間単位の契約をし、好評の場合は一週目の木曜日に延長の再契約が交わされるのが通例である。

どんな具合か、私が売り込みに行ったある日の風景を紹介してみよう。

「今やっているショーの評判がよく、延長になりましたので、また来週の木曜にいらして下さい」と言いながら、マネージャーのグスターボはあっさり立ち上がろうとした。同じことの繰り返しにいい加減飽き、頭に来ていた私は彼を引き留め「残念ですが、来週はロサンゼルスの仕事があるので来られません（心の内を正しく言えば〝来週までメキシコ滞在のおカネがないので、とりあえずロサンゼルスの友人宅へ身を寄せねばなりません〟）。時間の無駄ですので、もし私に興味がないのなら〝ノー〟といって下さい」と言った。

「ヨシロウ、あなたはこの国では無名ですが、エキゾティックなショーのアイデアには興味を持っているのですよ。今夜あなたのレコードをゆっくり聴いて、考えてみたいのです」「聴かないで下さい（慌てる）。レコードだけで評価されたら、この国の歌手に敵いませんから（本音である）。でもナマのショーはレコードと大分違います。今夜オーディションのつもりで歌わせて下さい。客の反応を見れば、あなたはきっと気に入ると思います。私のショーはとてもウニコ（オンリー・ワン）ですよ」

カラカスの新聞でウニコということばで賞められた私は、以来バカのひとつ覚えのようにウニコを連発していたが、後のメキシコでのデビューの日、キモノの早変りの手順を間違え大失態をしでかした時みんなから「本当にユニークですね」と心をこめて（？）言われたものだった。

ところで、オーディションといえども無料で客の前で歌うことは、他の歌手にとって営業妨害となる。だからこの国ではいかなる場合でも歌手が無料出演することをユニオンが禁じている。そんなことを説明したマネージャーは「どうです、今バンドのリハーサルが終わったばかりなので、この場でオーディションをしては？」と言う。「でも今は楽譜も衣裳もホテルにあります。第一、客がいないのはやりにくい」と渋る私にマネージャーは「バンドは楽譜なしでもなんとかなります。衣裳はあなたの写真を見ながら想像しましょう」

開店前、忙しいボーイさんやコックさん達を客席に座らせ、マネージャーは帰り支度のバンドを呼びとめたが、なんとこれがマリアッチスタイルではないか。これでは極端に言えば長唄の囃子でジャズとまで言わなくてもチグハグなものだ。なにしろ私のショーのオープニングはラテンロック風にアレンジした『ソーラン節』なのだから。

「ええい、ままよ！」と決心したが、バイオリンの音色が胡弓のそれに似ているため、楽譜なしの打合せで生まれ出たその前奏はどこか中国風で、気を利かせてくれたのが余計癇に障る。

「みなさん、これは日本の民謡ですが『ラ・バンバ』の感じのイントロでいいんですよ、つまりラテンロックの感じで」と注文して再び前奏が始まったが、我慢の限界ぎりぎりの感じ。ドラムスがないのでバイオリンの胴の裏を弓で叩いてもらい「ア、ドコイチョ、ドコイチョ！」としか聞こえないかけ声も入れてもらって、ひきつりそうになる顔に無理に笑みを浮かべ、私は『ソーラン節』をやっと歌い終えた。この三分間の長かったことといったら！　シラけると悪い、最も始めからどっちらけだったので、終わるとすぐに「ハイ、ここで拍手がくると思って下さ〜い」とボーイやコックさんを促す。つられてマネージャーもパチパチと手を叩いたが「それのどこが面白いのかね」と言いたげな顔をしている。考える隙を与えまいと私はすかさず「ここですぐ二曲目のイントロに入り、ライトが七秒消えると仮定して下さい。その僅かな間にキモノの早変り、ライトが再びつくとお客さんは驚くのです。ほらそこにある写真の、白っぽいキモノから黒いのに七秒で変わります。もちろんその間バックの音楽はストップなしです」と説明するが、オーナーには早変りの意味が分からぬ様子で、バンドもとまどい一向に次の曲に入らない。焦れた私は二曲目の『フラメンコ・ロック』はイントロも間奏も自分の口で歌い、ドラムのオカズも「デケデケドンドン」と自分でやり、ついでにエンディングもバンドにあてつけがましくヒステリックに「ジャーン！」とやる。

義理の拍手のかわりにみんな笑ったのがせめてもの救いであったが、ピエロの役はもう沢山、次の曲をやる勇気はもうなかった。

「いいバンドでちゃんとリハーサルをやればムイ（ベリー）・ナイスなショーをお見せ出来たのに、残念なことです」と私は弁解した。けれど、このオーナーが私のことを忘れてくれない限り、この店から声がかかることなどあり得ない。私は恥ずかしさの余り逃げるように店を出た。この日のことは一番忘れたい屈辱だったが、何故か今でも思い出すのである。嗚呼っ!!

一〇日あまりの滞在で金を使い果たした私は、カラカスでの収入の多くを日本に送金したことを後悔していた。とりあえずロサンゼルスの友人宅へ身を寄せるべく旅発った。六月一〇日夜半である。

この間売り込みに奔走し「今後の努力も惜しまぬ」と言ってくれたグスターボに、出発間際私の心変りを伝えねばならなかった時は、胸が痛んだ。世間知らずだった私は、一〇日間もかかって契約のひとつも取れなかったのは彼の責任と思いこんでいたし、その前日、新しいふたりの人物を知って気持ちがぐらついたのである。

ひとりは一九二〇年代から五〇年代にかけ、ペドロ・インファンテ（注）からパンチョス、マリア・ビクトリア（注）に至るまで数多くのスターを世に送り出したチャト・ゲーラ老、もうひとりは闘牛士あがりのダンディなマネージャー、マノロ氏である。多少運が悪くても、ふたりの内どちらかがロサンゼルスで待つ私に吉報を送ってくれるだろう。それは一週間先とも、ずっとずっと先のことのようにも思えた……。

ロサンゼルス生活　オーディションと現実と

一九六五年六月一一日にメキシコ市を離れ、ロサンゼルスに到着。日本で知り合ったアメリカの友人を頼りに、空港から一時間のサンタ・アナという街にとりあえず居候することになった。

私はどの国に行くにしてもあらかじめリサーチをしていなかったし、今と違いインターネットで調べることも難しかった。アメリカをはじめ、どこの国に行くにも情報がなく全てが未知から始まり、その度に日本と比べて驚く毎日であった。

ペドロ・インファンテ
Pedro Infante Cruz
(1917-1957)
1940年代から50年代まで大活躍したメキシコ映画黄金時代最大のスター俳優。航空趣味が嵩じてB‐24を操縦中に墜落死。

マリア・ビクトリア
Maria Victoria
Gutiérrez Cervantes
(1933-)
1950年代、当時としてはセクシーすぎる歌唱や舞台で人気を得たメキシコの大歌手兼大女優。

ささいなことではあるが、朝、新聞配達の少年が自転車で来ては、ポーンと玄関前の芝生に新聞を投げて行く。誰かが盗みはしないだろうか、という素朴な疑問から始まった。またバスの中で、白人の運転手が黒人の女性に悪態の限りを浴びせるのを聞いたが、誰もがごく自然だという顔をしていた。後になって思えば、それがいわゆる黒人への差別だったのだ。

私は早くアメリカでの仕事を探さなければいけないので、友人宅を一日も早く出たく、メキシコを発つ前に紹介状をもらったハリウッドに住むプロデューサー、ハリー・リッツ氏に連絡、アポイントを取りつけた。

タイミングが良かったのか悪かったのかわからないが、身を寄せていた友人と夜中にトラブルがあり、今すぐここから出て行くようにと言われ、大きなトランク二つ、その他多くのバッグを背負って、普通では一五分で着くであろうバスターミナルに一時間かけてやっとの事で到着。夜が明けるのを待ち、ロサンゼルス行きの始発バスに乗った。後で思えばこんな夜中に追い出されたのも、日本人への差別だったのかもしれない。

ロサンゼルスに戻り、バスターミナルの近くにあった朝からやっているカウンターバーに入り、朝食をとる。見回せば黒人ばかりで、前の晩から飲んでいるらしき客もいた。ずっと後になってそこは度々喧嘩などのトラブルがあり、白人はもちろん東洋人も入らないと聞かされたが、むしろ私にとってはビリー・ホリデイ(注)

ビリー・ホリデイ
Billie Holiday (1915-1959)
〝レディ・レイ〟の称号で有名なアメリカのジャズ歌手。人種差別や薬物依存症、アルコール依存症との闘いで壮絶な人生を送った。

や黒人のブルースが流れていたりで、とてもエキゾティックで居心地のいい場所であった。

朝食が終わる頃、三〇前後と見えるひとりの黒人が話しかけてきた。名をダビーといい、自分は兵役で暫く横須賀に滞在していたと言う。なんでこんな危ないところに大きな荷物を持ってひとりでいるのかと聞かれたので、私はバッグから宣材を取り出し、ベネズエラやメキシコでの新聞記事や写真を見せて私が歌手であることを説明し、これからどこに泊まっていいのかもわからないと窮状を彼に伝えた。彼はあっさりと「それならうちに来ればいい」と言ってくれ、車で彼の家へ行くことになった。

そこはロサンゼルスの黒人が多く住む居住地であったが、いわゆる中流の人が住んでいるらしく、プールやサロンまでもある、東京では一流のスターといえど今でも住めないほど、広い敷地面積の家であった。同居人として紹介された彼のゲイのパートナーとふたりで暮らしているらしく、どの部屋がいいかと聞かれたので、私は図々しく一番広い部屋を選ばせてもらった。

私はこのようにしてその後、度々困ったことや危険な目にあったが、なぜか救ってくれる人が魔法のように現れた。それは一九六五年という時代のせいもあったのかもしれない。

自由に溢れるビバリーヒルズと黒人居住区

その家に落ち着いたところで、ハリー・リッツ氏とアポイントメントをとり、ビバリーヒルズに住む彼の家を訪れた。

暫くアメリカで仕事をしたい、という旨をまず伝え、落ち着く間も無く、早速彼のスタジオルームへ連れて行かれ、彼自身のピアノの伴奏で、ありとあらゆる私のレパートリーを歌わされた。

彼は、アメリカには掃いて捨てるほどうまい歌手がおり、多民族国家のこの国でそこに切り込むには、何千万といるヒスパニックに向けたラテンを中心に据えながらも、英語、日本語、フランス語、イタリア語、ポルトガル語、ドイツ語、と多言語で歌える歌手、というのをを大いに武器として使うべきであるという。さらに、背が低く、この国では少年にしか見えないので、背の高いダンサーと組んで、最初は恐る恐る恥じらいながらステージに出て、そしていきなりビッグボイスで客を驚かせばいい。

延々と続く彼の持論の後、家を案内され、度肝を抜かれた。大きなプールはもちろん、広大な駐車場、いわゆるハリウッドのセレブが住む邸宅を想像して貰えばわかりやすいだろう。「ここに住んでもいいんだよ」と言われ、今住んでいる黒人の家のことも話したが、流石ハリウッドの人、人種やゲイのカップルの事に驚くこともなく、「じゃあ、行ったり来たりすればいい」ととても自由な対応であった。

ハリー・リッツ氏の手掛ける大きなショーは時間がかかりそうだと思い、私はまず、リトル・トーキョーにある「ニュー・ギンザ」というシアター・レストランのオーディションを受ける事にした。日本のレストランだったので、日本の歌はもちろん多言語の曲を、売り物のキモノの早変わりとともに披露する。都合のいい事に、客も他民族であったから多言語で歌う私は問題なくその夜から歌う事になった。ひとつ驚いたことは、そこでメインで歌っていた日系の男性歌手を司会に回し、私がメインになった事だ。彼の心中を考えると素直には喜べなかったが、ハマスさんという名の彼は実に素朴で、年下の私にとても親切にしてくれた。

ダビーの家からこの店に通うときは、彼が車で送り迎えしてくれた。彼はショーが終わるまで外で待っており、いくら私が促しても中に入ろうとしない。

そこで初めて知ったのは、友達といえども黒人は入れないという現実。彼が「ヨシロー、君はまだアメリカを知らないからわからないだろうけれど、これから君も日本人として差別を受けるかもしれないということを忘れてはいけないよ」と強く言ったのを覚えている。

私のショーはそこそこ人気もあり、アメリカでの拠点を得たかに見えたが、八月一一日に勃発したアメリカの歴史に残る黒人の暴動(注)が始まり、ロサンゼルス中が騒然となった。

ワッツ暴動
1965年8月11日から8月17日にかけてロサンジェルス、ワッツ地区で起こった大規模な人種暴動。死者34人、負傷者1032人。逮捕者は約4000名。損害額は3500万ドル。

たまたま泊まっていた「ニュー・ギンザ」のタレント用の一軒家で、夜中に私の窓越しでドンパチが始まり、いつ部屋に銃弾が飛んでくるか、この時だけは命の危険さえ感じた。

しかし、こんな恐ろしい場面でもおかしなことは起きるもので、突然私の部屋を誰かがノックした。いよいよかと身構える私の部屋に、暗いのでよくわからなかったが、誰かが入ってきたのである。「Please don't, I'm Japanese!」と私が叫ぶと同時に「ヨシローさん、怖い！　助けて、私よ！」と言ったのは共演している日本舞踊の踊り子さんであった。この暴動を機に、「ニュー・ギンザ」の仕事も最後となった。

ハリウッドの多様性と甘い生活

ここで、ハリウッドで仕事を得る前のわずかな間のロサンゼルス生活を記しておこう。カリフォルニアやニューヨークはアメリカの中でも進歩的と言われているが、二一世紀の今でも保守的な州もあり、これから私が書くのがアメリカのスタンダードと思わないでいただきたい。つまり類は類を呼ぶで、私の自由な生き方を察して友達になる人も同じ類いの人々であった。

ダビーの家やその友人宅では週末になるとゴー・ゴー・パーティーに人が集まり、

当然私もその中にいる。

私にとっては嫌なマリワナの匂いが漂っており、トロンとした人、もちろんマリワナを吸わない人も混じって、独特のアフリカ系の人達の雰囲気がなんと心地良いことか。おしゃれなトーク、卑猥なトークが飛び交っており、踊りはさすがに皆見とれるほど魅力的。

別の日にはハリー・リッツの家に泊まり、こちらは週末でなくても俳優の卵から名の知れた映画スターまでが集まるカジュアルなパーティーが実に刺激的だった。もちろん、マリワナは当然として、おそらくコカインらしきものまで吸っている人もいて、恍惚としている者もいた。

部屋数も多いので、ある部屋では男女のカップルが、別の部屋では同性のカップルが、また別の部屋では数人がスワッピングに興じている。私にとっては初めての経験であったが、別段驚くこともなく、ハリウッドだからでしょ、とごく自然にその中に入っていった。

彼らはそういった類いのパーティーでの遊び方がうまく、私が一九五九年に見たアニタ・エクバーグとマルチェロ・マストロヤンニの『甘い生活』(注)のワンシーンの中に入り込んだかのようで、酒の酔いも手伝ってハリウッドスターの仲間入りをしたような錯覚に陥っていた。

私がこの屋敷にずっと住んでいたいと思ったのは、まず自由でいられたからであ

『甘い生活』
ローマの上流階級の退廃を描いた1960年のフェデリコ・フェリーニ監督作品。乱痴気パーティやトレヴィの泉のシーンが有名。有名人を付け回す〝パパラッチ〟の名称はこの映画が起源。

る。そして、集まる人々も多様性を受け入れられる人達であった。この人達は大人の遊び方を心得ていたし、実にかっこよかったのだ。

私もほとんどのドラッグをこの時代に海外で試したことはあるが、体に合わなかったこともあり、一、二度でやめてしまったことがせめてもの救いであった。多くの海外の私の友人、そして皆さんも知るスター達がドラッグで命を落としているのを知っているので、ドラッグについては強い反対の気持ちを持っている。

ジュディ・ガーランド・ショーを見にラスベガスへ飛ぶ

メキシコからの契約書がなかなか届かないので、ある日、ジュディ・ガーランド（注）・ショーをやっていると聞き、ダビーと一緒にラスベガスへ飛んだ。

翌日ショーが始まるのが待ち遠しいのを紛らわそうと、朝からカジノのルーレットを始めた。だんだん勝ち始め、もしかしたら自分は億万長者になるかもしれないと胸をときめかせ、さらになけなしの金を投入する。しゃくなことに、未成年がギャンブルをしているのではないかと何度も見張りのポリスがパスポートを見せろと迫る。当時の写真を見るとまるで一四、五才にしか見えないので、無理もなかったかもしれない。暫く興じたところでダビーが「ヨシロウ、もうジュディ・ガーランドのショーは終わってる時間だよ！」と血相を変えて私を呼んだ。そして私の所

ジュディ・ガーランド
Judy Garland（1922-1969）
『オズの魔法使い』『スタア誕生』で有名なアメリカの女優兼歌手。破滅的な人生と奔放な性生活をおくった。不世出のゲイ・アイコンとしても知られ、LGBT運動のシンボル、レインボー・フラッグは彼女の唄う『虹の彼方に』に由来。

持金は一〇ドル以下にまで減っていた。これまで私が生きてきて後悔することはいくつもあるが、この世紀の歌手ジュディ・ガーランドをわざわざラスベガスまで来て見逃したのは、本当に本当に残念!! 翌日、ダビーに金を借り、傷心のまま彼の家へ戻った。

ラスベガスのショーに出演

八月のある日、ハリー・リッツから電話があり、ラスベガスのホテルのオリエンタル・ショーのメインボーカルが病気になったということで、急遽私が出演するチャンスを得た。

前述したようにハリー・リッツのアイデアで、私が十数人の背の高いダンサーの輪の中に囲まれてステージに出ていき（この時点では客から私は見えていない）、その輪が開くとスポットライトが私に当たるというものだ。そこでは私はラテン歌手としてではなく、多言語を操りポピュラーソングを歌う歌手という立ち位置だった。言い方は悪いが、ラスベガスとてアメリカの田舎やヨーロッパからの観光客がショーを楽しむ場所で、自分の国の言葉で歌ってくれればここにイタリア人がいるよとばかりに拍手が来る。

私だけのソロショーではなく、マジックやショーダンスもあり、バラエティ色を表に出したショーで、毎晩私がステージでやるおきまりの挨拶があった。

「みなさん随分色々な国の方がいらっしゃるんですね。どちらからですか？」と聞くと、積極的な客から「フランスから」、「ドイツから」、「ブラジルから」、「イスラエルから」と返事が返って来る。「じゃあ今夜はイスラエルの歌を歌いましょう」と言うと、用意されていた譜面をバンドは慌てて入れ替えて『ハヴァナギラ』(注)のイントロが始まる。曲の名前を言わなくても、当時ハリー・ベラフォンテ(注)の歌で大ヒットしていたから、オーディエンスは手拍子を始め、「ハーヴァーナギラ、ハーヴァーナギラ」と歌い始める頃には一段と拍手が大きくなる。後半からだんだんテンポが早くなり、当時得意としていたハイトーンで私が勝手にイメージした中東系のコブシを入れて煽る。イスラエルとは敵対するアラブ諸国だが、私もコブシの国境がわからなくなり、インド風になったり、イスラム風のコーランに似てきたりして、あ、やばい、と躊躇しながらももう止まらない。とにかくこの歌はその後、どこの国へ行っても客が一番熱狂する歌になっていた。

最後の曲は前述したミヨシ梅木（ナンシー梅木）の持ち歌『サヨナラ』である。私のこの歌で何がウケたかというと、王冠をつけていた私がエンディングで「グッバーイ」をめまいがするほどのロングトーンで伸ばしている間に、王冠が上に伸びて行って最後は三メートルくらいの京都の五重の塔になるのだ。先方が用意したものだから、私はそのカラクリを今だに知らないのだが、決して重くはなく、当時と

『ハヴァナギラ』
Hava Nagila
ユダヤ教徒の結婚式や成人式で奏でられる民謡。フリジアン・スケールの代表曲である。ハリー・ベラフォンテ、ボブ・ディラン、ディック・デイルのエレキギター・インストバージョンあたりが有名。

ハリー・ベラフォンテ
Harry Belafonte (1927-)
代表曲『バナナ・ボート』で有名なカリブ系アメリカ人歌手兼俳優。全米のプロテストシンボルでもある。

しては画期的なトリックであった。この一瞬がなければ私のショーはそれほどウケていなかったかもしれない……。

私は一〇代からタップ、フラメンコ、クラシックバレエとかなり専門的にやっていたので、途中で下駄のタップをしてみたり、ダンサーと絡んだり、見せられるのは全てお見せします、というノリで、ステージでローラースケートまで履いて横滑りをやったりとトリックのオンパレードであった。今ジャニーズや歌舞伎俳優が新しい趣向で袴を大胆なフレアスカートのように膨らませてやっているが、既に私はその手法を自分で考えてやっていたのだ。一曲目に、直立不動でバラードを歌い、終わるとスーッと横滑りで袖に引っ込む。客席からは私が直立したまま移動しているようで、ステージが動いているのかと錯覚する。袖に引っ込む直前、おもむろに長い袴を引っ張り上げ、ローラースケートを履いているのを見せタネを明かす。そこで拍手と爆笑が来るのである。私のそのショーもメインの歌手の体調が元に戻ったということで、残念ながら引き下がるを得なかった。

これまでベネズエラにしろアメリカにしろ私はあくまで見世物、現地の人がイメージする、現実とはかけ離れた東洋をお見せし、また歌も徹底してモノマネは避け、真髄はそこに流れる「ソウル」、ラテンで言えば「サボール」がなければ心を揺らすことはできないと考えていた。なるべく早く見世物から抜け出したいとは思いながらも、世界中からレベルの高いアーティストが集まるこのアメリカでは少なくとも三年は勉強しないと無理だろうと感じており、当分はこの国ならヒスパニックを相手にした方が賢明だと考えていた。

ハリウッドにて

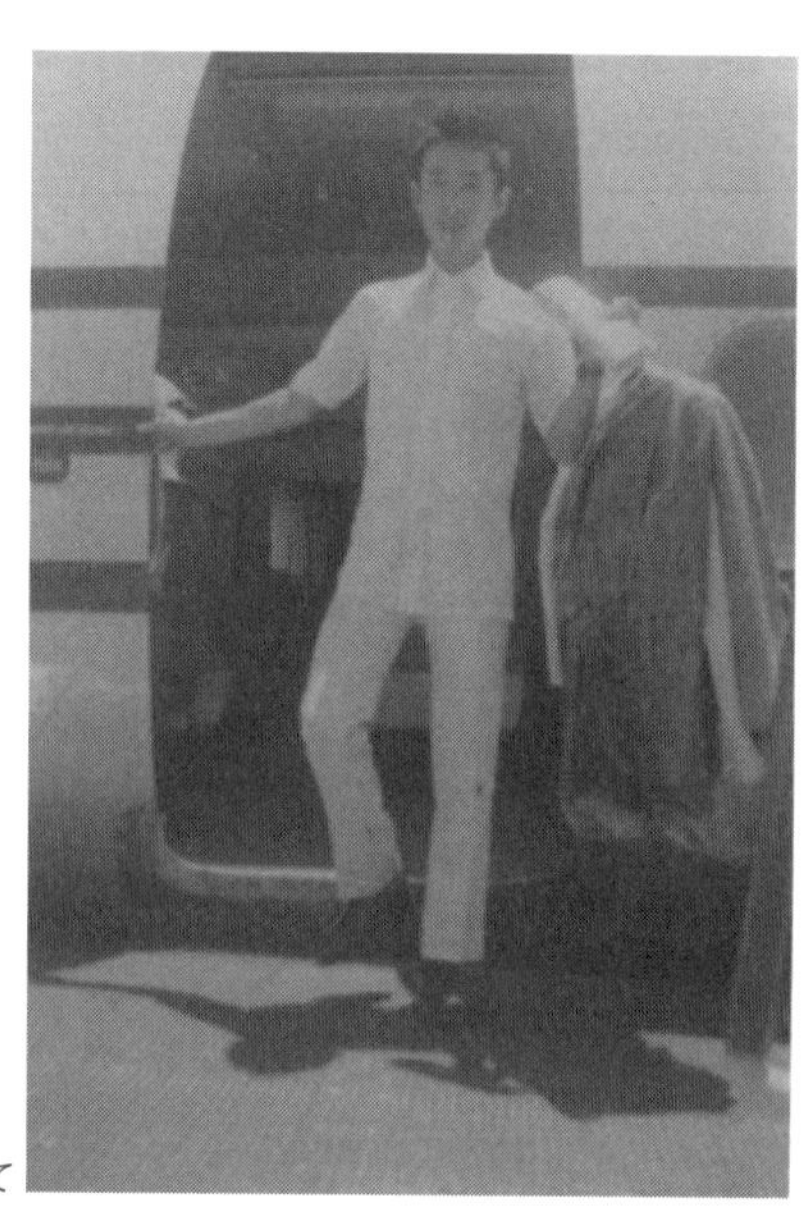
ラスベガスにて

第３章
悪徳と楽園の街ティファナ

1965年 メキシコ アベリーナ・ランディンと

わずか五〇メートル　そこは、もう別世界だった

一九六五年九月八日、私はこの日を生涯忘れないだろう。

三か月にわたるアメリカ生活を終え、フランク・シナトラが歌う『国境の南』の町ティファナに行くため、ロサンゼルス発の長距離バスに乗り込んだ。待ちに待ったメキシコ行きだから、口笛のひとつも出そうなものだが、心は不安でいっぱいだった。

九月一〇日にはビザの期限も切れる焦りから、いつもより切羽詰まってメキシコへの国際電話で訴えた私に、マネージャーのセサールは、「九月八日午後、ティファナのシーザー・ホテルに契約書を持って行くから、そこで会おう。手続きは後でやるのでとりあえず観光ビザで入国するように」と簡単に答えてくれた。しかしメキシコ市から飛行機で五時間もかかるティファナまで、しかも身銭をきって、たかが私ひとりのために来てくれるものだろうか？

募る不安を片時なりとも忘れさせてくれたのは、三時間後に国境に着いて接した陽気なメキシコ人の税関員だった。私のトランクにつまったキンキラキンのキモノや、ステージ写真を見つけると、「わしの娘のために写真を一枚くれ。ＴＶに出たら拍手するよ」と言ってカラテの話などを続けたが、そんな彼も「だが、この観光ビザでは仕事は許されないから、手続きを忘れないように」と釘をさすことは忘れ

ない。

国境と言っても、ここは両国側に簡単な入国管理の建物があるだけで、その間もわずか五〇メートルしかない。日本の県境のようなあっけないものなのだが、それなのに一歩メキシコ側に入ると、まるで違う世界が展開する。

砂ぼこりが舞い上がる道のかたわらには、メスティーソ（混血）の少年が土器を並べて所在なげに客を待っている。メスティーソ達の魅力的な黒い瞳。まだ陽は落ちていないのに街角ではマリンバとマリアッチの音が交差する（もっともこれはアメリカ人観光客が多いためで、メキシコの町のどこもが同じではない）。つい先刻までアメリカにいたことが嘘のようで、これぞ異国に来た実感である。

トイレから拍手につつまれて登場

指定されたホテルへ着いてみると、悪い予感はやはり的中していた。しかもセサールが来ないだけではない。所持金二二七ドルの内、別にしてあった二二〇ドルがどこへやら紛失し、残されたのはポケットにつっこんであった七ドルだけではないか。念のため点検しようと、引っぱり出した舞台衣裳を見て「それはシルクかしら？」と尋ねる婦人。〝今夜のホテル代さえ心配なのに、バカなことを聞くもんじゃない〟と泣きわめきたい気持ちだ。こうなったら、悩んでいても仕方がない、今夜の内にこの町のクラブに片っ端から売りこもうと心に決め、居合せたエスタバイという名のショーガールのアドバイスで町に出かけたが、クラブのスケジュールは何日か先まで決まっているのは当然のことである。何軒かまわり徒労のままホテルに戻るが、やはりセサールは来ていなかった。

暫くの間、ロビーのソファーでぼんやりしていた私に、ヨシロウがうまく発音出来ず「君はチョチローではないの?」と話しかけてきた男がいた。英語だがメヒカーノ(メキシコ人)であることは、風貌から一目瞭然である。ラウル・ミラモンテスと名乗ったその男は、このシーザー・ホテルのバーと、隣りのクラブ「フォーリス・バジェール(パリの有名なキャバレー、フォーリー・ベルジェールのメキシコなまり)」のオーナーで、メキシコ市のプロモーターであるマノロ氏から私のレコードと写真を送られたと説明し、「こんな所でいったいなにしてるの?」とたずねた。この言葉に、今の私の窮状を涙ながらに打ちあけたい衝動にかられたが、切羽詰まったこんな時でさえ、かけ引きが頭をもたげるのだった。

「契約のためにロサンゼルスから来たんだけれどセサールが来ないので、この町で二、三日遊んで行くのも悪くないと思ってね」「じゃあ奢るから、僕のクラブで飲もう。気が向いたら一曲聴かせてくれないか」彼は送られてきた私のレコードを聞いていたし、写真やベネズエラの新聞の切り抜きで私のプロフィールはわかっている様子だった。

いつの間にか当クラブに出演中のロス・トレス・ディアマンテスの面々が私を囲んで、「『サクラ』を歌ってくれ」「いや、『東京のセレナーデ』(注)がいい」と勝手に言っては、さかんに日本を懐かしんでいる。話がここまで来れば私の方からしゃしゃり出てでも歌うつもりでいる。それにディアマンテスともうひとりの歌手の契約が明日で切れると言うから、今の窮地から逃れるには、このオーナーに私の歌を聴いてもらう他はない。

そんな時にも「カゼをひいて声の調子が悪い」ともったいぶり、そのくせ楽譜と衣裳のバッグをかかえて意気ごみ、「飛び入りなんだから、衣裳なんか着ける必要はないよ」というラウルの言葉も無視して、そちらは飛び入りのつもりでもこちらは真剣勝負、早変りの妙味を見てもらうまでは、舞台から引きずりおろされようと頑張らねばならない。

私の出番は、メキシコが誇る〝盲目の歌うオルガニスト〟エルネスト・ヒル・オルベーラ(注)の後である。オルガンの特殊な奏法で、人間が歌っているように聞こえるのでそう呼ばれるのだ。

ステージに呼ばれた時、落着くために飲んだキューバ・リブレが少し効きすぎていたが、『サヨナラ』『黒い天使』『サボール・ア・ミ』はリハーサルなしでもバンドとも巧く合ったし、ディアマンテスも客席まで出て〝さくら〟になってくれたから、つられて客も大いに乗った。ただ、イヤーな感じだったのは、私の得意とする

『東京のセレナーデ』Serenata De Tokyo
トリオ・ロス・パンチョスが来日した際に発表し、日本でヒットした。

エルネスト・ヒル・オルベーラ Ernesto Hill Olvera (1936-1967)
ハモンドオルガンのドローバーを操作して人間の歌声を出す驚異的奏法で有名なメキシコ出身のオルガン奏者。生後7か月で落雷にあって失明。13歳からレストランでピアノを弾き生計を立てる。17歳の時に歌うオルガン奏法を発見。この特殊奏法はラテン圏に広まった。

引き抜きのために隠れるカーテンがステージになかったので、一曲目が終るやいなや、キモノの裾をふり乱し、客席後方のついたてに駆け込まねばならなかったことである。客はゲラゲラ大笑いする。無理はない、つい立ての後側はトイレで、暗い客席からもはっきり〝カバジェーロス（紳士用）〟のサインが見えるのだ。数秒後、見事に早変わりして出て来た私の姿に客も納得、大きな拍手で迎えてくれたが、トイレから喝采をあびて登場したステージなんて、これが初めてである。

笑って泣いて　泣いて笑って

ステージを終え、ディアマンテスはじめ当夜の出演者からアブラーソ（抱擁）やベソ（キス）を受ける私を、ラウルは空いたテーブルに引っぱって行き、「ボクのクラブと契約しないか？」と改めて握手を求めた。

「条件によっては」と、一応格好をつけたものの、無名だった私に突然南米のTV出演が決まった時の感激と同じくらいに彼の言葉を嬉しく思ったし、その後どんな良い仕事のチャンスをつかんだ時でさえ、この時ほど助かり、狂喜することはなかった。一地方都市とは言え、念願のメキシコ国内での初仕事がかなった喜びももちろんだが、所持金紛失で絶体絶命の立場にあった私は食事代程度の出演料ででも甘んじる覚悟であった。

「では明後日から出演してもらおう」の一言で、すべてうまく行ったと見た私は、初めて今の立場を打明けた。外国で仕事をするには、まず仕事のビザを取得、ユニオンに加入することが必要だが、私はまだその許可を得ていないし所持金も盗まれて七ドルしかないことを……。

「問題ないよ。僕は顔がきくから、明日中に手続きをしてあげよう。それにしてもヨシロウはビボ（滑稽）だよ」と、キューバ・リブレで乾杯しながらラウルが言った。絶体絶命だった先ほどまでの私にとって、こんな例外と言っていい幸運は千にひとつも無いと言っていいだろう。ホテル、食事、私の考えていたより多い出演料、そして興行ビザやユニオン加入の手数料八四ドルもすべて彼が払ってくれることになったのである。ホテルのベッドで長かった一日のことをしみじみと思い返し眠りについた。

しかし、二日明けて九月一〇日、何か気になって早朝オフィスに顔を出した私にラウルはしょんぼりした表情で、口を開くなり、

「今夜からの仕事の件は忘れてくれないか。仕事のビザの手続きに四週間かかるそうだし、その間君を拘束する金が出せない。もっと簡単だと思っていたのだが……」

〝やっと手にしたチャンスなのに……〟と、座り込みたくなるほど身体から力が抜けていく。

「これは一昨日歌ってくれたお礼だよ」と、最後まで私の経済状態を心配してくれたラウルに感謝し、その翌日、再び国境まで重い足を運ぶ。またロサンゼルスの友人宅に身をよせねばならない。

「あら、メキシコでの仕事はどうなったの。もう日本にお帰り？」

アメリカへの再入国に立ち合った、国境の女性入国管理官は、運悪く三日前出国した私を覚えていた。心細さのあまり私はこの三日前の出来事をグチるともなく、つい正直に話しすぎた。

「日本に帰る目的でこの国を通過するのなら、四八時間の滞在許可をあげるけど、それ以上はダメよ」

既に私の魂胆が分かっての返事である。メキシコからの不法入国者、短期間のビザでそのまま居残り仕事をする外国人の枚挙にいとまがないこの国で、私のような芸能人は特に目をつけられる。表情は穏やかでも、アメリカ人はこんな時「アイム・ソーリー」のひと言で、とりつくしまもないほど冷たく突っぱねる。

ここまで来て、日本に帰るなんてとんでもない。更に重く感じる荷物を、一寸(いっすん)ずりのごとく引きずり、つい今しがた出国したばかりのメキシコ側まで五〇メートル引き返す。少年ポーターがしつこく声をかけるが、今は一銭だって無駄には使えない。

戻ったところで〝メキシコ出国〟のスタンプは押されているのだから、なんの手だてもないのだが、そこがメキシコのメキシコたる所以で、すったもんだのあげく入国係は「今日は土曜日で、それにもう遅いから、月曜日に局長が来たら相談してみよう。それまで君のパスポートはあずかっておく」と、二日間ではあるが再入国を認めてくれた。

それで充分、私はラウルのオフィスに一目散、今度だけはかけひきぬきに、心から仕事を願い乞うた。仕事の許可がおりるまでは、どんな雑用でもする覚悟があること。歌手になって八年間、メキシコでデビューする機会をひたすら待っていたこと。そして次第に自分のことばに酔った私は、日本の多くのファンが、私のこの国での成功を期待しているのだとまで口走った。

「気持ちは分かった。月曜日に出来るだけのことをやってみよう。もう安心してホテルで寝なさい」

初めての日のように、ラウルは簡単にOKしてくれたが、私の窮状をこれ以上見過ごすことはできなかったのかも知れない。

そして月曜日の朝、まだホテルで眠っていた私は、入国管理局の警官ふたりにたたき起こされ局へと連行された。手続きを待つメヒカーノ達の好奇の目をあびながら、私への尋問は行われた。局長と自ら名乗る男が、「あなたは不法入国している。ただちに強制送還か、拘束しなければならない」と、出国のスタンプが押されたままの私のパスポートを見せる。私は知っている限りの英語とスペイン語を駆使して、一昨日のやりとりを話したが、そんな人物はいないとつっぱねられ、長いやりとりの末「強制送還と拘束のいずれを選ぶかは君に権利がある（本当にそんな権利があるのかどうか、今でも疑問だ）」と言われ、仮留置室のような部屋に閉じこめられてしまった。私のとりみだしようは筆ではとても表せない。ご想像にまかせよう。

ところが、である。この部屋は応接室でも兼ねているのか、入口と反対側にも扉がある。わめくこともあきらめた私が何気なくその扉に手をかけると、なんの苦労もなく開くではないか。ドアの外はもっと大きなホールになっていて、たどって行くと裏庭に出られたのである。そこから出来るだけ人影のない路地づたいに、今にも追手が来るのではと、横丁からふいにとび出す子供にもおびえながら逃げに逃げた。やっとタクシーを見つけた時は、心臓の鼓動が運転手に気づかれはせぬかと再びおびえながらラウルのオフィスへ駆け込んだ。

少し怖いがメキシコはいい国だ

その夕刻、再び入国管理局の局長室を訪れたラウルと私は、ひとりの中年の白人にあたたかく迎えられた。

「セニョール・ヨシロー、今朝ほどは私の部下が大変失礼しました」

なんと、さっき私を尋問したのは局長ではなく、この人が本当の局長だったのである。二時間ほど前、ラウルは旧知の仲の局長に、次のような内容の電話を入れていた。

「君、これまでどれだけ多くのメキシコのアーティストが日本に行ったと思う？僕のクラブに出演したパンチョスやディアマンテスから、日本人がわれわれメヒカーノに親切だったことを僕は聞かされているよ。なのに、今この国へ来た初めての日本人アーティストをこんな形で追い帰すなんてメキシコの恥だぜ。君が僕の友達なら考えてくれないか」

メヒカーノはこのような人情がらみの話になると、時には感情のバランスを失うのではないかと思う程、自分のことばに興奮する。前記のラウルの言葉は、長い長い彼のナニワ節的説得を何十分の一かに要約したのみである。そして全ては解決した。

「セニョール・ヨシロー、国の正式許可がおりるまで、このティファナ市における限りは今日からでも仕事が出来るよう、私が認めてあげましょう」

局長自ら返してくれたパスポートには〝出国〟のスタンプも消されていた。

そんなバカな、話が出来すぎていると思われるかも知れないが、事実なのだから仕方がない。

「明日の新聞広告にはヨシローの名がでっかく出るぜ。締め切りに間に合えばいいが」

玄関を出ながらラウルが言った。

少し怖いけれど、メキシコはいい国である。

プライドの高いあるチリの女性アーティスト

一九六五年九月一四日、ティファナ市のクラブ「フォーリス・バージェール」が、本当の意味での私のメキシコでのデビューとなった。

その数日前のすったもんだの事件の数々を思う時、私は運命の不思議さに想いを馳せずにはいられない。もし、ラウルに偶然会うことがなければ、デビューのことなど想像すらできないのである。

そのデビューの日、店の入り口に出す看板や宣伝写真を貼る作業を満ち足りた気持ちで眺めながら、係のガレアーナ君がよそ見をした隙に、私の写真が少しでも他の共演者より目立つよう、大急ぎで位置をずらしたりしたものである。写真に歩みを止める通行人に割り込み、「これは僕です」と名乗ってもみた。善良そうなアメリカの観光客やメヒカーノが「それは素晴らしい。今夜見に来よう」と素朴に驚いてみせる。

日本のクラブとは違い、外国ではショーだけを目的としてくる客が大半だから、それからの毎日は緊張の連続で、出番の前は震えが止まらないほどであったが、それだけに日々を充実して生きていた。

舞台でもクラブでも日本の観客は歌手に対して公平に拍手をするが、外国では良い歌手とそうでない歌手とではここまでかと思うほどはっきり違う。ヘタな歌手に対しては拍手を惜しむだけでなく、露骨につまらない顔をし、やじりもする。

ところが、ただでさえ自己主張の強い歌手であるうえ、サングレ・カリエンテ（熱い血）が流れる彼らだから、このやじにめげることなく、反撃に出るさまは本来のショー以上に面白い。ある夜、ショーの合間に友達と行った他のクラブで、こんなことがあった。

そこは〝ベデー〟と呼ばれる、踊れて歌えるショー・ガールが、一〇人ぐらい次から次へと出てくる。芸よりもビキニに包んだその見事な姿態で客の目を楽しませるのであるが、その中でも飛びきり美貌のチリの女性が、ガウンのようなものをまとい、マイク片手に登場した時、酔客の中から「ムーチャ・ローパ！」という声がかかった。〝沢山の服〟の意、つまり〝早く脱げ！〟ということである。ところがアルゼンチン人やチリ人は他のラテンアメリカ諸国の人よりも、プライドが高い。すかさず彼女は楽団にストップをかけると、「メキシコのお客さんは、品がいいと聞いていたわ。私はダンサーである前に、まず、アーティストよ。これから踊る前に私は一曲歌うのです。もし私の歌がまずければ、終わった時に何なりとおっしゃい」と言い放った。

以下延々とぶった挙句、歌い出したのは我慢の限界程度のもの、歌い終わるや否や、客席からは期せずして「ムーチャ・ローパ、ムーチャ・ローパ」の大合唱。

「ちくしょう！」と言ったかどうか、彼女は唇を噛み、さも悔しそうにガウンを脱ぎ捨てると踊り始めたが、こちらの方がプロポーションといい踊りといい、文句のつけようのないものだった。

賞賛の言葉は話半分に受け取らないと

幸いデビュー後の評判は良かった。こちらでは感激すると、ショーの後、スタンディング、指笛、ブラボー等ありったけの賞賛を投げかけてくれる。

最初の海外の仕事はカラカスでTV出演が中心、一時的に仕事をしたロサンゼルスは別として、本格的にラテン系の観客に接したのはこれが初めてのようなもの。それまでの八年間、日本では決して恵まれた存在ではなかった私は観客の惜しみない喝采がなおさら嬉しく、また、うろたえもした。賛辞を聞けるひと時が嬉しくて用もないのに客席をうろついたり、行きたくもないトイレに何度も行っては彼らの言葉を待った。

けれど、表現のオーバーな外国人のこと、どんなに褒められても話半分に受け止めるくらいで良いと思う。ある外国の音楽祭に出演した当時売れていた某女性歌手が帰国して、現地での歓迎ぶりに興奮していたが、彼女の美貌ならわかるような気もした。しかし、その後現地から送られてきた新聞には「チャーミングな日本のダンサー、歌も歌う」との見出しがあった。

私自身〝話半分〟ということが、長く仕事をしているうちに分かってきた。デビュー後、二週間目を迎える頃から、それまで多かった拍手が少なくなる日もあることに気づき「今日の客はのらない」と楽屋に愚痴ってみたが、共演のオルガン奏者エルネスト・ヒル・オルベーラ（79頁注参照）へ送られる拍手はそんな時も変わらず多かった。

思うに、その頃の私のステージへの声援の半分は意外性におんぶされたもの、つまり早変わり、あらゆるジャンルの歌を数カ国語で歌うこと、一〇代に見られる若さによるもので、歌手本来の真価を問うにはまだ未熟であった。常連の観客が多くなれば、意外性だけでは満足させられないのは当然だ。

ヒル・オルベーラは、前にも記したが盲目である。盲目という苦労を乗り越えて得た他人への思いやりであろう、私への友情はいつも惜しみなく、良きアドバイザーとなってくれ、私のメキシコでの初期の仕事は彼の尽力大であった。「今夜も客がのってこない」とふてくされる私に、ある夜、彼は、「僕は目が見えないから、君の早変わりは想像するしかないが、もしオーディションで審査員がカーテンの後ろで審査することを考えてごらん。日本人がラテンを歌うからなんて甘えはなくなるぜ」と言った。

至極当然なことではあるが、私は虚を突かれる思いであった。

前述した賛辞なんかより、問題は、海外でお金をもらい仕事を続けていくことである。これは厳しいというより恐ろしいことなのである。あるときは鳴り止まぬ喝采に興奮し、眠れぬ夜もあった代わりに、またある時は耳を塞ぎたくなるような侮蔑の言葉に悩んだこともあった。

差をつけられた拍手　そして血の違い

間も無く、我々の新しい共演者としてキューバ出身の女性サルサ歌手ルースがデビューした。

まだ若いし、決して一流とは言えないが、ムラータ（白人と黒人の混血）である彼女は、ステージに立てば誰の真似でもない、彼女だけの世界を持っていた。そして、観客が彼女と私に、拍手ではっきりと差をつけたのである。少なくとも、このクラブは音楽の良し悪しが分かる観客の集まる一流の店である。私の弁解は許されない。

喝采を受ける彼女の晴れやかな姿を冷たい目で見ながら、私はこれまで勉強してきたことは間違いではなかろうかと真剣に考えた。〝うまいへた〟を問う以前に血の問題である。ハードなトロピカルもの（今でいうサルサやアフリカ伝来の音楽）は、私が何年勉強しようと血の違いで到達できぬものがあると認めざるを得なかった。思えば、日本のステージで、少しでも本場の味を出そうとして、いつも顔を黒く焼き、エネルギーを出し尽くし「日本人ばなれしている」と言われることを喜んだ私であったが、あれは私自身が歌っているのではなく、黒人に扮した私でしかなかった。

それはそれで商売にはなったが、もはや外国では通用しない。早い話が、ジャズの本場アメリカで、黒人の真似をする白人は皆無である。黒人のフィーリングはどんなにうまい白人歌手にも出せないことは、本人達がよく知っているのである。

私はこの夜以来、私なりの感覚で歌えるラテンを考えるようになった。

エルネストはこう助言してくれた。

「日本人だからといって、必ずしも日本の歌を歌う必要はないが、同じラテンでも我々ラティーノの表現できないものを君は持っているはずだ。客に受けたいだけなら簡単さ、この国のランチェーラ（よく聞くマリアッチ編成のバンドで歌うメキシコの大衆音楽）を歌えば客は喜ぶよ。でも、それは一流の歌手になることとは関係のないことさ」

ティファナに旅してみませんか

そんなことで悩みながらも、一方では精力的に毎日を楽しんだ。ヤコベッティの記録映画では、このティファナを〝世界三大悪の町〟と呼び、女奴隷売春秘密市場を紹介していたが、その真偽はともかく、そういう背徳の匂いがする町ではあった。

少なくとも私の知る限り、六五年当時この町では売春は合法であり、アメリカ人観光客相手に、バーでは真昼間から一糸まとわぬ踊り子がカウンターの上で何人も踊っていた。また通りや公園では先住民の民族色豊かな踊りやマリアッチの演奏を無料で楽しむこともでき、観光都市として賑わっていた。

国境の町であるから、トランプがやっきになるように密輸や麻薬の売買が密かに行われていたことも確かである。ショービジネスではそういう情報は実に早い。メヒカーノの中には、昔中国でアヘンで客をもてなした習慣が今でもあると信じ、しかも中国と日本の区別がつかない人もいる。「ヨシロー、君もやるのかい?」と、しつこくたずねる猟奇的な目は、彼らの麻薬への興味と、神秘の国への憧れを示している。度重なる質問がうるさく、また、からかってみたくもなり「時にはね」といつも答えていたのが誤解の元、人づてに警察に伝わり取り調べを受けたが、この嫌疑はすぐ晴れた。メキシコとアメリカの国境問題が話題になる昨今だが、この時代でも密入国は堂々と行われていた。日本人でこれから書くことを見た人はほとんどいないのではないかと思うが、ティファナの国境沿いに柵はあるけれども、アメリカ側とメキシコ側でバレーボールをして遊んでいたのを、私は見たのである。通勤時間になれば、メキシコからアメリカの国境を越えて通勤するメキシコ人の車のラッシュ。聞いた話であるが、アメリカに密入国をし、三年間真面目に仕事をし、犯罪歴がないということを証明できれば、アメリカに居住権が与えられるという。アメリカもメキシコも経済的に今よりは豊かで、いい時代だった。

心にしみ入る歌アベリーナ・ランディン

私はこれまで有名無名を問わず、世界のいいアーティストのショーを多く見て来たが、その中で一番感激し、私の歌に強い影響を与えてくれた歌手のひとりはアベリーナ・ランディン（注）である。

彼女はメキシコのボレロ歌手の大姐御マリア・ルイサ・ランディン（注）の姉である。一九三〇年代にヘルマナス（姉妹）・ランディンと名乗るデュエットでデビューし、今も名曲として残る『アモール・ペルディード（失われし恋）』など数々の大ヒットを飛ばし人気が出た。一応〝アベリーナの結婚のため〟と表面上はなっているが、姉妹仲の悪さとライバル意識の激しさが実の原因で解散、各々ソロ歌手に転向したことはあまりにも有名だ。

アベリーナ・ランディン
Avelina Landin Rodriguez（1919-1991）
マリア・ルイサ・ランディン
Maria Luisa Landin（1921-2014）
姉妹ディオ、ヘルマナス・ランディンとして1930年代にデビュー。代表曲『Amor Perdido』。

ラウルとの契約期間も終わり、私はその後「シャンテクレアー」というナイトクラブに出演していたが、ある夜オーナーより、明日からアベリーナ・ランディンというメキシコのベテラン歌手が出演するので、〝トリ〟は彼女に譲ってくれと頼まれた。私は妹のマリア・ルイサのファンだったから、姉のほうだと聞き少しがっかりしたのだが……。

その翌日、六五年一〇月二三日、楽屋で紹介された時、私はこのベテラン歌手に憧憬よりも共演者としてライバル意識を燃やし、身がまえた。

けれど、同時に、この女性はとてつもなくいい歌を歌うのではなかろうか、と確信めいたものを感じた。

「ムーチョ・ゲスト（どうぞ、よろしく）」と出た声が、うまい女性歌手によく見受けられる、深いアルトでハスキーなせいもあったが〝歌手は顔ではない。心で歌う〟という言葉を、彼女の顔を見た瞬間思い出したのである。

自分の出番を終えた私は客席へ急ぐ。ピアノだけのイントロで、二階からの螺旋階段をゆっくり下りながら歌い出した彼女、なんとマイクなしである。私の身体中が瞬間鳥肌立った。最初の一声で、聴く人をこれだけ惹きつけられる歌手がいたのかと、自分の耳を疑ったほどである。マイクなしだからといって、声を張り上げるわけでもなし、語るがごとく、ささやくがごとく、時にはドラマティックに、階段の手すりに寄りかかるアベリーナを、他の観客は水を打ったように静かに見上げる。失礼ながら、決して良いとは言えない容貌だが、この歌の前ではそんなことはすっ飛んでしまう。むしろ、人生の哀愁を歌うこのベテランにはこの顔がぴったりで、迫力があり、非常に優れた性格俳優の風格さえ感じられるのである。

階段を下りきり、ステージの中央に立つと同時に、アップテンポのボレロのイントロに変わり、彼女はようやくマイクを手にとって、古いメキシコのヒット曲『デセスペラダメンテ』を歌い出した。以下、『ネグラ・コンセンティーダ』『水晶の金』『ソラメンテ・ウナ・ベス』『ペルフィディア』など、いわゆるスタンダード・ボレロ、私がそれまで興味を示していなかった、カビの生えたような古い歌を、信じられないほど魅力的、いや感動的に聞かせてくれたのである。もちろんその頃流行していた『イパネマの娘』のようなヒット曲もあったが、歌手の立場として興味を持ったのは『ペルフィディア』である。アベリーナは、これをアレンジの奇をてらうでもなく、ちょっぴりモダンな感覚を添えて、私の想像の範囲にない歌い方をした。もう私は、驚き、そしてただ涙を流しながら聞く他にすべを知らなかった。

もちろん最後は『アモール・ペルディード』で締めくくった。この夜から私は、あっさりアベリーナに鞍替えしたのである。

私の好みが五〇パーセントとしても、アベリーナの方が歌手として感動的だと誰しも思うだろう。中学時代からそうであったように、私はアベリーナの歌で再びもの思い、感じやすい少年（？）になり、ただでさえ理性と情操のバランスが悪かったのが、ますますエスカレートしてしまった。持ち前の若さで、私は一夜にしてアベリーナの良さを吸収したのはいいが、ほどほどということを忘れていた。

その翌日、ステージに立った私は、あまりにもアベリーナに似てきた自分に呆れ、オーナーから〝アベリーナ・ジュニア〟とからかわれた。ハンドマイクを自由自在に持ち替えて歌う彼女がカッコよく、愚かにもそれまで真似たのはいいが、いつも左手で持ちつけた私は、いかにも「さあ、これから持ち替えますよ」と予告せんばかりのぎこちなさ。今度は空いた左手のやり場に困り、前列の女性客に差し出したつもりの手が、あさっての方向に向いてしまう。ともあれ、歌の上達の初歩は、まずモノマネから始まる。私がこれを転機に、一週間で歌が変わったことを自分でも驚いた。

妹が私の恋人を盗ったのよ

このクラブはとてもおしゃれで、アベリーナが歌ったメインステージのショーが終わると、ドアを挟んだ隣のカウンターバーへ客は移動する。ここでは、ショーの余韻に浸るべく、サブステージで同じバンドが演奏し、ダンスを楽しむ客、テーブルでテキーラやコニャックを楽しむ客等々、日本にはありえない、大人のロマンティックな社交場であった。

そんな中、ショーが終わると、アベリーナは毎晩カウンターでコニャック片手に、泣きながら歌った。もちろんこれは〝出演料〟とは関係ない、彼女のプライベートな時間である。「セニョーラ、泣きなさんな」とバーテンダーがハンカチを出しても、「放っといて。私は失恋したんだから」と歌い続ける。

演奏時間もとっくに終わったバンドが気前よく伴奏を続ければ、帰り支度の客もテーブルにかけなおす。ショーでは歌わなかったいい曲がどんどん出てくるし、アベリーナ自身もこんな時の方が乗って歌うのである。五〇何年かの涙を流しつくさんばかりに泣きながら、「妹のマリア・ルイサが、私の恋人を盗ったのよ」とつぶやくが、バックの音楽のせいで歌の中のセリフに聞こえ、また怨念がうつり鬼気せまる感じで、失恋の歌のムードは最高。

酔った上での言葉だから、真相はわからないが、その頃偶然同じホテルに泊まり合わせたこの姉妹が言葉を交わすのを私は最後まで見なかった。

まだ世界的ではなかった『アドロ』(注)の作曲家アルマンド・マンサネーロ(注)の初期の作『ボイ・ア・アパガール・ラ・ルス（灯を消そう）』を知ったのもこのときである。

「セニョーラ、もう遅いから」と支配人が促す時は、ティファナに朝がやってくる頃で、アベリーナの締めくくりは必ずこの曲なのだった。

この町でアベリーナは、彼女より三〇歳も若いポリスマンに狂ったが、わずか一

『アドロ』Adoro
「憧憬」の意味。ラテンアメリカでの大ヒット曲であるが、日本ではアルゼンチンのグラシェラ・スサーナが日本語詞で歌ったのがきっかけで、ラテンファン以外にも知られた。

アルマンド・マンサネーロ Armando Manzanero Canche (1935-)
メキシコ出身のシンガーソングライター。新しい形のボレロやバラードを輩出。代表曲『Somos Novios』は英題『It's Impossible』としてエルヴィス・プレスリーやペリー・コモが歌いヒットした。彼の曲は現在まで若手歌手にも歌い継がれている。

週間でこの恋は終わった。なんとメキシコらしいことか、彼女から金を借りたまま相手はトンズラをきめこんだのだ。アベリーナの涙の量も増えたなら、歌も顔もなおさら凄みを増してきた。〝おかしうて、やがて悲しき〟アベリーナである。

一一月四日、メキシコ市より「良い契約あり。すぐ来い」との電報があった。私を裏切った、あの憎きセサールからだったが、このチャンスの前にやはり心は動いた。契約途中にもかかわらず、クラブのオーナーは私の成功を祈ってくれた。

青年との恋に破れ、サイフもカラッポになり、抜け殻のようなアベリーナと一方再び夢に胸を膨らませた私は、一路メキシコ市へと飛んだ。一九六五年一一月八日の朝であった。

第4章

ラ・メンティーラ ～嘘つきのヨシロウ～

1965年 マグダ・フランコと

大成功＝大失態だったメキシコ市デビュー

一九六五年一一月二六日、この日、メキシコ市のイリス劇場入り口には、ビルヒニア・ロペス(注)、ダニエル・サントス(注)ほか多くのアーティストの名前に混じり確かに私の名前が見られた。ポスターの似顔絵があまりにも自分に〝似すぎて〟いるのがちょっぴり気に食わなかったが、新聞も私のメキシコ市デビューを大きく扱ってくれたし、それまでの長い道程を思うと、正直嬉しかった。

メキシコの大衆劇場は、日本では何千円出さなければ見られないような有名歌手が数組、それに無名タレントも加えると実に十数組も出演していて、六五年当時日本円で三〇〇円から五〇〇円程度の入場料だった。イリス劇場は第二次大戦前オペラ劇場としてスタートした有名劇場だが、現在ではラテンアメリカで名の知れたベテランから新人歌手、ダンサー、コミック・スターなどが出演する、肩の張らない大衆劇場である。

舞台の袖で出番を待つ私はキリスト教徒ではないけれど、ほかのアーティストが必ず出番前にやるように十字を切り、仏式に合掌、初日の成功をあらゆる神に祈った。私の出番の前のコミックショーがうけていて、ジョークのたびに大きな拍手と笑いが湧き上がるので、これ以上ウケないでくれればいいのに、と待つ身の緊張は大きくなるばかり。やっと「ヨシロウ・ヒロイシ、メキシコ初出演！」と、ただそ

ビルヒニア・ロペス Virginia Lopez (1928-)
ニューヨーク生まれのプエルトリカン。リベルター・ラマルケに憧れて1950年代初頭にデビュー、ラテンアメリカ諸国で名を挙げる。1960年代末に引退するが1972年メキシコでカムバック。

ダニエル・サントス Daniel Santos (1916-1992)
プエルトリコ人歌手兼作曲家。独立運動に参加したりドミニカで投獄されたりしながら12回も結婚するという波乱万丈の人生であった。

れだけのシンプルな紹介で私は舞台へ。

〝割れるような拍手に迎えられて舞台に登場〟という想定のもと、盛り上がるように作られているオープニングのイントロであるのに、私を知る人とてない観客はただキモノの私を好奇の目で迎えるばかりで、拍手も忘れた様子。オーケストラの物々しい音が逆に白々しい。それでもアップテンポのゴーゴーに変わり『ソーラン節』を歌い出すと、いくらか馴染んでくれたが、外国向けにモダンなアレンジをしたはずのこの歌も、メヒカーノ達を喜ばせるには異質すぎる音楽だったようである。

多くもない拍手で『ソーラン節』が終わると同時に、ステージは暗転、すぐスペイン語で歌う『東京のセレナーデ』のイントロに入って、オハコの早変わりだが、運命のいたずらか、どこかで計算が違ったか、思い出すだに忌まわしい〝悲劇〟はこの時起きたのである。暗転になると、素早く背後のカーテンに隠れ、メヒカーノの助手ふたりの手引きでキモノを引き抜き、すぐカーテンが開くと日本的セットを背景に、見事に変身した私が次の曲を歌い出す。この間一〇秒足らずの予定であった。

ところが、カーテンの後ろまで真っ暗になったものだから、慌てた助手達がリハーサル通りの手順も忘れ、手探りでキモノを引っぱったため、早変わり用にマジックテープでとめてあるだけのオビとキモノは全部脱げてしまった。カーテンはあっという間に開き、ライトに浮かび出されたのは、痩せていたのでホテルから失敬したバスタオルを腹に巻きつけたステテコ姿の私が、慌てて袖に引っ込もうとする助手からキモノを奪い返そうと追いすがる〝晴れ姿〟だった。

死ぬ思いで奪い返したのは、テープがはがれ片方の袖のないキモノだけ、オビは持って行かれてしまった。その場にうずくまりキモノを羽織る様で大爆笑が起こると、それはそれでショーとして成立（?）し、失敗が成功に繋がることもあるのだが、皮肉にも引き抜きを知るはずもない観客の多くは、これが大失敗とは判断がつきかねキモノの合わせ目を右手で押さえながら必死の形相で歌う私が不可解なのか、ひそひそとささやき合って落ち着かなければ当の私はなお落ち着かない。中には先刻のコミックショーの続きとでも思っている客もいる様子で、訳を知っているスタッフとごく一部の客が失笑するばかりだった。

たまりかね、気をきかせたつもりの助手がタイミングも何もなく曲の終わり近くにオビを持って出てきたから、観客の関心はそちらへ移って、拍手も何もあったものではない。次の曲に入ろうとする指揮者に、オビを巻くまで待ってもらおうと「ウン・モメント・ポル・ファボール（ちょっと待ってください）」の切羽詰まった声に、やっとみんな事情が飲み込めたようで、オビをつけ終わると、期せずして歌の評価とは関係のない拍手が起こる。ドラムスとトランペットが、ふざけてファンファーレまで付け加えた。

いくらかリラックスした私は、ここで短いあいさつをした。愛国心の強いこの国の人にアピールするため、全てメキシコ賛辞である。劇場のプロデューサーの指示で時々紙を読みながらわざと片言のスペイン語で挨拶するので、客席から「メンティーラ（嘘つき）！　日系のメヒカーノだろう君は」というヤジが入る。無理もない。私が歌った『東京のセレナーデ』のスペイン語の発音はごく自然で、話すときだけたどたどしいのがわざとらしいと思ったのだろう。切り返しこそできなかったものの、最後の曲は、この夜のために特別に編曲した『ラ・メンティーラ（いつわり）』である。

私がこの曲にかける意気込みは凄まじかった。尊敬する大歌手アベリーナから、お世辞にもせよ「メキシコの若手で、この歌をあなたほど歌える人はいないわ」と言われ、私は傲慢なまでに自信を持ってしまったためである。私はイントロを聞いただけで鳥肌が立ち、目頭が熱くなった。初めは単にこの曲に感じてのことであるが、それが長い道程の末やっとメキシコの舞台を踏んだ感慨、遠い日本の家族のこと、想いはふくらんで行くのである。歌手が何かを訴える構えでいれば、目の輝きさえ違ってくる。〝この歌だけは、どうしても皆さんに聞いていただきたい〟そういう心の内を観客も感じてくれたのか、私の真剣な表情に客席は次第に静かになった。

「セ・テ・オルビーダ（あなたは忘れてしまって）」という詩の出だしで拍手がおこる。ヒット中の歌を日本人が歌い出したからに過ぎないが、この拍手でますます歌に気が入る。間奏になると例の「アイ・アイ・アイ」の感嘆の声が交差し、再び拍手。二曲目までの失敗や、歌のまずさがかえってこの歌を引き立ててくれたせいもあろうが、この拍手が心からのものと私は確信した。

私自身はもっと感激しているのだということをわかってもらおうと、エプロン・ステージまで歩み出て手を差し伸べるが、涙で全てがかすんで見えた。このまま時が止まってほしいとさえ願ったものである。四六時中アベリーナの歌が頭から離れない私は、日常の些細なことにも涙するほど感激しやすくなっていたし、ましてやラブ・バラードをステージで歌う時などは感情のバランスも失い、自己に陶酔しきっていた。歌手が成長するプロセスとして、初歩的にはまず歌手自身が陶酔し、観客にそれを伝えていくことは、あながち悪いとはいえないだろうが、この夜は観客と私の感情のエスカレートごっこでバランスも取れていたから、私のひとり芝居に終わらずにすんでよかった。

この夜は『ラ・メンティーラ』一曲のおかげで大成功だった。鳴り止まぬ拍手と「オトラ（アンコール）・オトラ」の合唱の中に、いつまでも浸っていたかったが、次の出番の歌手のイントロがそれを断ち切ってしまった。

評判になった『ラ・メンティーラ』しかし二日目も……

この夜以来、私は〝ラ・メンティーラのヨシロウ〟としてマスコミで紹介され、この曲を最も巧く歌う歌手としてヒットメーカーのペペ・ハーラ（注）と私の名が挙げられたのである。日本と異なり、海外では一つのヒット曲は多くの歌手によって歌われるから、これは正直言って大変名誉なことである。

単純な私のこと、またまた自惚れごころが頭をもたげてきた。一方〝ヨシロウは『ラ・メンティーラ』を歌う時、メヒカーノ以上に心を込めて涙を流す〟と書かれ、ファンは私が涙なしにこの曲を歌うのを承知しなかった。けれどそれはまだ先のお話で、デビューの翌日に、またまたとんだアクシデントが起きたのである。楽屋入りした私をみんなは、「昨夜のショーは、とてもウニコ（ユニーク）だったよ」と、引き抜きの失敗をからかった。劇場の入り口には「エル・ウニコ・ヨシロウ」と宣伝されていたからである。

この夜は、前夜のような失敗はなく、観客もはじめからノッていたから、このままでいけばいいステージがつとめられるはずだった。二曲目をエプロン・ステージで終え、『ラ・メンティーラ』のイントロで既に自らうっとりとし、後方のメインステージに戻ろうと後ずさりした途端、なんたることか、片足が宙に浮いたのである。すぐ後ろが二メートル近い深さのオーケストラ・ボックスになっているのを、

ペペ・ハーラ
Pepe Jara (1928-2005)
メキシコ人ボレロ歌手。アルバロ・カリージョの歌をメインに歌い、一躍スターダムにのし上がった。

つい忘れていたのだ。

「あっ、あっ、あっ！」と二、三秒虚空を掴み、そのまま頭から真っ逆さまにボックスへ転落、下では指揮者とピアニストが待ち構え、支えてくれたので怪我ひとつしなかったものの、幸か不幸か、はたまたプロの責任感からか、ひっくり返りながらも無意識のうちにすぐ這い上がれるように足だけが上のステージに乗っかっていたので、ちょうどスカートをはいて逆立ちしたようにキモノはめくれ、下着一枚の〝色っぽい〟下半身がまる見えになった。前夜の失敗にこりてステテコは着用しておらず、ブリーフもキモノにラインが浮き上がらないよう後ろをTバックのように細工していたのである。観客からは私が何も履いていないように見えたと後から劇場スタッフに聞いた。かぶりつきから三階席の客まで総立ち、何千もの〝好色な〟視線をただただ下半身に意識し、私は片手でお尻を隠すのに懸命で、下になった上半身は指揮者に任せきりである。

その間数秒であるが、オーケストラもストップせず、大の男ふたりに下から背中を押し上げてもらい、大々爆笑と喝采の渦巻く中、私は裾を抑えながら再び舞台に立った。歌詞を少し飛ばしただけで完全に歌いきったが、あまりの大爆笑に、何が起きたのかと地下にいたはずの共演者もスタッフも袖に駆け上がり、最後までどよめきにかき消された感じで、流石の『ラ・メンティーラ』も型なしである。私が退場してもまだ観客のどよめきはおさまらず、当時ベテランで人気歌手であったプエルトリコ出身のダニエル・サントス(100頁注参照)が歌い出しても、まだ笑っている客がいて、事情を知らない彼は演奏をストップし怒っていたと後になって知らされた。

巧すぎて、エキセントリック、しかし魅力的なグローリア・ラッソ

一九五〇年代の末から六〇年代の初めにかけてシャンソン歌手として日本でもたくさんのヒットで知られるグローリア・ラッソ(注)。いつの間にかあまり聞かないと思っていたら、なんと彼女はメキシコを拠点に歌っているではないか。

〝巧すぎて、声に恵まれ(四オクターブ以上操る)、わがままでヒステリックなぶったまげた女〟というのが、一般ファンの定評だったが、レコードとナマの良さの開きがこれほどあるとは私も知らなかった。

メキシコのクラブショーは普通二回である。時間はぐっと遅く、一回目が夜の一〇時ごろ、二回目は夜中の一時は軽く過ぎ朝の五時なんてこともある。

初めてグローリアのクラブショーを観た夜のこと、気まぐれを噂されるにふさわしく、劇場のリサイタルでもないのに一回目でなんと二〇曲も歌ったのである。いや、客が彼女をステージから降ろさなかったと言った方が正しいだろう。そして二回目は気が向かなかったのか、四、五曲のみで引っ込んだ。

オープニングは、いきなりフォルティシモの高音から入るカデンツァ風とス

グローリア・ラッソ
Gloria Lasso
(1922-2005)
スペイン生まれ。『Lune De Miel』や『急流』他数々のヒット曲を輩出。フランスで活躍した後、活動拠点をメキシコに移した。

キャットを混ぜた感じ。広い音域の声を自由自在にあやつり、初めは何の曲かわからないが、インテンポになり原曲のメロディを歌い出すと、彼女のヒットソングの一つとわかって拍手がおこる。このオープニングパターンは彼女の十八番でもあるが、日によって曲は変わる。日本で聞いたレコードの印象から、私の好みではなかったのであるが、これが同じ歌手かと耳を疑った私である。

〝そういえばカテリーナ・バレンテ（注）も高度な技巧でこんな歌い方をする。でもアベリーナのようにしんみりと泣かせてはくれないだろうな〟

少なくとも最初の曲ではそんなことを考えていた。ところが『イパネマの娘』『ベレーダ・トロピカル』『ノーチェ・デ・ロンダ』のラテンスタンダードからジャズに至るまで歌い出して、私は押し黙ってしまった。

〝あり余る声とテクニック〟を持つタイプの歌手は、得てして味がなく、完璧ではあるが情感が足りなくつまらない例が多いものの、彼女はそれに当てはまらない。デリケートな部分もあり、豊かすぎるとも言える感情を務めて抑えながら、それが時々どうしても抑えきれなくなって爆発する時、客は熱狂する。

ラテン系歌手の多くは、その天性の音楽性とリズム感を思うがままに生かし、個性的に歌うが、好みの問題は別として、どこか泥臭い人が多い。グローリアはスペインに生まれ、フランスで名を挙げ国際舞台で活躍している人だけに、ラテンの血とヨーロッパの洗練された香りがミックスされた、高度な音楽性を持っている。

カテリーナ・バレンテ Caterina Valente (1931-)
パリ生まれのイタリア系フランス人歌手兼女優。サーカス団員の両親と共に幼少時よりヨーロッパを巡業。世界6か国語を操り〝歌う通訳〟の異名を持つ。ザ・ピーナッツ『情熱の花』は彼女の『Tout L'Amour』が元ネタ。

彼女のステージを見て、歌手と呼ぶよりは、感情のバランスがうまく取れていないピカソやゴッホのような芸術家と呼んだ方がしっくりくる気がするのである。本人自身、そういう意識があると見られ、酔客がつきもののクラブショーといえども、客がうるさくすれば、すぐ歌を中断したり、そのまま引っ込んでしまうことも度々である。ステージに近いテーブルに運ばれてきた肉料理が臭いと言って「私が引っ込むか、この肉を引っ込めてもらうか、どちらかを選びましょう」と客にアピールした彼女も見た。

信じがたかったのは、ピアニストが下手だという理由で「私はいつも皆さんに最高のものをお聞かせしたいと心がけていますが、こんな下手なピアノではこれ以上続けられません」とショーを中断した時だった。この時だけは客もピアニストに同情し、黙ってしまったが、大概のことならファンは彼女に味方するし、よく気を使う。ある意味では客もそんなハプニングを楽しんで、今夜は最後まで歌うか、途中でやめるか賭けをする客もいた。彼女を初めて聴いた夜も、酔客のひとりを客全員が一斉ににらみつけ「シーッ！」と指に口を当てたが、かえってやかましくなりショーは中断された。失恋を忘れるためにパリを去り、メキシコに来たと聞くが「なーに、あのわがままで居づらくなったんだろう」と陰口をたたく人もあるほどステージでのトラブルはたえなかった。

涙のしずくがラッソのドレスを濡らす……

シャンソンの『そして今は』は、ジルベール・ベコー(注)の曲としてあまりにも有名であるが、グローリアがパリで全盛時代、失恋による自殺未遂をした時、ベコーが彼女のためにこれを作曲したと言われている。歌詞も自殺していく人の心を伝えたもので、フランク・シナトラ、トニー・ベネット(注)ほか各国語で歌われており、偉大な歌といっても良いだろう。このイントロが始まると客席はたちまち静まりかえり、彼女の目だけに視線が集中する。まさに死神に取り憑かれたような、虚ろな目になるのである。しかしそれは芝居ではないのだ。

六五年当時は、まだ失恋の傷も深かったとみえ、はじめは努めて淡々と歌っているのが見ているほうでも分かるが、途中から感情のやり場に困り、絶叫に近い声で歌うさまは鬼気さえ漂う。涙のしずくが彼女のドレスを濡らす、という表現は、実際に見た人でなければ分かってもらえないかも知れない。私はメキシコで何十回とナマで歌うのを見たが、ドレスを濡らすどころか、フロアにうっすらと涙のシミができているのを見たことさえある。ただ、一九八〇年代に私が最後に聴いた時は、泣きながら歌っていたものの、年月のせいか、遠い昔を想い出すように、かなり淡々と歌っており、これもまた胸に響くものであった。

グローリアのショーでは、彼女が聴衆に「ありがとう」と言うどころか、頭を下

ジルベール・ベコー Gilbert Becaud (1927-2001)
〝ムッシュ10万ボルト〟の異名を持つフランスの歌手、作曲家、ピアノ奏者。代表曲は『Let It Be Me』『ナタリー』等。有名な『Et Maintenant(そして今は)』は失恋して自殺する様子を歌った歌。

トニー・ベネット Tony Bennett (1926-)
イタリア系アメリカ人歌手。フランク・シナトラの唯一のライバルとも目される実力派歌手。代表曲は『Because Of You』『Cold Cold Heart』『霧のサンフランシスコ』な

げたことは一度もない。ニコリともしない。拍手が止むまで脱け殻のような目で空間を見つめたままである。それがまたファンにはたまらない魅力でもあり、彼女の歌にはふさわしいのである。

私が楽屋で接した限りでは、彼女はわがままでもなく、いいおばさんに見えたが、その翌日には荒れ狂って楽屋で椅子を投げ飛ばしたと聞いた。そして、九〇年代にはパリに戻り、『私と九回目の結婚をした男』という本を出して話題になった。

一方、私はといえば、六五年も終わりに近づき、イリス劇場出演をきっかけに、『ラ・メンティーラ』に明け暮れ、カラカス以来再び仕事に追われる日々が続くようになっていた。

習いたての頃のスペイン語　今思えば顔がほてるけれど……

スペイン語といえば、海外生活中私は星の数ほどの失敗を重ねてきたが、特に初めの頃は自分が間違った表現をしていることなど全然気がついていなかった。思い返すと恥ずかしい。

売り込みのためには、思い立ったらすぐ行動に移す。言葉を変えれば思慮に欠けていた私は、ある日誰の紹介もなしに、メキシコのＴＶ局長に電話で面会を申し込んだ。

ど多数。90歳を超えても現役という超人である。

「初めてお電話いたします。失礼をどうかお許しください。お前は知ってるか分からんけど、僕は日本の女性歌手ヨシロウです。仕事の件で、冗談でもいいから喋らないか？」

先方の返事は「ケ（エッ）！　ケ！　ケ！」だった。スペイン語を話す国に住んで半年、幼児のようにほとんど耳から覚えた私は、敬語と親しい仲間同士で話す会話の使い分け、男性名詞と女性名詞の違いなどを知らなかった上、普通のメヒカーノさえ知らない芸能人同士の俗語や、ベネズエラの方言までごちゃまぜで喋っていたのである。

これは、無名の一タレントがNHKの局長にいきなり電話で売り込むような無謀なことなのだが、人生はサイコロのようなもの、この局長は日本びいきの上、偶然にも劇場で私の初日のストリップ事件を見ていたので、初めから親しみを覚えてくれ、なんなく会ってくれたのである。そしてその前日まで私の売り込みをめんどくさそうに聞き流し、いばりちらしていた番組のプロデューサーに、鶴の一声で出演をOKさせたのだ。「パコ・マルヘスト・ショー」他、人気番組に出演し、名前は広まるようになったが、この時代はメキシコ市のTVが全土を網羅していたわけではなく、週遅れでビデオを各地のTV局が放映するので、その放映前に私を呼んだ地方のクラブのオーナーは空席だらけの私のショーを見るということになる。この件でその後どれだけ私が悩んだことか……。

六五年とは、まだそんなのんびりした時代でもあり、海外における限り私は向こう見ずとも言える積極性で最後までやってきたが、それが良かったのだと今になって思う。

セレナータ・ロマンティカ

私はメキシコシティに滞在中、「ホテル・レヒス」というスペイン統治時代の名残が残る歴史的で格式高いホテルを定宿としていた。ここはアラメダ通りというこれも歴史を感じさせる通りに面しており、ＴＶ局や劇場の終わった後、歩いてゆっくりと帰ることもあった。

裏通りを歩いていると、スペインから伝わったと言われ、特にメキシコでは文化の一つといってもいいだろう〝セレナータ〟と呼ばれる、ロマンティックという言葉では済まされない、なんともおとぎ話のような世界に出くわすことができた。男性が自分の心情をギターを弾きながら歌に託して、二階で寝ているであろう恋人の窓辺に向かって歌うのである。彼女が運良く聞いていればサインの代わりに、ベッドのランプをつける。けれど、窓を開けたりすることは稀だ。

私は歌があまり得意ではないがギターはそこそこに弾ける友達のために歌ってあげることが幾度かあった。稀に窓が開く事もあったのだが、それは私の歌が上手いからではなく、急に知らない人の声だったので、混乱して開けてしまったのだろう。

一方、金持ちはといえば十数人編成のマリアッチバンド、または当時日本でもラテンアメリカでも絶頂期にあったギタートリオ、ロス・パンチョス（42頁注参照）や他のグループを金に糸目をつけずに契約しては恋人をその気にさせるのである。大概深夜から明け方までの時間帯で、日本では騒音防止法で大騒ぎになるであろうが、ここはメキシコであり、伝統文化である。騒音に文句を言う人に私は一度も出くわしたことはなかった。

ある時、日本から水泳の指導に来ていた友人のアパートに泊まった時のこと。夜中に上の階の家族が大きなボリュームで音楽を流しながらダンス・パーティーに興じており、友人とふたりで「眠れないので、静かにしてほしい」とクレームをつけに行ったところ、「そりゃそうですよ、このボリュームで眠れるほうがおかしい。無理して眠るより、我々と一緒に楽しみましょう」と言って、有無を言わせず我々を部屋に引きずり込んだ。そして、彼も私も踊って、飲んだのだった。

果たせなかったブランキータ出演　メキシコの夜風はきびしい

私の周りは再び華やかになり、夢はエスカレートするばかり。次の目標は、メキシコでデビューするアーティストにとってひのき舞台でもあるブランキータ劇場である。

一二月のある日、ラテンアメリカ各国のスター親善パーティで歌うことが決まった時、私は即座にこの劇場の老オーナー、バジェーホ氏を招く計画を立てた。大概のスターなら彼の一声で集まって来ると言われる強者と知っていたから私もあの手この手を尽くし、あまりしつこくすると安っぽく見られるぜ、とのマネージャーの忠告にも「アイ・カージャテ（えーい黙れ）。歌を聞いてもらえばすべては分かる」と、私は聞く耳を持たぬ強気さであった。

当日も「もしバジェーホ氏の到着が遅れたらショーを遅らせて」と、いっぱしのスター気どり、いやスターのつもりであった。仲間にも事情を話し、ショーを盛り上げるために声援を頼んだ。

ショーの一時間も前からホールに彼の姿を探し、入り口まで出ては気を揉み、やっと時間前に到着を確認した時は小躍りして喜んだものである。

ところが、である。いざ歌い出すと私自身でさえ何が起きたのかわからないほどに、喉がかすれて声がほとんど出ないのである。風邪をひいているわけでなし、緊張はしているにしても声が出ぬ程のことではない。第一、つい先刻発声練習した時は調子よく出たではないか。〝歌は心で歌う〟とはいえ、ショーアップするためにあえて選んだフルボイスで歌う『グラナダ』のような大曲では、やはり声がモノを言う。仲間は派手に声援していたが、かつてないひどいショーに終わってしまった。

「こんな歌のために忙しい時間をさかせて」とでも言いたげに、終わるやいなや帰り支度にかかったバジェーホ氏を追っかけ、くどくど弁解してみたが、後の祭りである。

「声の調子が良い悪いよりも、君がこのメキシコで成功したかったら、あんな古臭いレパートリーは全部変えることだね。今さら『グラナダ』でもあるまい。君は若いんだからムシカ・モデルナ（ロックやポップス）を歌うべきだよ」と忠告を残し、怒ったように消えていった。「あの声はなんだい」ともっと怒ったのは私のマネージャーであったが、どうして急に声が出なくなったのか、そのことばかりが不思議であった。

理由を教えてくれたのは、心配顔の友人だった。

海抜二〇〇〇メートル級の高地にあるメキシコ市は、空気が非常に乾燥し、一日のうちに四季があると言われるほど昼夜の温度が変化する。昼間温められた喉が、うっかり夜の冷気を吸ったり、冷えすぎた飲み物を飲んだりしたら声が出なくなるのである。ましてや歌手の場合、歌っているときは喉が適当に温められ、柔らかく、血行も良くなっているが、そこに冷えすぎた空気が入り込むとどうなるかは申すまでもあるまい。私はそれ以前に日本で、クーラーの冷えた空気を吸ってしまい、その途端に声が出なくなり歌を中断したことがあったが、当夜もショーの直前に外に出て話し込んでいたのだった。

総じてメキシコの歌手はアルコールに強いが、冷えた水やビール、氷の入ったウイスキーは避ける。夜の戸外では仕事前にあまり話をしないし、コートの襟で口を覆ったりしていることは、後になって気づいたことであった。

その後も私は事あるごとにブランキータに挑戦したが、たった一夜の失敗で〝ひどい歌手〟の評価を受けた私に、その扉は開かれずじまいだった。

『アドロ』のアルマンド・マンサネーロの第一印象

一二月はメヒカーノ達にとって一番楽しい月である。中でも一六日からクリスマスまではポサーダと呼ばれ、方々の家でトラディショナルなフィエスタ（パーティ）が開かれる。市のメインストリートにはイルミネーションが輝き、色とりどりの風船売りが目を楽しませるが旅行者は旅情をかきたてられ、ちょっぴりやるせない気分にもなる。

一方、我々にとってはありがたい稼ぎ時だ。政府高官や上流階級のパーティーは一流アーティストを競って呼ぶから、出演料もつり上がる。私はこの国では新人ではあるが、東洋からの変な外タレを売り文句に、マネージャーはこの期間売って売って売りまくった。

だがこの季節を思い出すにつけ、一つだけ悔やまれることがある。

忙しいシーズンゆえに、伴奏のピアノトリオが見つからず、ある日「カフェ・サン・ホセ」というコーヒーショップへ行った。この店と、メキシコで一番古い歴史を誇るラジオ局XEWとの間の五〇メートルの道は、常時ミュージシャン達で賑わっている。仕事の情報交換や打ち合わせ、また、世間話の場でもあるわけだ。その中の何人かは、その場で仕事が決まり、喜々として帰っていく。

「ほら、あそこにいるチャパーロ（小柄な男）が『ボイ・ア・アパガール・ラ・ルス（灯りを消そう）』を作曲したやつだよ。伴奏もうまいから頼んであげようか」と世話好きなコンガ奏者フリオが目顔でひとりの男を示しながらすすめてくれたが、私は気がのらなかった。背が低すぎて、あれでは足がピアノのペダルに届かないのではないかと不安だったからである。

その彼が二年後の六七年『アドロ』、『エスタ・タルデ・ビ・ジョベール』そのほか数々のヒットを放ち、一躍世界的に名を知られるようになったシンガーソングライター、アルマンド・マンサネーロ（97頁注参照）その人であった。もっともこの時期の彼は仕事に困ってそこに居合わせたわけでもなかろうが、まだそれほど有名だったわけではないので、頼めば気軽に伴奏を引き受けてくれた時代なのである。

台所で歌って訴えたカルメン・コスタの勝利

早変わりの失敗からストリップ・ショーもどきのことをやった私の噂はあっという間に仲間内に広がったが、同じ頃、ブラジルの一女性ボサノバ歌手が、ショータイムになるとクラブのステージではなく台所で歌っているという妙な噂が流れていた。

彼女カルメン・コスタ(注)は契約上のトラブルの真っ只中にあった。ニューヨークのカーネギー・ホールにも出たくらいだから、実力は十分である。ただ、ジャズに近い彼女のボサノバは、メキシコとはいえ、六五年当時のクラブショーでは進み過ぎていた。客の動員につながらないため、オーナーは長期の契約を一方的に一か月で切り上げ、その代わりに若くて美人だが、さして歌はいただけない歌手を入れようとしていたらしい。

こんな時こそ、契約書という紙切れ一枚がものを言うのである。

「決着はユニオンに任せて、私は契約書に書いてあるように仕事を続けるわ。やることさえやっておけばユニオンがうまくやってくれるから」と、念入りにメイクアップし、ステージ衣装をつけ、舞台にはあげてもらえないのでショータイムきっちりに調理場までマイクをのばす。

「私の契約はこのクラブとだけど〝ステージで歌う〟とは書いてないから台所

カルメン・コスタ Carmen Costa (1920-2007)
ブラジルの大歌手。カーニバルソングからジャズまで、幅広い音楽性で死去するまで〝ブラジルの声〟であり続けた。

だっていいはずよ」とわれわれには思いもつかないユニークな発想である。経緯をかいつまんで説明し「そんなわけで、皆さんのお顔を見ながら歌えないのが残念ですけど、私の心を込めた歌には変わりありません」と歌い出す。客は、姿の見えぬカルメンに拍手、また、バンドもシェフ達も彼女の味方であるから、時々拍手に混じって景気付けに鍋を叩く音も聞こえる。時たまサービスのために彼女は調理場の入り口から顔を見せてくれるが、その都度客は応援の言葉を投げる。日本ならさしずめ「負けるなよ」とか「がんばって！」と言うところだが、そこはカトリックの国、そしてスペイン語の表現が日常でもそうなのだが「神様が付いているからね」「神様が全て助けてくれるから」と声をかける。

彼女も私もこの国では外国人、明日は我が身ということもあるし、私も応援に駆けつけたけれど、実はヤジウマ根性が半分であった。同情して、できるだけ神妙な表情を装ってみるのだが、どこか喜劇的で、台所から彼女が顔を出すたびに指差してゲラゲラ笑いそうになる。

口コミや新聞でこの件を伝え、ユニオンも応援に駆けつけたので、話題は広がり、客が増えたのでオーナーの気持ちは変わったようである。実際に来た客が彼女の歌に感激し、次第に店は黒字になったらしい。再びカルメンはステージで歌うようになった。このような時、外国ではユニオンをバックに歌手が団結して実によく闘う。今思うに、おそらくカルメン・コスタは明日のホテル代にもおびえながら、あの屈辱に耐えていたのであろう。風の便りでは、彼女はその後ブラジルに帰り、外国での数奇な体験を自伝にしてまとめ、歌よりむしろそちらの方が売れたそうな。

喧騒とシャンパンと……初めての外国での新年

一九六五年一二月三一日、間もなく私は生まれて初めて外国での新年を迎えようとしていた。ヌエボ・レオン州首都の工業都市モンテレイを午後に出発、バスに三時間ゆられて着いたのは、テキサスに近い小さな町のクラブである。映画そのままのような、道中のサボテンの荒野や岩の多い半砂漠の風景は、変化のなさすぎるものだったが、私の興味を引くには充分であった。

おそらく一生見られまいと思っていた砂漠の竜巻をはるかかなたに見つけた時は思わず身を乗り出した。だが、読んだ本から想像していた恐怖を抱くような大きなものではなく、つむじ風が二〜三〇〇メートルにまで砂ぼこりを巻き上げ、少しずつ移動しながら消えていくのである。多い時は二〜三本も一度に見るが、バスの乗客は慣れているのか、気にとめる様子もない。サボテンの生える荒地を進み、その日の午後やっと私が出演する「カシーノ・ミチョワカーノ」に着いた。私を見るなりその場に居合わせたオーナー夫婦、専属のダンサー、バンドのメンバー、ボーイさんまでもが私に駆け寄って来てひとりひとりがご丁寧に抱擁やキスをしてくれ、浮かれながらも今夜のショーの成功と来年の幸せを祈る。

そのショーも終わった明け方近く、まだはしゃぎ足りない私は、売れっ子ホステスのようにはしたなくテーブルの間を泳ぎまわっていた。呼ばれもしないテーブルについて五分もしないうちに、支配人が喜々として「あちらの客が一杯ごちそうしたいと申しております」と呼びに来る。その席につくやいなや、「ヨシローはシャンパンが好きで」と一番高い飲み物を客にすすめる。一年に一度のめでたい日のこととて、素朴な田舎の客は文句も言わないが、私は彼らの懐が心配で、一番安いテキーラでもふるまって欲しかった。へべれけになってもまだ何かもの足りない私をマネージャーは「メキシコじゃ、こんなに気軽にテーブルにつくのは三流アーティストだけだぜ」と、強引にホテルに連れて帰るのだった。

ハード・スケジュール　それも自分で求めたのだが

私は元旦よりモンテレイ市を根城に忙しい日々に追われるようになった。「忙しければいいってもんじゃない」「売れればいいってもんじゃない」「受ければいいってもんじゃない」これはわれわれ歌手仲間で当時流行っていた言葉である。冗談とやっかみ半分に使われるのだが、要するに「大切なのは歌の内容」ということ。けれど、やはり売れて悪い気はしない。

思うに私は今日までこんな気違いじみた忙しさを経験したことはない。「カシーノ・ミチョワカーノ」に出演しながら、毎日二本のTV番組にレギュラー出演していたのである。

午前八時半に起床、一〇時からTV局にスタジオ入りし、一二時半から一三時半まで昼のバラエティ・ショーのリハーサル、これはローカル番組。一六時半に再びスタジオ入りしてリハーサル。その頃ヒットしていたトリニ・ロペス(注)の曲名をもじった、若者向けのゴーゴー番組『クラン・デル・マルティジート』の本番が一九時～二〇時。二二時半、午前〇時半、三時とクラブ・ショーをやって、ホテルに帰れば五時、もちろんこの間に食事と睡眠の時間が入る。一日五時間足らずの睡眠時間を、それも何回にも分けて眠っていたのだ。しかもカネはガッポガッポ入るし、どこへ行ってもちやほやされる。私の周りには人間的には上質といえないが魅力的で快楽的な連中が沢山いたから、狂ったように遊ぶこともスケジュールの中に入るようになった。明日のことも忘れ、またその生活に必死でしがみついてもいた。こんなに甘くて魅力のある生活など、日本でのそれに比べ信じ難いものだったからである。これぞ私が求めていた快楽と音楽が同時進行で進む瞬間だった。

こんな無茶なスケジュールを引き受けたのは、日本ではどんなに努力しても報われなかったことへの腹いせだったのかもしれないし、TV出演によって脚光を浴びる喜びの方があまりにも大きかったからかもしれない。そして、今更ながらTVの

トリニ・ロペス
Trinidad "Trini" Lopez III (1937-2020)
テキサス生まれのメキシコ系アメリカ人。バディ・ホリーの弟分としてデビューしたチカーノ・ロッカー。代表曲『天使のハンマー』『レモン・トゥリー』『グリーングリーン』。

反応の大きさに驚くのだった。わずか二、三日で歌が上達するわけはないのに、観客が初めから積極的に聴く態度を示すように変わってきた。だから歌にも自然と熱がこもる。客席の熱気がステージに伝わり、それが倍増されて再び舞台から客席へはね返っていくのである。

私はこの機会に例の引き抜きをやめ、何度かシンプルなスーツだけで歌ってみた。習慣とは怖いもので、引き抜きなしで歌うのは女性歌手がメークアップをしないで歌うように不安があったが、観客の反応に変わりはなく、私は少し安心した。そして観客が新しく私に求めたのは、引き抜きより『ラ・メンティーラ』だった。

一週間の契約で出たTVは好評で、八週間に延長された。どんなジャンルの歌もこなせるというキャッチフレーズの便利屋的存在で、昼の番組ではボレロやバラードを中心に、夜は踊りと歌の入ったゴーゴーに切り替え、新聞の番組紹介欄でも私の名前を特別に扱ってくれたほどだったが、やはり疲労には勝てなかった。連日の疲労から声は出ない、次から次へと出される新曲もうまくこなせなくなり、スタートの頃の精彩が日毎になくなっていくのが自分でもわかっていたが、契約を四週間消化したところでTV局側はキャンセルを申し渡した。落胆しながらも、一方ではホッとしたのも負け惜しみではない。私はただただ眠りたかった。

しかし、TV局は残された分の出演料を全額払ってくれた。日本では考えられないが、これが契約書という一きれの紙の価値なのである。

『ラ・メンティーラ』そして涙の物語

最初のTV出演で泣きながら歌った『ラ・メンティーラ（いつわり）』の反響は大きく、プロデューサーは再度同じことを求め、私はその要望に忠実にこたえた。新聞は私の歌よりも涙の部分をことさら誇張して書く。メキシコにはアマリア・メンドーサ（注）という有名な女性ランチェーラ（注）歌手がいて、彼女が持ち歌を常に泣きながら歌うことはよく知られ、おそれ多くも私がこの大歌手と比較された（ただし、泣くことだけで）。私はこの歌の美しさに溺れていたのみならず、これまで自分を偽って生きてきたことへの思いと歌詞が交差し、若さからくる多感から、涙が止まらなかったのである。

一方ステージでは『ラ・メンティーラ』のイントロが始まると、期せずして拍手がおこり「ノ・ジョーレ（泣くな）！」と声がかかる。この場合は反語で「うんと泣いて感じを出して歌ってくれ」という意味を暗に含んでいる。中には「ジョーレ（泣け）！」と命令的に直接叫ぶ者もいる。さすがは闘牛の盛んなお国柄、声援もサディスティックで、私は観客にけしかけられる牛になったような錯覚に陥る。

私のような感情過多は、涙もろいメキシコ人の好みにぴったりだった。

「なんたることか。我々の敵グリンゴ（メヒカーノがアメリカ人を侮蔑して呼ぶ言葉）と戦った日本人が、我々の国の歌を涙を流して歌ってくれるなんて」と酔っ

アマリア・メンドーサ
Amalia Mendoza
(1923-2001)
メキシコの歌手兼女優。プレペチャ族の英雄から取った〝ラ・タリアクリ〟が愛称。代表曲は『Echame A Mi La Culpa』『Amarga Navidad』。

ランチェーラ
メキシコの代表的な大衆音楽。本来はマリアッチ・バンドを伴い歌う。

た大男が私に抱きつき、おいおいと泣き出すのである。これがメキシコ人なのだ。

私は来る日も来る日もこうして泣きながら『ラ・メンティーラ』を歌っていたが、前述のようにハードなスケジュールは少しずつ仕事に支障をきたしていた。疲れ切った私に『ラ・メンティーラ』を泣いて歌うような潤いが失われていき、観客がそれを求める以上、過去のあらゆる悲しい出来事を無理に思い出しながら、力んで涙を流してみたものの、同じことの繰り返しはついに涙づまりとなった。その結果、笑い話にもならぬ涙の物語が生まれたのである。

脱脂綿にアンモニア水を浸し、ハンカチで隠す。イントロが始まると、さりげなくそのハンカチで顔の汗を拭うふりをすれば、ツーンと目を刺激して涙が出るのである。我ながら良いアイデアと思ったのも束の間のこと、ある夜、そのアンモニア水がもろに目に入り、目も開けられなくなる大騒ぎになったのだった。何もそこまでしなくても、と言われるかもしれないが、若かった私は真剣に客の期待に応えようと必死だった。そんなことが私の生きがいの一つであったような気もする。そして歳を重ねるにつれ、そのバカバカしさに徹することができなくなった私である。

嬉しいヤキモチ　でも、度を過ぎると……

私の周辺に起きたことを通じて、メヒカーノ気質について書いてみたい。

日本では、アメリカ人を陽気で屈託のない人種の代表のように言うが、私の知る限りではメキシコ人はそのまた数倍陽気である。

しかし、その嫉妬深さについて書けば、メヒカーノを知る人は思わずニヤリとするだろう。嫉妬する方は少なからず苦痛が伴うが、される方は優位の立場にあるのが嫉妬の基本、だから嫉妬される方はそれほど嫌な感じはしないし、私はメキシコ人の嫉妬深さが好きである。日本人だって嫉妬深さにおいては引けを取らないと思うが、陰にこもるか、表にあらわさない。ところがメキシコ人のそれは三歳児のごとく可愛らしく、ストレートで、時には友情を深める潤滑油の役目さえ果たすのである。

楽屋入りの時も大変である。ホールの支配人やウェイター達と冗談ともつかぬ挨拶を親しげに交わしていると、向こうのキッチンの方からけわしい（？）声がかかる。

「君は我々キッチンの者とは友達じゃないんだね。昨夜も今夜も我々と口をきかないじゃないいか」

ショーが始まると、客のひとりからこんな声がかかったこともある。

「あなたの歌なんかに拍手するもんですか。昨夜私達がテーブルに招いたのに、他の客とばかり話していたじゃないの」

ところがその声の主は、私の知人でも何でもないのである。

体重一〇〇キロもある大男のピアニストが私の楽屋に来て、「ヨシローお前はドラムのホルへに日本のコインをあげて、俺には何もくれないなんてひどいよ。俺はいつでも良い伴奏をしてるじゃないか」とこぼすこともあった。たかが五円玉一つに文句が出てくるのだからおそろしい。けれど、私はみんなに好かれていると思うと嫉妬の言葉ひとことで一週間は幸せになれた。

ところが、嫉妬も時にはとんだ災難を呼ぶことがある。

毎週日曜には唯一の休息日、夕刻までぐっすり眠り、エンジニアとしてモンテレイに着いたばかりの日本人青年Kくんのアパートで朝食兼夕食をご馳走になるのが常であった。

食後のひと時、Kくんのロンドン生活時代の話などに耳を傾け、常薬(じょうやく)としている錠剤三粒をテーブルに出した時、同じアパートに住む三人のメキシコ人大学生がほろ酔いで入って来た。「それ何の薬?」とたずねる三人に「とてもうっとりする薬さ」とからかってみたのがいけない。私はアレルギー体質で、コンディションが悪いと身体中ひどい痒みを覚えるので、抗ヒスタミンの入ったこの錠剤をいつも携帯していたのだが、この薬は服用後眠くなる。

三人は我先にと争ってそれに手を出し、慌てて私もその一錠を掴み素早く口に放り込む。当然学生のうちのひとりはあぶれ「僕にだけくれない!」と子供のようにふてくされる。かゆみ止めの一錠くらい、誰が飲んだって眠くなるだけで、さして害はないはずだが、それ以前に引っ掛けたアルコールのせいかふたりは三〇分もしないうちに朦朧とした顔で「とても気分がいいよ」とあぶれたひとりをからかい、この薬を東洋の媚薬か麻薬とすっかり信じ込んでしまった。

持て余したKくんと私は、外出するからと口実をつけ、無理やり三人を部屋から追い返した。ところが、二時間ほど散歩を楽しんだ後、Kくんの部屋へ戻ってみれば、なんとドアは蹴破られ、部屋中が荒らされ、めぼしいものは全て消え去っていたのである。けれどプロ（？）の泥棒ならばドアを蹴破って大きな音を立てるようなヘマはしない。

Kくんと私は、思わず学生の部屋の窓を見た。明かりは消えて物音もしないが、三人とも身を潜めてこちらの様子を伺っているような気がしてならない。

私は出演中のクラブに昼間は警官をしていると自称する大男のウェイターがいたのを思い出し、クラブに事情を話して彼を連れ出した。窓越しに学生を呼ぶこと三〇分、しびれを切らした自称警官は「後一分待ってドアを開けないと警察の権限でドアを壊して入るぞ」と脅し、一分後にはそれを実行に移した。学生とはいえメキシコのこと、ピストルを持っているとも十分考えられるので、Kくんも私も暫く身を隠していたが、彼の合図でおそるおそる入っていくと、すっかり酔いも覚めた三人はベッドの中で歯の根も合わないほど震えていた。その傍らには、背広、ズボン、ネクタイ、貴金属など金目になる戦利品がどっさり。なんでも〝東洋の媚薬〟をもらえなかった学生が、腹いせにドアを力いっぱい蹴ると鍵が壊れかけ、酔いにまかせて他のふたりもさらに強くドアを蹴って侵入、部屋を荒らした、と自分を庇い弁解ばかりする三人の話をつなぐとこうなる。

大男の警官にすくんでしまった三人は小鳥のように震えっぱなし、出る言葉もしどろもどろで、時々大男が髪を軽く掴むと子供みたいな悲鳴をあげたり、内輪もめをしてそれを警官が止めたり、結局彼は学生から計五〇〇ペソ（当時の一四四〇〇円）を脅し取った。さらに真面目なKくんがお礼として一万円相当をさし出すと、大男は「ヨシロー、麻薬を持っていたお前は明日から仕事ができなくなるぜ」と矛先を私のふところに向けてきた。

「モンテレイの警察署長の名前は何と言ったっけ？」

あるパーティーの席でこの市の署長を紹介されていた私がたずねると、相手は一瞬口ごもり、全くでたらめな名をあげた。これで彼がニセ警官であることは明白、「その署長のところへ出頭しようじゃないか」と提案すると完全にうろたえる。とにかく私は一銭も払うどころか、逆にこのニセ警官を恐喝の現行犯として脅し、Kくんや学生が払った金を全て返させた。さらに彼を脅して金を巻き上げようという気持ちにもなったが、そこは抑え、この事件を丸く収めた彼にわずかばかりのチップをあげたのだった。

その後、何度もK君のアパートを訪れたが、三人は何もなかったように仲良く生活し、われわれにも気軽に声をかけてくるのであった。

マチスモとその裏返し

その後も私は暫くモンテレイ市に居残り、新しく「クラブ・レノ」に出演していた。共演は、一九七一年にフンパーディンク(注)がリバイバル・ヒットさせた『クアンド・カリエンタ・エル・ソル（太陽は燃えている）』(注)の作詞作曲を手がけた、キューバ出身の兄弟、エルマノス・リグアル(注)である。

ある夜、楽屋で身支度し、鏡の前でポーズをとる私に、陽気なキューバの三人男が「アラ、ステキヨー！」と女の声を真似てワイワイガヤガヤふざけていると、メヒカーノの司会者が「ヨシロウ、その衣装は男が着るには派手すぎないか？」と助言した。「モダンでいいじゃないか」と世界を知るトリオのひとりがとりなしてくれたが、私の着ていたのは上下金ラメの布で作られたタキシードで、派手ではあるが当時日本で私は普通に着ていたものだった。けれど、メキシコに来てから、このように衣装でもめたことがそれまでに何回もあった。

メキシコには〝マチスモ〟という言葉がある。男らしさを最高の誇りとすることで、髭を生やし、腰にピストルを下げ、決闘することが男性的であると昔は言われていたが、その名残は今でも強く、男性ランチェーロ歌手が間奏に入れるグリート

フンパーディンク
Engelbert Humperdinck (1936-)
イギリスのポピュラー音楽の歌手。『リリース・ミー』や『ラストワルツ』で有名。

『クアンド・カリエンタ・エル・ソル（太陽は燃えている）』
Cuando Calienta El Sol
英語タイトルは『Love Me With All Of Your Heart』。1971年に日本でも大ヒットした。

エルマノス・リグアル
Los Hermanos Rigual
メキシコを拠点とするキューバの兄弟ボーカルトリオ。

（叫び）にも、男らしさを誇張した言葉が多い。そういえば、日本のチャンバラや股旅物でタンカを切るのもこれに似ているし、ヤクザの世界の刺青や昔の学生のバンカラ気質とも共通したものであろう。

酔っ払うとグラスを高々とあげ「ソイ・マチョ（オレは男だっ）！」と喜ぶかと思えば、突然歌を聴いて泣き出す。そんなメヒカーノ気質が私は好きだ。同じラテンアメリカでもベネズエラでは新しいものを常に求めている自由さがあったのに対し、この国には男性の衣装に関する狭い既成観念がある。それもメヒカーノ気質を知ると、分かるような気がするのである。

けれど、マチスモも時には滑稽で奇異に見える。ボディビルで男性美を誇る男性が実は小心であったりするように、マチスモはコンプレックスの裏返しであると言ったら、友人のメヒカーノは怒ったが、一方この国の女性は「確かにそういうところがあるわね。でも面と向かって男にそんなことを言わない方がいいわよ」と忠告してくれた。

スキャンダラスなタレントの悪口を言いながらも、ファンは結構楽しんでいるように、私のコスチュームも仲間の心配をよそに客に喜ばれていたのは、メヒカーノにとって「俺も一度はあんな格好をしてみたいな」という潜在的な願望があるのではなかろうか。同じメキシコでもメキシコシティにはメスティーソ（混血）が多いのに比べ、このモンテレイではその昔フランス系が入植して来たことから、ヨーロッパ的な思わず振り返ってしまうような美男美女が多く、その誘惑ゆえに私は何度この街に歌いに戻って来たことか。

チャベーラ・バルガスの恋歌は若い女性に捧げられた

宗教心厚く、お堅い反面、型破りのスキャンダラスな歌手に人気があったりするのもメキシコらしい。

ある夜、仕事を終えてホテルに帰った私に、ロビーで声をかけてきた中年の婦人がいた。「ベン・パカー（ここへ来てよ）」と乱暴な口の聞き方で、男のように足を拡げソファーにかけている。タイトな黒のパンタロンにホロンゴ（ポンチョ）をかぶり、ひっつめ髪の彼女を女闘牛士のようでかっこいいなと思ったものだ。自己紹介をするでもなく、私がぶら下げていたステージ衣装にいきなり手を出して品定めするかのようにブツブツ言っていたが、その内容は全く関係のないことなので、彼女がかなり酔っているのに私はやっと気づいた。私はすぐにその場を離れたものの、自室へは戻らなかった。ロビーに続くクラブの入り口に彼女の写真を見つけ、それが有名な（とは後で知ったのだが）チャベーラ・バルガス（注）とわかったからでもあるが、もう一つには「こんなに酔っていて歌えるのかな」と人事ながらに気になったのである。

チャベーラ・バルガス Chavela Vargas (1919-2012)
コスタリカ生まれのメキシコで活躍した歌手。一時酒で体を壊したが、70歳後半にスペインやフランスで再評価され、フリーダ・カーロの映画に客演。代表曲は『La Llorona』。ランチェーラのレパートリー多数。

初めて見た彼女のショーは、司会者の声も客の拍手も耳に入っていないかのように千鳥足でステージに上がり、「サルー（乾杯）！」と言って片手のグラスをつき出し、客もそれに応える。ギターをもて遊ぶように勝手なことばかり喋り、気が付いた時は歌い出していた。ステージショーというより、自宅の応接間に人を呼んで、遊んでいるような感じである。

この夜チャベーラが歌ったのはランチェーラが中心であったが、ランチェーラやフォルクローレ(注)の唱法にあまりこだわっておらず、今で言うところのメッセージソングに近い内容の深いもので、これは彼女がコスタリカの出身ということにも関係があるのかもしれない。酔っていながらも次々と飛び出る高度な客とのやりとりはシュールで皮肉が入っており、それが客をさらに惹きつける。酔っているので音程も少し悪いし、声、節まわし、テクニックといい、音楽的にうまくはないけれど強烈に惹きつけるものがあった。

中でも、彼女の傍若無人ぶりは呆れるほどで、どんなに品の悪い男でも、公衆の面前では決して口にしない言葉がある。この国で最悪とされている言葉の多くはカトリックで罪悪とされる近親相姦、売春、同性愛に関した卑猥な言葉、神聖なる母親を冒涜した言葉で、日本語に直訳しても宗教感覚の違いからかさして強烈に感じないが、メヒカーノには大変な意味がある。そんな言葉がチャベーラの口から出るわ出るわ、そして誰でも知っている曲を猥語の替え歌で歌い出すと、客は両手で顔

フォルクローレ
英語で言う〝フォークロア〟のスペイン語読みで、民間伝承として伝わる歌のこと。サイモン&ガーファンクルの『コンドルは飛んでいく』がヒットしたためアンデス地方が注目されたが、それぞれの国に違った形でフォルクローレが存在する。

を覆い、苦笑するのである。

「あら、気に入った？　じゃ、あなたも一緒に歌いなさい」とマイクを差し出すが、誰ひとりとしてそんな言葉を口に出せるものはいない。

「少しドギツすぎたようね。じゃあ少し歌詞を変えるから歌いなさいよ」と今度はもっとひどい歌詞になり、女性客などは嬌声をあげて耳をふさぐ。けれど、怒って席を立つ者がひとりもいないのは、それが彼女の売りであることをよく知っているからであるし、背徳的なものにメヒカーノは惹かれるのかもしれない。

圧巻だったのは、一段高くなっているステージからすぐ前の男女の客が座るテーブルに片足を土足でおき、その膝にギターをひっかけて恋歌を歌い出した時だった。チャベーラが歌いかける相手はその席の若い女性であり、同伴の男性などはまるで眼中にないのである。男性も慣れたものでニヤニヤ楽しんでるかに見える。芝居でも、コミックショーでもない。これが彼女のステージなのだ。これをメキシコで、いやどこの国でやるにしても大変な勇気がいるものなのであるが、彼女は自分が好きなのは女性である、ということを堂々とアピールしているのだ。この時代、性的マイノリティにまだ弾圧があったメキシコではあるが、実は彼女の正直で誠実な性格を皆気に入っていて応援していたのだ。

以前、ふたりの日本人女性をメキシコのクラブへ案内した時のこと、私がよそ見をしている間にふたりは気軽にフロアで組み合って踊り出した。居合わせた客はざわめき、ボーイに慌てて注意されても当のふたりはまだわけがわからなくてキョトンとしていたのだった。

とにかく初めて見たチャベーラ・バルガスのステージは、驚かされることばかりで、その夜彼女が何を歌ったのかは覚えていない。彼女の名誉のために、付け加えさせてもらうが、チャベーラは決して奇行を売りものにする歌手ではなく、これが本来あるがままの姿なのである。

日本でも出たチャベーラのレコードを聴けば、彼女がポリシーのある、れっきとした大歌手であることがわかる。と、力んでみる私ではあるが、何度も通ったチャベーラのステージ、正直言ってその歌よりも卑猥で下品な言葉が聞きたかったのである。私の代わりに代弁してくれているかのようで、それを聞くたびにスカッとし、泣いて喜んだものだった。

恋仲と噂されていた美貌で知られる南米出身の女性歌手と、恋のトラブルで客席で暴力沙汰を起こし、チャベーラが一時国外追放とのニュースが新聞をにぎわせたこともあったが、その後一九九〇年代になって彼女はヨーロッパで引っ張りだこになり、八〇歳を過ぎて世界的な歌手になった。二〇〇〇年代になって日本でも公開されたメキシコ映画『フリーダ・カーロ(注)』に出演し、二〇一二年に亡くなったが、六〇年代当時、あの酔っ払いがここまで伝説の歌手になるとは想像もしなかった。

フリーダ・カーロ
Frida Kahlo (1907-1954)
メキシコを代表する画家。ロシア革命の英雄トロツキーとの交際など数奇な運命はあまりにも有名。2002年に彼女の伝記映画が公開されヒットした。

メキシコ イリス劇場

メキシコにて グローリア・ラッソと

メキシコ TVショー

メキシコ TVショー

メキシコの俳優カンティンフラスと

第5章
快楽の園アカプルコ

メキシコシティ「エル・ブーロ」で苦労を共にし、後に女優になったベリンダ嬢と

「トロピカーナ」は赤線地区の中にあった

マネージャーと別れていた私は、アカプルコでの仕事の申し込みがあった際、即座にOKした。プレスリーの映画『アカプルコの海』を見て以来、一度は訪れてみたいと願っていた世界有数のリゾート地帯であるし、クラブの名前が「トロピカーナ」というのが高級な響きで気に入った。「トロピカーナ」と言えば世界一大きいと言われるハバナのクラブの名であり、ラスベガスにも同名のクラブがあったから、なおさらそう思ったのである。

一九六六年二月一八日、寒いメキシコ市から飛行機でわずか四五分、アカプルコは真夏の暑いさかりであった。

海岸通りに並ぶ高級ホテルと海の碧さに見とれ、やがてタクシーは中心地から少し外れた山道に向かう。熱帯のジャングルの中にあるクラブとはなんとロマンティックな、と初めは喜んだ私が、なんとなく不安にかられるようになったのは、両側にとびきり安普請(やすぶしん)で、原色を塗りたくった酒場が並ぶデコボコの坂道を車が下りだした時である。

ニワトリや犬が車の前を横切り、ジュークボックスのやかましい店から酔った男が出てくる。まだ日の沈む前のことで、店々の大半は閉まっているものの路地裏から出てくる女の風体に、どうやらここが前から耳にしていたソーナ・ローハ（赤線地区）であることがわかった。

目指す「トロピカーナ」はその中にあると知って私は愕然とした。悪い噂はすぐ伝わるものである。アカプルコの赤線地区で私が歌っていることは必ずメキシコ市には伝わるはず。いつもなら新聞のショー案内にのる自分の名前の大きさにもケチをつけるくせに、この時ばかりは、変名で出させてもらえないものか、もしくは急病にでもなって、キャンセルする口実でもないかと真剣に考えていた。一度でも二流の場所に出演すれば、一流の場所への扉はなかなか開かれないと度々注意されていたから、自分の歌手としてのランクはともかく、出演する場所だけはいつも気を使っていた私であったのに……。

躊躇する間も無く、タクシーは目的のクラブに着いてしまった。

私の気持ちがいくらか和んだのは、中から聞こえてくる練習中のバンドのサウンドが、赤線地区にそぐわないほど良かったこと、入り口に出ている共演者の名前がメキシコ市のブランキータ劇場でも見たことのあるテレ・ビージャ、マリア・サロメなど上質ベデー（歌って踊れる美しいショーガール）であったことなどからである。

クラブは粗末ではあるが、天井が無く、ヤシの木の間にステージがあり、南国の自然を最大に生かして作られている。リハーサル中のアフロキューバン・ダンスの黒人男女のデュエットは、土の匂いがしたし、半裸のプレーヤー達も昼間からノリにノって、この村の住人達のための公開練習のような感じであった。しばし私も見とれていたが、さりとて不安が消えたわけでもなかった。

昼間とは一変する夜のソーナ・ローハ

その夜、私は第一部のショーが始まる一時間も前の二三時半に楽屋入りをした。昼間下りた坂道はすっかり夜の化粧で様子が変わり、薄汚れて見えた居酒屋の壁は、夜光塗料で描かれた古代マヤやアステカの模様の絵をミステリアスに、しかし美しく光らせ、ロックやトロピカルの生演奏があちこちの店から交差し、全てが生き返っているようだった。

この場所が、恋を買いに来る男達のためだけにあるのではないと分かったのは、行き交う人々の中に家族づれのアメリカ人夫婦など、赤線とはおよそ場違いな人種がかなり目立ったからである。クラブの内部も一変して、汚いものは全部見えないほどの暗さの中で、ヤシとバンドがライトで浮き出されていた。

だが、暗さの中でいくら目を凝らして見ても、客は誰もいない。アカプルコの住人になって分かったことは、ソーナ・ローハの二四時前は宵の口だということである。海岸の一流ホテルのクラブで遊び飽きた連中が、ここへ繰り出して来るのは真夜中になってからだ。心配するまでもなく、ショーの始まる三〇分前から客がちらりほらりと思ったら、あっという間に満席になった。

楽屋に貼られている当夜の出演者の順序表を見たとき、悪い冗談だと思った。私はまがりなりにもそれまでは一流と言われる場所を選んで出てきた。TVのレギュラー番組が終わった直後で、少しは顔も名も知られてきたであろうから、当夜のメインゲストは当然私と信じて疑わなかったし、こんな赤線の二流クラブに出るのだから、よっぽどの特別待遇にしてもらわなくては、と思っていた。それなのに、五人の出演者中、私の出番は三番目になっている。こんな三流クラブに、私より良いアーティストが出ているなんて信じられない！

しかし、メキシコは、世間は広い。私自身にとっては重大なハクづけになったはずの一か月あまりのTV出演だったが、一億総TV人間化している日本とは様子がいささか違うこの国のことである。外国はTVの普及率が日本より低いこともあるが、人間がマスコミに振り回されるのは日本だけということを私は知らなかった。毎日二本のTVに出演し続ければ、売れたと錯覚するのも無理からぬことであるが、世界各国を遊び歩いてきた観光客で賑わうこのアカプルコではそんなことは何の意味もない。

そればかりか、一番手に出た共演者の芸達者ぶりに度肝を抜かれた私は、慌てて引き抜き用のキモノを一枚余分に着けた。つい一か月前に、引き抜きなどやめて、これからはシンプルなスーツと歌だけで勝負しようと心に決めたくせに、この熱気では私の十八番〝これ見よがしおどかしショー〟で行かなくては太刀打ちできない。真夜中だというのに三〇度を下らぬ暑さの中で、タキシードの上にキモノを三枚も重ね着しているさまは、本当におどかしショーでもあるし、納涼我慢大会でもある。もう一つ誤算があったのは、どこの店も人工的にあまり手が加えられていない似たり寄ったりの作りで、つまり防音など全く考えられていないことである。切ない恋歌の最中、突然隣の店からボリュームいっぱいジュークボックスのロックの音が入ってきて、音程が外れてしまうおそまつさ。

「ショーの最中のジュークボックスは、ストップする約束じゃないか！」と、垣根越しにボーイが怒鳴り、ショーはしばしば中断される。もしこの場にTVカメラがあったら、私のショーより客のひとりひとりを克明に追っていった方が面白いだろう。

司会者が客席の有名人を紹介したが、何とこんな場所にハリウッドのスター達、アンソニー・クイン(注)、ジェーン・マンスフィールド(注)が来ていた。かと思えば、西部劇に出るメキシコ人の悪役が似合いそうな、品のない男が夜の女をはべらせており、金のありそうなアメリカの中年婦人が、若くていきのいいメキシコの青年を抱いている。男の方はアカプルコ名物の恋を売るジゴロである。入り口には、金を払えない若い男や、恋を売りそこなった女達がひしめき、背伸びをして見ている。それどころではない。となりの店とのヤシの葉でできた垣根の隙間から、商売を忘

アンソニー・クイン Anthony Quinn (1915-2001)
メキシコ出身のハリウッドの大俳優。父はアイルランド系メキシコ人、母はアステカ族系メキシコ人。『大平原』『革命児サパタ』『道』『アラビアのロレンス』など代表作多数。

ジェーン・マンスフィールド Jayne Mansfield (1933-1967)
マリリン・モンローを彷彿とさせるようなセクシー女優。イメージとは裏腹の超才女でもあった。

れた（？）女達が覗いているし、木に登って見ている勇ましい男もいる。

ピンからキリまでの人間がここにはいるし、普段はごく平凡な生活を営んでいる人もあるのだろうが、ここに来た以上束の間のアバンチュールをむさぼろうというのであろうか、みんな嘗め回すような好色の目で私を見つめる。悪徳が栄え、神に滅ぼされた伝説の街ソドムとは、こんなところではなかったかと、ふと思ってみた。

と書くと、よっぽど品のない最低の場所を想像されるであろうが、この際日本の旧赤線の暗いイメージは忘れてもらいたい。他とは比較できない、別のパターンなのである。最高と最低が入り混じったと言えばいいのだろうか。

ショーだって、私を除いてみんな芸達者であった。ショーの見方にしても、ホステスのいる日本の一流クラブの客達より、よっぽどイカしている。私の引き抜きが終わってもなお「もっと脱げっ！」と叫ぶ男も、品こそよくないが、歌の邪魔をしないタイミングを心得ているし、このような場所にはこの程度の品のない言葉も似合っている。目があうと、大胆なウインクをステージに送ってくる男も女も、さして深い意味を持たないのだが、私は自分が魅力のある男になったような気がして悪いものではなかった。が、私は彼らのウインクをもて遊ぶ術を知らない。こういうクラブではまだまだ若すぎる芸人であった。

他の共演者は、そんなチャンスを利用しては適当に相手を褒め、じらせ、からかい、ショーを盛り上げていく。言葉のハンディだけでは片付けられない、根本的な私のタレント不足であった。

マンスフィールドと恋を語った？

不覚にもソーナ・ローハのクラブに出演したことは、後々まで記録に残り、先の仕事の障害となる苦しい時期であったが、反面全く知らなかった世界を垣間見ることができたし、その間のことはタイムトンネルの中に入っていたような強烈で甘い印象として蘇ってくる。この地に家を買って永住すればどれだけの快楽をむさぼれるかと正気を失っていた。「メキシコでは、一流の歌手は客席に座って客と飲んだりはしない」と、常にマネージャーに忠告されていたし、実際にメキシコのアーティスト・ユニオンはタレントが客席に座ることを禁じていたが、この誘惑の前では、そんな忠告や警告など忘れてしまう。

古い手帳を開くと、「六六年二月一九日、朝一〇時ホテルに帰る。二日酔いで頭痛あり」と記されている。『アカプルコの海』は若き日のプレスリーがエラくモテる映画だったが、初日のショーの後の私はそんな映画の主人公を演じているような気持ちを味わっていた。

真っ先に座ったのが、客として来ていた、当時〝マリリン・モンローの後継者〟と天下に知られた肉体派女優、マンスフィールドの席である。日本流に言えば、「あなたのショー、よかったわ」程度の軽いお世辞に受け取るべきだが、「ファンタスティック！」「ビューティフル！」などと、映画の中のワンシーンのように彼女自身も自分の美しさに酔っているようで、潤んだような目で私を見つめてくれた。

と書けば「何を寝ぼけて」と言われそうだが、ちょっと待っていただきたい。女優はいつもそんな賛辞に包まれて生活しているから、相手の喜ぶ言葉も心得ている。潤んだ目と書いたが、これは酔いがまわって自分自身にうっとりしていたのだろう。けれどもこちらは、私を見て目が潤んでいるのだと勝手に思い込んでいたい。いや、私は若かったから、本気でこのハリウッドの女王さまと恋を語っているような気になっていた。しかも褒めそやすのは先さまの方だから、こちとら取り乱すのも無理からぬことである。

次から次へと呼ばれるテーブルへのご指名は、キャバレーのナンバーワンホステスの比ではなく、とてもじゃないが身がもたない。ホステスと違うのは、こちらに断る権利があるから、気に入った人とはじっくり話し込む。西ドイツから自家用飛行機でやってきたという中年紳士、離婚でごっそり金が入ったばかりだという少し傷心のアメリカ夫人、ヒッピーのグループ、学校教師、世界旅行中だというフランスの高級コールガール、善良な夫婦、エトセトラ、エトセトラ……。

「メキシコの印象は？」「この国に長いんですか？」といった飽き飽きさせられていた月並みな話題が出ないのが何よりである。世界をとっくり見てきた人間が多かったから、話題も種々雑多で、はきだめのように思っていたこんな場所で、他の高級クラブの客よりも、ずっとしゃれた人間と、しゃれた会話が出来るとは……。赤坂にあった世界の一流歌手が出演した高級クラブよりも中身はこちらの方がはるかに上であった。

このリゾート地では何か起こらないかと期待している連中が多いから、きわどい話も出るし、この際口説かねば損だとばかりに「あなたは恋もお売りになるの?」との失礼なアメリカ夫人の質問に「僕は歌手だよ!」とムキになって怒れば「冗談も通じない人ね」と相手は顔をしかめる。

アメリカ人の男性と同伴の夜の女が、相手はそっちのけで「私とどう? 一〇〇ペソで抱かせてあげるわ」と聞いてくる。無言でいると「五〇ペソでは?」と続ける。まだ無言の私に「じゃ、タダでいいわよ」と言うと、私はニヤニヤ笑いながら、ただ一言「ノー・サンキュー」と返した。彼女はすかさず、「じゃ、あなたにいくら払えばいいかしら?」、そして私は答えた。「一〇〇ペソ!」これで三人大爆笑になった。

この時のアメリカ人男性が「僕の良い友達の多くは売春婦だよ」と真面目な顔で言っていたが、ずっと後になって私もその意味がわかったのである。この華やかな笑いをきっかけに、〝ゾーナ・ローハで一番売れない女〟と自他共に許す、このジョリーと私は実に良い友達になった。

アカプルコに朝が来るのは遅い。この赤線地区のクラブで一番遅いショーをやっているのは「クラブ・ガート・ネグロ（黒ネコ）」で、午前六時半が最終ステージである。帰途、例のアメリカ人、ジョリーと私の三人はこの店に立ち寄ってみたが、ここで大変リッパなストリッパーのショーを楽しんだ。金髪で、〝アメリカの奇跡〟というキャッチフレーズのアメリカ女性ということだ。踊りも見てくれも立派で、日本に連れてきても一流の劇場で通用する。コンガだけの伴奏で、頭をぐるぐるまわすと長い金髪が円を描く。水の入ったコップを頭に乗っけてのアクロバットもある。バストに二〇センチほどの鎖をつけて、右に左に、はたまた片方ずつと使い分けて回せば拍手喝采。一通り一流芸（私は本当にそう思った）を披露した後は、くだけて、男性客を挑発する踊りに入る。

ところが、客の中にいかにもテキサスのカウボーイといった感じの男がいて、「どうせ赤線のダンサー」と気軽にヒップを触ったからさあ大変、激怒した女は機関銃のようなスペイン語、それもキューバなまりの下品な俗語をまくし立て、アメリカ人でないことがバレてしまった。

〝アメリカの奇跡〟という偽りの看板の手前、司会者とマネージャーは大あわて、とんだ奇跡が起きたものだが、当のダンサーは「私はアーティストよ。アメリカではアーティストのお尻を触る習慣があるのかしら」と観客の応援をあおぐ。元来メキシコ人はアメリカ人に好感を持っていないから「出てけ！　出てけ！」の手拍子と合唱で、とうとうこの男を追い出してしまった。メキシコでは彼女もれっきとしたアーティストであり、アーティストとしての誇りを持っている。一方日本ではどうであろう。芸のないノー・タレントまでもチヤホヤされ、本人もそれにあぐらをかいていながら、客とのトラブルでは怒ることは許されない雰囲気がある。ひたすら謝ることが芸とでも思っているかのように振る舞うのは、芸人イコール河原乞食と言われた時代の名残であろうか。いばる必要はない。暴力はいけない。けれどファンあっての商売とはいえ、自分が正しい時は大いに怒るべきだと私は思う。もっとも、このダンサーは自分の芸に自信があったからこそ、こんな大きなことが言えたのであろう。

それにしても、金髪の外人がモテるのは日本だけかと思ったらメキシコも同じこと、翌日からもまた彼女はアメリカ女性と偽り、アカプルコの夜に舞っていた。私をテーブルに招いてくれた魅力的な人達も、太陽が昇る前には格好良く闇に消えてしまい、マンスフィールドの夢さえ冷めやらぬ私は、冴えないメヒカーノのおっさん相手に安酒場で、しつこくテキーラの杯を舐めていた。一流のアーティストを気取るなら、やはりショーの後は客の招きも断り、さっさとホテルへ帰っていくのが格好良いようで……。

私だけに奏でられた『ラ・ゴロンドリーナ』

〝我が青春に悔いなし〟とカッコよく言いたいが、私の青春は大いに悔いありである。

私生活はどうしようもないが、一度舞台に上がれば文句のつけようがないといった歌手が外国には多く、今よりもっと若い頃、私もそういう人の仲間入りができたらという潜在願望があったような気がする。だから、契約上のもつれで、プロモーターと警察の一室で掴み合わんばかりの壮烈な喧嘩の最中、「お前は歌は上手だが、人間的にはどうしようもない」と相手にののしられた時、一瞬私は顔がほころびかけるのを、慌てて我慢したほどだった。こんな時に歌を褒められたことが、いつになく自尊心をくすぐったのである。

ところが舞台ではまだまだ文句のつけようがありすぎたため、度々悲劇が起きた。相手にどうしても自分を認めてもらいたい時、私は度々なけなしの金をはたいて、自分のショーに招待したものだが、そんな時に限って気負いすぎて声がうわずったりし、空振りに終わった。翌日、私は二日酔いの後に似た自己嫌悪におちいり、がっくりと床に伏すのだった。前夜の招待に使った金が目の前にちらついて、ますます腹立たしくなる。やおら電話のダイヤルを回し「昨夜は風邪をひいて、近来になく最悪のコンディションで……」と相手にくどくど言い訳をする。これがあの頃の私であった。

一九六六年三月三日、正確にはもう四日の早朝であった。「オトラ（アンコール）！」の声援と、メキシコ版『蛍の光』である『ラ・ゴロンドリーナ（つばめ）』(注)の演奏で、司会者が私をステージに呼び戻していた。歌詞もメロディーも、なんとも美しいこの調べを耳にして涙を流すメキシコの人達を、私はいくたび目にしたことであろう。また私も何度かこの歌で送られ、泣いたものだった。

劇場やクラブでも、アーティストの出演最終日には、しばしばこの曲で別れを惜しむ。その日は私の「トロピカーナ」出演最終日だったのである。私は司会者や客の声にはかまわず、さっさと楽屋に引き上げ、泣き出した。だが、この日に限ってはそんな別れの感傷にひたっての涙ではなかった。

その頃の私は、よく酒に酔っては感情のおもむくままに笑ったり泣いたり、はては怒ったりしていたから、泣いたからといってどうということもないのだが、この時の私はさまざまな出来事の連続にやたら怒り狂っていたのである。

二週間の契約通りに出演期間は遂行され、契約通りに終わるのだから、文句を言う筋はないのだが、気に入らないのは私よりずっと前から出ていた他の四組の共演者には『つばめ』が奏でられなかったことである。みんな契約延長になったのだ。言い換えると、私のショーへの評価は良くなかったということになる。よりによって、これが赤線地区の中にあるクラブだということが、えらく私の自尊心を傷つけ

『ラ・ゴロンドリーナ（つばめ）』
La Golondrina
ナルシソ・セラデル・セビージャが1862年に作曲したメキシコの愛唱歌。メキシコでは別れの歌としてあまりにも有名。

たが、それも自業自得だった。

盲目のオルガン奏者、親友のエルネスト・ヒル・オルベーラの再三にわたる忠告も聞かず、私はこの街のきらめくような誘惑に負けて、毎晩テキーラをあおっては声をダメにしていたのである。強いて弁解すると、強力な芸達者の共演者達が振りまく華やかな雰囲気に負けまいとすれば、どうしても酒の力で景気をつけねばならなかったとも言える。その一方では「酔うとやたらに喧嘩する、酒ぐせの悪い歌手」とも言われるようになっていた。

メキシカン・タイム　そして泥棒にも男の誇りがある

今の私はメキシコとメキシコ人をこよなく愛しているが、こう言い切れるまでには、かなりの年月を要した。観光旅行でこの国の外面だけ眺めるなら、確かに素晴らしい国である。が、そこに実際住んで仕事をしてみると、この国に懐疑的になり、去っていった人もたくさん知っている。けれどそのような時期を乗り越え、善悪両面を全て知ってこそこの国を愛せるようになるのである。私がメキシコの悪い面も書き立てるのは、そのためであって、この国に悪感情を持っているのでは決してない。

メキシコに着いて半年、ホテルの自室へ客を迎えた後、調べてみると物が紛失していたり、約束の時間のルーズさのため、どれだけ悩まされたことであろう。ことにわれわれ日本人にとって〝メキシカン・タイム〟は最も慣れにくいものであるかもしれない。メキシコ市から九〇〇キロも離れた出演先から、ＴＶ出演の打ち合わせのため、日帰りの予定でメキシコ市に駆けつけたのにすっぽかされた時の口惜しさは、今も忘れることができない。アカプルコではそんなことが重なりすぎた。それまで胸の中でくすぶっていた不満が爆発、私はメキシコ人に対して信頼を失うようになっていた。

私はこの二週間の出演中、メキシコ市へ三度も日帰りをした。「トロピカーナ」で明け方に第二部のショーを終え、始発のバスで七時間揺られ、メキシコ市に着く。夜のショーに間に合わせるため、帰途は飛行機で一時間。このトンボ返りは私とメキシコＲＣＡビクターの間でレコーディングの話が進行中だったので、その打ち合わせのためだったが、相手のルーズさのため、三度ともすっぽかされ無駄足に終わってしまった。約束の時間より二、三時間も遅れて相手はオフィスに現れる。もう帰りの飛行機の出発時刻が迫っているから、話し合いはものの五分しかない。その五分も相手の弁解と次の日取りを決めるだけで過ぎてしまう。先方が気乗りでないことにもっと早く気付くべきだったと後で悔やんでみたが、レコード録音の魅力を振り払うのは難しいことだった。二回目に、「二度も同じことをくり返すということは、あなたにその気がないからだと解釈してよろしいですね。バスで七時間かけてここへ来たのは、あなたもご存知のはず。しかも時間を指定したのはあなたですよ」と、なじれば「セニョール・ヨシロー、どうか許してください。のっぴきならぬ急用ができたものですから。でも私はあなたのレコーディングを決めているのですよ。後はいい曲を見つけるだけです」と言う。そして大真面目に手帳を取り出し、次の日程を決めると、私は再びその気にさせられてしまうのだった。

私は三度目の正直（スペイン語でも「ノ・アイ・ドス・シン・トレス（三のない二はない）」と言う）とばかり、アカプルコから約束の時間に馳せ参じたが、時間は一時間、また一時間と過ぎていった。秘書に訊ねると「今日はまだ連絡がありません」とのことである。すごい剣幕でまくしたてながらも私は〝ある種の〟誠意を込めた、それにメキシコ人のプライドをくすぐる言葉も用意していた。

「セニョリータ、私の国日本はメキシコに大変好意を持っております。正直で親切な国民だというのが、私達日本人が抱くメキシコ人へのイメージなのです。あのプロデューサー氏はメヒカーノではないのでしょう？」と前置きしてから、私の気持ちを彼女に説明するのだが、そうこうしているうちに気持ちのやり場とてないほどに激昂して「それにしても、こうも教養のない人ばかりの国も珍しい」と捨て台詞を残し、飛行場へ急ぐのだった。

熱帯のアカプルコと、三月とはいえ早春の肌寒いメキシコ市を往復すれば声はかすれ、疲れ切った体で楽屋入りである。仲間に挨拶するのさえうとまれる。テキーラとレモンを飲んで喉を温めるが、そんなものは気休めに過ぎない。そんな時、運悪くバンドがミスをすれば、普段なら気にもとめないのに、客の目の前で怒鳴り散らす。楽屋で眠りこけているのをゆり起こされ、気がつけばもう第二部のショーが始まっている。思えば前日の朝から、眠ったのはバスの中での二、三時間だけだ。文句を言うマネージャーに「メキシコでは、ショーが遅れるのは当たり前じゃないか！」と言い返す。こんな口答えはアーティストとして非常識なことだ。けれど、それはRCAとの一件のせいだけではなかった。その二、三日前のことだが、ショーの後、私は数人の客の招待を受けて行ったレストランで、トイレに立った隙に彼ら全員がトンヅラをきめこみ、会計が全部私に回って来た。さらに数日前から、立て続けに盗難にあい、なんとその犯人は私の知人だった。彼とやりあった末、薬指の爪が一夜ではげる怪我さえ負わされていたのである。

メキシコ式泥棒の発想によると、言葉よりも暴力をふるったのは理にかなっていると言える。その時の私は、思いつく限りの言葉を探して相手を罵倒したのだが、その中にメキシコとメキシコ人を傷つける言葉がかなりあった。泥棒を罵倒するのに、言葉を選ぶ必要はない、と思うのは日本的な発想であって、信じがたいほど愛国心の強いメヒカーノは、自分の国とメキシコ人としてのプライドを傷つけられた時には、身をもって戦うのである。

その昔、決闘がしばしば行われたと聞くが、これもまた武士、騎士に似て、男としての誇りが傷つけられた時になされた。この国の法律は「メキシコを著しく傷つける言動を成せる外国人は、国外退去を命ず」とうたっているが、暴言癖のあるフランク・シナトラも、ちょうどその頃、国外退去になったと聞いた。前述の歌手、グローリア・ラッソも、客席からのヤジに、思わず「乞食のインディオ」とやり返し、政府が乗り出す大きな問題になったらしい。

ミス・ブスは立派な教養人だった

私がアカプルコの赤線地区のクラブに出演したことは、メキシコ市の新聞にも載り、私のランクはガタ落ちし、早速私と契約してくれるクラブはどこも無くなっていた。マネージャーの出演料持ち逃げと、アカプルコへ来れば盗難で、私の財布は空っぽになっていてホテル代も支払えず、アカプルコを離れることもできなかった。同じ時にメキシコに滞在し、ビルヒニア・ロペスのバッキングなどで活動していたボンゴ奏者の青木高之（あおきたかゆき）氏が貸してくれたお金のメモを、私は今でも大切にしまっているが、売り込みのためには、飛行機と長距離バスでメキシコ市に通わねばならず出費はかさむ一方だった。

ふてくされ、天井を眺めている私のドアをノックするのが、前にも書いたアカプルコの赤線一売れない女ジョリーと、私のファンであるゲイのカルロス君だった。

私と彼らふたりの間には奇妙な友情が生まれていた。そして、彼らふたりはショービジネスとは何一つ関係はないのだけれど、アカプルコの一面を知ってもらうためにも、ぜひ書いておきたいことがある。

「おや、またまたブスどもふたりのお出ましで……」と私はふたりを部屋に迎える。「美人ふたりといい直さないと、夕食はおあずけよ」と言いつつふたりは、品を作りながら、テーブルに、海亀のスープ、鯛のからあげ、ゆでたての車エビ、アサリやエビの入ったご飯パエージャを並べていく。東京の一流ホテルで出てくるようなご馳走である。私が困っているのを知っているふたりは、こうして食事を運んで来てくれるのを日課のように決めているらしく「この恩は忘れないよ」としめっぽく私が言おうものなら、「何言ってるの。私達姉弟じゃないの」「女郎が生んだ三人姉弟ってわけか」「テ・マト（殺すわよ）！」と狂声、あるいは嬌声をあげての夕食が始まる。

このふたりが言語に絶するブスで、その道では売れないまでも、こうして私に夕食を毎日振る舞えるほど余裕があったのは、ここに別荘を持つ金持ちや、インテリのアメリカ人の間で人気があり、パートタイムのお手伝いやらハウスボーイやらで、引っ張りだこだったからである。

ふたりの過去は知らないが、英語が話せて、上流階級のアメリカ人との会話にもすんなり入っていけるくらいに物知りで、いわば時代を先取りするような考えを彼らは持っていた。「金ならば銀行よりもあのふたりに預けた方が安全さ」とか「家内がせめてあのふたりの一〇分の一でもいいから働き者であったらなぁ」などの話が広まり、パーティーの都度ふたりは雇われ〝おさんどん〟が終わればパーティーへの参加も許された。しかも芸達者のふたりが演じる、飛び入りのショーは抱腹絶倒の面白さであった。

カルロス君の一八番は、有名な歌手のあてまね。カルロス君は前歯が抜けている上イケてないルックスだから、親しみもあり、芸はプロ級であった。それに物知りだから、夕食の話題に「今夜のエビはアカプルコ産だけど、日本は年間どのくらいメキシコからエビを買いつけているか知ってる？」と突然出てくる。

「そんなこと知るわけないだろ」「あらヨシロー、私達女郎もゲイも、それくらいのことは知っておくべきよ、見下されない為に」とジョリー。「そんな屁理屈を言うから赤線で売れないんだよ。もっとメイクアップの仕方を勉強したら？」「だまらっしゃい。アタシ達ふたりはアカプルコの上流社交界で認められているんだから、赤線なんて目じゃないわよ。ねえカルロス」「そうよ、そうよ」「じゃあ、せめて次のブス・コンテストには落選すべきだよ」と私は言った。なんとジョリーは、赤線内で催されたミス・ブス・コンテストの一位に選ばれたのである。ただ、これは赤線の住民が彼女の愛嬌の良さも認めた上でのこと、いかに顔がおかしいかだけで選んだのではないお遊びのコンテスト。遊び心があるのでジョリーも気を悪くしてはいない。

そんな会話の最中階下のロビーから「ヨシロー、始まるわよー」とホテルの女主人が呼ぶ。まもなく私がTVに出る時間である。私が一月に出たTVのビデオが毎週流れていたのだった。仕事にあぶれている現実の私と、わずか四か月前の売れていた頃の私の落差を感じる瞬間だった。ホテルの女主人が、滞っているホテル代をやかましく催促しないのは、このTVの虚像にごまかされていたからかもしれない。

私の部屋はデラックスでこそなかったが、紺碧の海に面し、ベランダ付きの四人部屋で、客が多い時は補助ベッドも入れて一〇人は寝られるという広さだから、至極快適であった。私は結局アカプルコに二か月あまりいたのだが、その間になんとこの部屋は一泊七五〇円から一万五〇〇〇円の間を上下したのである。私が着いた時はシーズン前であり、それに長期滞在という理由で七五〇円に値切った。それがセマナ・サンタ（聖週間）に入るとアカプルコは野宿する人が出るほど人に溢れ、私は同じホテルの庭にあるバンガローに追いやられた。朝目覚めるとその入り口には一メートルもあるイグアナが横たわっていて驚かされたものである。そして私がいた部屋には一二人の学生が詰め込まれていた。

三月一八日、苦労の甲斐あってようやく見つけた新しい仕事場は、一度二、三流のクラブに出たら、這い上がるのに二年はかかるというメキシコの芸能界の厳しい掟通り、同じアカプルコの赤線内にある、それも「トロピカーナ」のすじ向かいの、もっとランクの下がるクラブ「エル・ブーロ」であった。

ランクが下がるだけに、ここでは正真正銘のプロスティトゥータ（売春婦）をおいていた。私の同業者達は、飛び上がらんばかりに驚いて反対し、ジョリーとカルロス君のふたりだけは「またヨシロウのショーがタダで観られる」と大喜びした。オルガン奏者のエルネストは「こうまでしてメキシコにいる必要はない。早く日本に帰ったほうがいい」と説得したが、この店に出ない限りはホテル代が払えなかったのである。

「エル・ブーロ」は、私の歌手生活で最低の仕事場であり、最も触れたくない部分であるが、振り返ってみるとなぜかその期間が際立って懐かしい。それに共演者の男性歌手のそのうまいことといったら、誰にたとえていいかわからないほどだった。私はここではっきりと、実力の違いを認めざるを得なかった。こんなところにまで一級の歌手が出ているのである。そしてバンドもとびきりレベルの高いトロピカル系の音楽を演奏した。そして彼の歌に取り憑かれた品のいい女性ファン達も彼目当てに遊びに来るのであった。私はまた、実力では叶わないので、多国籍の観光客向けに英語、イタリア語、ポルトガル語、フランス語などの歌を混ぜてはいかにして客を惹きつけられるか、毎日が気の抜けないステージであった。日本のどんな一流のクラブやホテルのショーよりも、五流でもメキシコのクラブの方が、水準の高い歌が好まれていたのが、一九六六年の日本とメキシコの音楽界の違いで、それも私が帰国するのを妨げる理由になっていた。

五流クラブでもそのマナーは日本の一流以上

一九六六年四月一七日、さえない気持ちで迎える二五歳の誕生日である。二か月前の二月一八日、アカプルコの「トロピカーナ」で私がデビューした夜は、ハリウッドの俳優を始め魅力溢れる人々に祝福され、昨夜「エル・ブーロ」出演最終日は、ショーの後、この赤線地帯でもむしろ〝魅力あふれない〟部類の人達を引き連れて、安酒を振る舞ったのだった。

この一か月間、メキシコ市でのデビュー当時協力してくれた記者やプロデューサーが偶然「エル・ブーロ」に来ては驚き、「なんでこんな五流クラブに出なきゃならないんだ。すぐやめなさい！」と忠告して帰っていった。

アカプルコには日本の貨物船や漁船が入港する。貨物船が入ると、船員は女のいるこの店に必ず押しかけてくる。私はカーテン越しに覗いては「ショーが始まる前に帰ってくれればいいのに」とつぶやくのだが、彼らは「おい、日本人の歌手が出てるとよ。ついでに見ていくか」と、でんと腰を据えてしまうのである。素朴な海の男のこと、私の思惑をよそに、単純に喜んでくれるばかりか「メキシコ人歌手に負けるな、ガンバレ！」とストレートな声援を送ってくれた。

五流とレッテルを貼られた店に出演したこの一か月は、確かに屈辱の日々であったけれど、後に日本に帰りクラブに出演する都度、私は「エル・ブーロ」を思い出し、比較しては懐かしく思ったものである。

日本のクラブはいくら一流といえどもホステスがいる限り、真の意味の良いショーを見ることはできない。かのジュリー・ロンドン(注)や世界の一流どころが日本のクラブで激怒したと聞いたが、当時会社のお金で来る社用族がホステス目当てで来るから、歌は二の次の客も多い。そして歌の佳境に入ったところで、客とホステスの笑い声が聞こえたりする。この点に関しては日本の一流クラブといえども、私の出たアカプルコの五流クラブの方が、ショーを見るマナーははるかに上である。

私はこの「エル・ブーロ」において、毎日暖かい声援に包まれて歌っていたわけでは決してなく、外国ならではのブーイングもあれば、歌が始まると故意に席を立たれるという屈辱も受けたが、これは歌手に対する客の評価であるから仕方のないことであるし、金を払って見る客の権利でもある。

メキシコの音楽祭でこんなことがあった。優勝と発表された歌手がそれに値しないという理由で、客が総立ちになり抗議したのである。その結果、客の誰もが認め、三位に発表されていた歌手が逆転優勝し、私もこれを妥当だと思った。ところが、この年日本で催されたある歌謡祭で、世界的に下手と誰もが認める（?）某日本人

ジュリー・ロンドン Julie London (1926-2000)
カリフォルニア出身のアメリカ人歌手、女優。美貌とスモーキー・ヴォイスがトレードマーク。代表曲は『Cry Me A River』。

歌手が、世界的にうまいアメリカ人歌手に混じって三位に入賞し、誰も文句を言わなかった。哀号（アイゴー）！

稼いでも減らぬ借金　再び「エル・ブーロ」へ

「エル・ブーロ」を辞めたのは、先の予定が立っていたからではなかった。私はすでに落ちるところまで落ちた感があり、新しく出直すには、暫くこの国を離れた方が良いと考えたからである。

さて、外国での初めての誕生日だというのに、この日の日記には「モンテレイ市のK君に借金申し込みのＴＥＬ」としか記されていない。ひと月も仕事を続けて、いまだに借金が減らなかったのは、安い出演料のせいもあったが、このはき溜めのようなところから一日も早く逃れようとあがいては、度々店を休みメキシコ市へ飛び、無駄な売り込みに金を費やしその費用に出演料が追いつかなかったからである。また、失望のたびに煽る酒代もばかにならなかった。

電話の向こうで、ゴタゴタいちゃもんをつけられ、欲しければ頭を下げて取りに来いと言われ、それに片道一五〇〇キロの道程を考えうんざりしたが、背に腹はかえられない。翌一八日に出発し、二〇日の夜アカプルコへ戻って来る間の往復三〇〇〇キロ、ほとんどバスの中に揺られて、借りた額は六万円だった。

これで自由の身になったと思ったのは私の計算違いで、全ての金をはたいてもなおホテルの代金は残り、五日前に『ラ・ゴロンドリーナ』で送られた「エル・ブーロ」に再び舞い戻って出演するようになった。

思うに私の外国でのスタートは、あまりに恵まれすぎ、いいニュースを日本に送った以上、次はそれ以上のニュースを送らねばという使命感にかられ、あがき過ぎたようである。時が来るまでこの五流の店で、のん気に構えていればよかったものを……。

ちなみに、その時「エル・ブーロ」で共演したベデーのベリンダは、二年後私がこの国に戻った時には、名の知れた女優に変身しており、私を驚かせた。また、アカプルコには、五〇メートルの断崖から海中に飛び込む「死のダイビング・ショー」という名物があるが、そのダイバーのひとりアンドレス・ガルシア(注)は後にメキシコで一、二を争う男優になり、ハリウッドにも進出した。メキシコ映画史に残る彼と親しい友人になったことはいい思い出である。

ヌーディスト達と某社長さんのお話

その頃、私は自分の外国人ばなれ（?）した短足胴長をとても恥じていたから、きらびやかな人種の集まる海岸はなるべく避けて、人里離れ、ひっそりとした海辺

アンドレス・ガルシア
Andres Garcia (1941-)
典型的なラテン系マチョのイメージを持つドミニカ生まれのメキシコ人俳優。ハリウッドに進出し成功をおさめる。

で波と戯れていることの方が多かった。アカプルコは広い。バスで一時間も足を伸ばせば、人っ子ひとりいない海岸がいくらでもあった。好きな場所でバスを止めてもらい、自分で気に入った岸辺を見つけることができた。ところが、アカプルコには、私と〝理由を異〟にしながらも人目を避けてこのような場所に逃れて（?）来る人種がやはりいたのである。彼らに会えたのも短足胴長のおかげ、ひいては日本人某氏から深く深く感謝される結果になった。

ある日、ジャングルに隠れて周囲からは見えない海岸を見つけたのだが、そこには素敵な若い男女の先住者達がいた。俗にいうところの、ヌーディストである。見てはいけないものを見たようで、慌てて立ち去ろうとする私を、若い男が引き止めた。

全裸でいることに羞恥のかけらも見せずに、自分達は世界旅行中のヒッピーであること、世界平和のため各国の若者達と話し合うのが目的でこれから日本へ行くことなどを説明し、気軽にメンバーひとりひとりを紹介してくれた。彼らは揃って素朴で、若者の一途さで世界の平和を説き、私にも意見を求め、東洋哲学について質問したりした。その理由は聞き損ねたが、世界平和とヌーディスト生活といったいどういう関係があるのか不思議だった。

私が歌手であるのを知って、彼らがギターをつま弾いて歌ってくれたのは、私にはおよそ単調で退屈な歌ばかりであったが、今にして思えば、あれこそ南米のフォ

ビオレッタ・パラ Violeta Parra (1917-1967)
チリの社会派フォルクローレ歌手。代表曲『人生よありがとう』はジョーン・バエズもカバーした。1967年に拳銃自殺。

ルクローレ、ビオレッタ・パラ（注）やビクトル・ハラ（注）の作ったプロテストソングであったような気がする。いわゆる日本で言うところの反戦歌である。むろん当時の私はビオレッタ・パラを知る由もなかったが、メルセデス・ソーサ（注）やキラパジュン（注）の歌を聞くに付け、あの時のヌーディストビーチの歌がよみがえるのである。

いつしか私もすっかり彼らと打ち解け、翌日も来ることを約束して別れた。その夜、「広石さん、何かいいことありませんかいな」というのが口ぐせの常連日本人客に「ところが社長さん、大アリですよ」と、その日の一部始終を話したからさあ大変である。

「ヒロイッさん、お願いですっ！　私を明日そこへ連れてってください。それ、この通りですわ」と、この大正生まれの紳士、私に手を合わせるのである。

困ったことになった。真のヒッピーには厳しい掟というものがあるし、今日あった若者達はどうやら真面目なヒッピーと判断して良さそうである。彼らは、私をヒッピーの良き理解者として、明日の再訪問を許してくれたのだが、それには〝私ひとりで行く〟という条件がついていた。この色社長さんが彼らに歓迎されるはずはないのである。しかし「ヌーディストビーチのキャンプ」という魅力的な一言で、社長さんは赤いマントを見せつけられた闘牛のごとく、すっかり興奮してしまっている。それに、この社長さん、日本人としては外見はさえない部類に入る男である

ビクトル・ハラ
Victor Jara (1932-1973)
チリの社会派フォルクローレ歌手。代表曲は『平和に生きる権利』。ピノチェト政権により逮捕され革命歌『ベンセレーモス』を唄いながら銃殺される。

メルセデス・ソーサ
Mercedes Sosa (1935-2009)
アルゼンチンの社会派フォルクローレ歌手。代表曲は『アルフォンシーナと海』『人生よありがとう』。

キラパジュン
Quilapayun
チリの社会派フォルクローレ・グループ。ビクトル・ハラと行動を共にした。代表曲は『不屈の民』。

が、どこか善良そうで、私は三日前に初めて会った時から好感を持っていたので、酔った時の彼の口ぐせ〝我が国のために、第二次世界大戦を勇敢に戦った〟お礼に、冥土の、いや日本への土産話にもささやかなプレゼントをしてあげたいと、つい慈悲深い気持ちになってしまったのである。

「社長さん、仏教について詳しいですか?」「なんや、そりゃ」「日本史はどうです?」といったやり取りの後、私はこの男を〝東洋哲学に詳しい人〟という触れ込みで彼らに紹介しようと心に決めた。

翌日、ホテルのロビーに迎えに行った私は、ずっこけそうになってしまった。張り切ってエレベーターから降りてきた社長さん、重役会議にでも出席しそうなドブネズミ色のスーツにネクタイの正装である。メキシコは衣装のエチケットが比較的厳しい国だが、熱帯のアカプルコは例外で、一流ホテルのレストランでもノーネクタイが許される、というより、スーツを着ている男性などはいない。水着でショーを観に来る客もあるリゾート地だということを社長さんはお忘れである。第一、これから我々が行こうとするのはクラブでもレストランでもなく、ジャングルに囲まれた岩の多い海辺ではないか。

「ヒロイッさん、ダイジョウブですやろな。ヒッピーは愚連隊とは違うんでしょうな。まさか私にも裸になれとは言わんでしょうな?」と社長さん、バスの中でも落ち着かない。どうやら日本の週刊誌で紹介される大きなヌーディスト村を想像しているのであろうが、なーに、昨日の若者達はその真似ごとをして他愛なく遊んでいるだけなのである。

目的地に着くと、私はまず先にひとりで連中のキャンプを訪れ、連れがいることを伝えると、〝日本人で仏教に詳しい男〟とのふれこみがえらく気に入ったらしく、なんなく通された。前日は気がつかなかったが、いつの間にかこのグループだけではない綺麗な全裸の男女のヌーディスト達がそこかしこから集まってきた。

社長さんは、観ていて気の毒なほどにあがってしまい、声は上ずり、かすかに震えていたような気がするが、皮肉なことに、この東洋かぶれの若者達は私のような外人ずれした日本の若者よりも、若い白人男女（ラテン系にしては珍しく、全員白人であった）の裸体の前で言葉もなく立ち尽くした初老の日本人に、真の日本人を見たようで、気に入ったらしいのである。カストロ（注）やチェ・ゲバラ（注）をたたえ、反米思想の持ち主である彼らは、アメリカと戦ったこの第二次世界大戦の勇士の話に、熱心に耳を傾けた。苦労したのは通訳する私である。

「なーに、日本はアメリカに敗けるのが当たり前でしたよ。勝っていたら、今頃は軍国主義のとんでもない国になっていたでしょう。また、ソ連に占領でもされていたりしたら、もっとあわれですわ」などの彼の話を直訳したら、彼らの期待を裏切るからである。私もかつて反米思想のメヒカーノに同じようなことを言って、えらく相手を立腹させた経験があるから、この場はただひたすらに、日頃はモテない

フィデル・カストロ
Fidel Alejandro Castro Ruz (1926-2016)
キューバ出身の革命家。1959年のキューバ革命でバティスタ政権を倒し、キューバを社会主義国家に変えた。

チェ・ゲバラ
Ernesto Guevara (1928-1967)
アルゼンチン出身の革命家。キューバ革命を成功させ閣僚となったが、世界同時革命遂行のため辞任し、再びゲリラ戦士となってボリビアで射殺された。

はずであろうと思われるこの社長さんをいい気分にさせてあげるのに努めた。若者の伴奏で歌うバタ臭い私の歌よりも、社長さんの民謡の方が彼らに受けたものの、この時だけは嬉しく思えたのだった。

「ヒロイッさん、こんな楽しいことは、もう二度とありませんやろな」と社長さんは上機嫌で名刺を配り回った上にゲンナマのプレゼント。前日「金なんてものは必要ない。大切なのは平和」と説いていた若者達もあっさり受け取ってしまった。

その夜またクラブに現れた社長さん「ヒロイッさんには大変感謝してますで。今回の旅の一番いい思い出になりましたわ。失礼ですが、これは私のほんの気持ちですわ」と私の手に金を握らせた。私の一番必要としていたものである。悪運に強いというのはこんなことを言うのであろうか。アカプルコを想うにつけ、必ず思い出すのがこの社長さんのことである。

このようにして、仕事の面では悩みながら、一方ではおざなりの観光客の知らないもう一つのアカプルコを楽しんでいたのである。できるならこの地で快楽を楽しむために永遠に住みたいという気持ちもあったが、そうもいかない。業界の人達から少なくとも三年はメキシコを離れて、この五流クラブに出た悪いイメージを忘れてもらった方がいいというアドバイスがあったからである。

四月三〇日、すっかり住み慣れてしまったアカプルコに別れを告げる時がやってきた。私の窮地を知った『コーヒー・ルンバ』のエディス・サルセードと、カラカスの記者ベネ氏の計らいで、カラカスのTVに出演することが急に決まったからである。しかも今度のTV番組はセリア・クルスと私がゲストであるという。「エル・ブーロ」の共演者は、祝福してくれながらも、早々とカラカスから送られてきた新聞の宣伝を見て、信じられない顔をした。新聞一ページの大きさに、セリア・クルスの次に私の写真が大きく出ていたからである。

そのちょうど一年前、初めて着いたカラカスの空港で、記者会見のため着替えたキモノ姿で無理にスター然と振る舞おうとして大失態を演じたが、今度はいかにさりげなくスマートにタラップを降りるかで気をもむ私であった。

メキシコの女性歌手と

1966年 アカプルコのクラブにて

第６章

一年ぶりのカラカス

1966年 カラカス セリア・クルスと共演

一年ぶりのカラカスは別天地

労多く功少なしの感があったメキシコの八か月に比べ、ベネズエラは私にとってまったくの正反対であった。というのも、私は常に良いスタッフに恵まれており、今回のプロモートは、芸能記者界の大ボス、ベネ氏とエディス・サルセードが直接やってくれたのである。契約は、毎週木曜日、八チャンネルの人気番組『グラン・カシーノ』に出演することで期間は二週間、この間に生番組とビデオ収録が計八回となっていた。

わたしが生まれて初めてラテンアメリカの土を踏んだカラカスのマイケティーア空港（現シモン・ボリバル国際空港）に、あれからちょうど一年、一九六六年五月三日。再び私は戻って来た。

五月五日が今回の初日だった。ＴＶ局のプロデューサーの要求通り、昨年と違い私は日本的なものはできるだけ表に出さず、黒のスーツで『ラ・メンティーラ』『アイ・カリーニョ』『叱られて』をたて続けに歌った。『叱られて』は日本の童謡であるがモダンにアレンジされてあった。

この日の観客で一年前の私を覚えている人は、当然キモノ・ファッションショーまがいの私の登場を予想したことであろうが、私は、いやこの番組はそれを裏切り、完全なイメージチェンジは成功したのである。

「拍手ストップ！」　流石は女王セリア・クルス

この日は地元ベネズエラの歌手とともに外国から四組のゲストが招かれていたが、その中にサルサの女王セリア・クルスがいた。他の歌手が一曲か二曲歌うところを私とセリア・クルスだけは三曲で、つい二週間前までアカプルコで悪戦苦闘していた私にとっては、この事実は信じがたいものであった。セリア・クルスの偉大さは、言うまでもないことである。サルサというネーミングは一部の業界の人にしか知られていなかったので、彼女は当時アフロ・キューバンの女王と呼ばれていた。彼女が本格的にサルサの女王と呼ばれるようになったのは、その数年後くらいからである。

リハーサルでの彼女の歌を聴きながら、ますますキューバ系トロピカルものが好きになった私であるが、同時に〝商売用〟としては今後一切この種のものは歌うまいと心に決めた程、ひどくショックを受けた。

キューバを源に持つトロピカルミュージックを、キューバ人で、しかも世界的な名声を持つ歌手の彼女が、うまく歌うのは当然と言えば当然であるが、そんなことよりも「日本人のわりには〝本場〟に近い歌い方をする」程度の誉め言葉で、いい気になっていた自分を恥じたのである。一年前、このラテンアメリカ初体験のカラカスで、「君は日本人なのに、歌にサボール・トロピカル（トロピカルの味）があるね」と言われて狂喜したが、それは、子供が大人の歌のまねをしてほめられたのと、同じ類のものではなかっただろうか。そして、今回ベネ氏が私に要求した、スーツでの『ラ・メンティーラ』もあながち演出上のことだけではなくて、私への試金石だったのかもしれない。

私がこれまで共演した数多くのラテンアメリカ系スター歌手の中で、セリア・クルスは歌唱以外の面でも傑出しており、品位と温かさに満ち、人間としての魅力にあふれていた。セリアは、白いスカートの後ろを二メートルも床にひきずらせるティピカルなキューバのドレスで登場、その年の新曲である『ラ・プレナ・ボンバ・メ・ジャーマ（ボンバが私を呼んでいる）』をプエルトリコのボンバのリズムで歌い踊る。スタジオ中に流されるドライアイスの煙のせいで、雲の上を踊るがごとく美しい。私がこれをやれば、火事場の煙の中を逃れるがごとくであろう。

一方『メ・アクエルド・デ・ティ（あなたを想い出して）』では、望郷の念にかられる亡命キューバ人の哀愁をしっとりと歌い上げる。途中で音響の故障なのか突然マイクだけが聞こえなくなったが、彼女は歌を止めずにそのまま生歌で会場中に響く声で歌い続けた。この日は公開の生番組だったから、もちろんプログラムは予定通り進められるのであるが、感激した観衆は総立ちになり、アンコールをくり返す。カラカスには亡命キューバ人が多いのだ。

三曲目のイントロに入っても、まだ拍手は続き、進行係が手で客を静めるのに苦労していた。日本のスタジオでは拍手をあおるため進行係が客にサインを出すが、客の拍手を静めるなんていうのは初めて見た。

この初日に、セリアがモダンなトロピカルで迫り、私も新しいセンスを要求されたなら、二週目はセリアが古いティピカルなキューバものを歌い、私はまた東洋調で、客の予想を裏切るような設定がなされていた。

私の場面のリハーサルでは目を覆わんばかりの光景が広がっていた、というのも、例によってバックのダンサーが日本と中近東をミックスしたような珍奇ななりをしていたからである。そんな時、一番とばっちりを食うのは私であって、現地の邦人と大使館からもクレームが必ずかかるのである。明日になれば、また日本人から文句を言われるだろうなと思うと、小さい身体をますます小さくして歌うはめになる。だが、初めのうちは国辱と私も怒ってはみたけれど、度重なる内にやがてあきらめに変ってしまっていた。

「そんなことを言うけれど、ヨシロー、アタシが日本に行った時はもっとひどかったわよ。キャバレーのメキシカンショーとやらで、フラメンコの衣装でキューバの踊りをやっているのを見たけれど、あれはどう言うわけ?」とメキシコのダンサーにまくし立てられ、ギャフンとなった経験が私にはある。この頃は外国人の日本に対する認識も大いに不足していたが、ベネズエラがどこにあり何語を話す民族か知らない日本人もまた多かったはずである。

ともあれ、セリア・クルス、オルガ・ギジョー（31頁注参照）らの共演者とくらべ、はるかに落ちる私を、毎週あの手この手で料理しては、話題の中心においてくれたスタッフは、有能かつ我慢強かったと言えよう。新聞や雑誌の批評は前回に比べ、ずっと良かったにもかかわらず、茶の間での人気が前回に及ばなかったのは、ファンはやはり前回同様、多少スキャンダラスなことを期待していたのではなかろうか。

一年の間にすっかりラテン的になり、〝本場〟らしくなった、と言うことはそれだけ私のオリジナリティーがなくなり〝本場〟の人には魅力がうすれたのだ、とは一友人がもらした感想であった。なんという皮肉な結果であろう。

カラカスのワイドショー　日本では大問題になるのに……

外国では、日本的な謙虚さが、ともすれば誤解され、通用しない場合さえある。「私の歌は、まだ未熟でへたです」などと謙遜すれば、額面通りに受けとられかねない。こちらは「まあ、そんなことはございませんわよ。謙遜しなくても良いよ」と返ってくる言葉を内心待っているのだが「ああそうですか。それはお気の毒に」と言われてギョッとしたことがある。

不遇の時期もあったメキシコでの仕事を正直に話そうとする私の口を、周囲の者はあわててふさぎ「どんな時にでもムーチョ・エキシト（大成功）と言うのがプロなんだよ」とたしなめる。

外国のタレントには、えてしてビッグマウスが多い。海外公演から帰ると異口同音にこの〝大成功〟を連発する。それを批判的な目で見ていた私も、いつしか本場仕込みの〝大成功〟の病にかかるようになるわけである。それにしても、カラカスの昼のワイドショー的な番組に出てインタビューされた時、「メキシコでの仕事はいかがでした?」の問いに、赤線の五流クラブを目に浮かべながら「ハイ、大成功でした」と答えねばならなかったあの苦しさと言ったら……。

この番組には、司会者みずから新製品の紹介をするコマーシャル・コーナーがあったが、ある新洗剤の宣伝で「はい、従来のものとの違いは、一握りつまんだ時の手ざわりなのです」と言って私をひっぱり出したことがある。「さあ、どちらがやわらかい感触ですか」と、両手に二種の粉をにぎらせた。前ぶれもなく呼び出され、慌てたせいもあろうが粉二種にはそれほどの違いが感じられずうろたえたけれど「えーい。ままよ」と差し出した方の手には、新製品ではない洗剤がにぎられていた。

スタジオは一瞬シーン、すぐにクスクス、その後は大爆笑。司会者は思わず両手で顔をおおい、流石にアドリブも出ず「アイ・チコ!（おい、君!）」と絶句してしまった。やっと見つけた言葉が「君はいたずらだねえ」だったが、不自然極まりないアドリブだった。何の打合わせもなくこのような不祥事を招いた司会者の軽はずみは、日本ならスポンサーからきつくおしかりを受けるだろうが、そこはラテンアメリカ、すべてその場限りの笑い話ですまされた。

靴みがきだって踊りは巧い

石油の産出でラテンアメリカ一の金持ち国ベネズエラ。盆地都市カラカス市内の主に東部に林立するモダンな高層ビルの群がその富を象徴しているかに見えるが、山の中腹に密集する〝ランチョ〟と呼ばれる貧民街の灯が市の夜景を一番美しく色どっている。

市内の靴みがきの少年達のほとんどが、そのランチョの子供達である。靴みがきの子供と言うと、日本では暗いイメージに結びつくが、ここでは陽気そのものである。

彼らとの交歓のひと時も、私の日課のようになり、彼らは私のリズムとダンスの良き先生でもあった。TV局を出ると少年達は私をとりかこんで「チーノ（中国人）、今日はボクに磨かせてくれるだろ?」「いや今日はオレの番だ」とワイワイガヤガヤ。

すぐさま一〇人ほどの少年が私のまわりに輪をつくる。「今日は磨かなくてもいいよ」とでも言おうものなら「今度からヨシロウのTVは見てやらないからな」とくる。そして、商売道具を勝手気ままに叩き、踊り出すのだ。調子をつけて「チーノ、チーノ、磨かせろ。そんなにケチって何になる。プリキタカ、プリキタカ、ラッタッター（日本流に言えばアラエッサッサーみたいな、はやしことば）」と即興の歌詞まで入る。まあそのリズム感と、踊りのカッコよさと言ったらサーイコウなのである。少しでも連中から盗んでやろうと、私が踊りを試みると「チーノ、肩と腰はあんまり動かさないで、膝を中心に」と先生のような口をきく。

「またチーノと言う。黙れネグロ！」と言っても喧嘩にはならない。カリブ海圏でネグロは侮蔑用語とは限らず、関係性によっては親愛を込めて兄弟や恋人というニュアンスで使われる場合もあるのだ。だからと言って、日本人がそれを使う事を私は勧めない。

踊り疲れて、そっと輪から離れ、タクシーで逃げる私に気づいてかどうか、ふり向くとまだ〝狂宴〟は続いてる。ここでは靴みがきの子供達の空き缶の音が、今で言うサルサそのものであった。

『コーヒー・ルンバ』のヒットメーカー、ウーゴ・ブランコと録音

TVの仕事も落ち着いたので、私はベネ氏にレコーディングの希望を伝えた。それがその翌日、五月一四日にはもうギターを携えてウーゴ・ブランコ（注）が私のホ

ウーゴ・ブランコ
Hugo Cesar Blanco Manzo (1940-2015)
ベネズエラのアルパ（ハープ）奏者で、オルキディアというリズムを作り、『コーヒールンバ』をヒットさせ、一躍世界的な名声を得た。

テルに来てくれたのである。ディレクター、作詞作曲、伴奏、全て彼が引き受けることになったという。

うますぎる話には、最後にどんでん返しがあるものだ。メキシコでの苦い経験から、この話を単純に喜ぶことができなかった。この世界的な作曲家、そしてオルキディアのリズムの発案者を相手に、私は疑心暗鬼で仕事をし、今度に限り幸いにもレコーディングは順調にいったのに、最後まで感激がなかったような気がしてならなかった。

仕事は日本人も顔負けのフルスピードで進み、翌一六日には早速「モリエンド・カフェ（コーヒー・ルンバ）の館」と入り口に書かれた彼の自宅で、彼の率いるバンドと練習に入った。録音は一〇日後である。

今日では一般に、歌のレコーディングの場合、あらかじめオーケストラの伴奏だけをテープに入れた、いわゆるカラオケに歌をかぶせて録音する。歌手のミスの都度伴奏を繰り返していたのではオーケストラのメンバーだってたまったものではないし、また、歌手もカラオケの方が気兼ねなくやり直しができる。さらに録音技術が発達した今では、これの方が色々なトリックも使えるし、かなり下手な歌手でも何度も録音してその良い部分だけをつなぎ合わせられるという利点がある。私もそういう技術の進歩に頼ってばかりいる歌手のひとりであるが、みっちり練習をした上テープに修正に修正を重ねたからとて、必ずしも良いものができるとは限らないということを、このレコーディングを通じて知った。

この録音はナマの感じを出すため、カラオケではなく、歌とバンドの同時録音という、私の最も苦手なものであった。ベネズエラ色の濃い曲であるし、メンバーの中には楽譜が読めない人もいるが歌に合わせて即興的に入れるアドリブの良さは、カラオケではとても表現しようがない。

ウーゴは、歌についてはさして文句もつけず、全体的な雰囲気作りの方に気を遣っていたようで、むしろクレームをつけたのはエンジニアである。良い気持ちで歌っている最中「ブー」というブザーとともに、「ヨシロー、ダメじゃないか。踊りすぎてマイクから声が外れてしまうし、時々急に声の音色が変わるから、注意してくれ」と声が入る。

ああ恥ずかしい。みんなは気がついていないけれど、私はまたしても〝これ見よがし気分〟に陥ってしまっていた。スタジオのドアのガラス窓から若い子達がのぞくたびに、彼らの目を意識してしまい、レコーディングであることもとかく忘れがち、カッコをつけ踊ってしまう。歌もよそ行きの気分になるので、音色が変わるのも当然である。

ともあれ、あれよあれよと言う間に終わった吹き込みであるが、この時のレコードは私の〝数多くない〟レコードの中で、〝我慢して聞ける〟ただ一つの貴重なものである。練習不足なので、楽譜に忠実に歌うだけで精一杯、結果として下手ながらも素直なのが気に入っている。反面、後のレコードは、勉強のしすぎで小細工ばかりが耳につき、嫌味である。私はこれらのレコードを一曲なりとも赤面せずに聞くことはできない。

それだけではない。日本ではTVなどに出る機会は少なくなったが、カラカスで初めて自分のショーをビデオで見たとき、そのあまりのひどさにびっくりしたショックは忘れることができない。それ以来私は、自分が西洋のおとぎ話に出てくる〝裸の王様〟と同じ類の人間ではないのかと、時々心配になってくるのである。

1966年 カラカス ファンと

1966年 カラカス TVショー『グラン・カシーノ』初日

カラカス TVショー

第７章
コロンビア　～反政府ゲリラが暗躍する中で～

1966年 コロンビアツアー中

タクシーでコロンビアへ行く

二週間の契約で来たカラカスであるが、その後すぐ私を迎えてくれる国もなし、そのまま二か月ばかり居残り、前記のレコーディングやらフリーの仕事やらを続けていた。それにTVで私のビデオが流れている一〇週間は売れているという安心感があり、出演料もさすが石油の国の名に恥じないだけの額を出してくれるので、こたえられない生活である。そうしながらも、前年政局不安で急遽中止になったコロンビア行きのチャンスを待っていたのだった。それも六月二五日に首都ボゴタでデビューするところまで話はまとまっていた。

ところが、それ以後先方からはなしのつぶてで、航空券も届かない。一方ベネズエラの滞在許可も切れていたから、早急に出国しなければならない。全く一年前と同じ結果である。契約書があるのだから、行けばなんとかなるかもしれないというわずかな望みを託して、強引にコロンビアに乗り込んでみようと私は決心した。

そう決めたら、一日たりともカラカスにいるのは無駄なような気がして、私は即日、七月六日に発つことにした。この国には乗合長距離タクシーがあり、国外まで足を伸ばしているというのを知っていたので、話のタネにとそれを選んでみた。

予約した夜八時に、そのタクシーは私の宿まで迎えに来てくれ、車の中にはすでに同行者が三人乗っていた。国境のコロンビア側の街ククタまで一八時間を、この見知らぬ三人と旅するのであるが、平和な日本と違って時には人気のないジャングルの中も通るし、南米の山道には、今でも山賊が出没するというニュースを新聞などで読まれた方もいると思う。山賊の代わりに、山道で同行の男どもに何をされるかわからない、という不安もあった。

車内で「ヨシロー、あんたＴＶで見るより小さいね」などと言われても、「先週、金を盗まれてスッカラカンになってね、だから飛行機より安いタクシーにしたわけだよ。山賊が出ても、僕から盗むものはないよ」と、ありもしない嘘を言って、予防線を張った。

「山賊が出るのはコロンビアだよ。あそこは泥棒が多いから気をつけた方がいい」

世界中どこへ行っても、お隣の国のことはよく言わないものである。コロンビアへ行けば反対に、「ベネズエラ人は石油成金の田舎者」とこき下ろす。

ひとしきりのおしゃべりの後、私は暫くうたた寝をしていたが、車の急ブレーキで目を覚ました。前方に車がさかさまにひっくり返って止まっている。運転手の話では、その車はセンターラインにあたるガードに接触して一回転、屋根を下にしてひっくり返ったまま五〇メートルも道路をすべり、もう一度ガードにぶつかってやっと止まったそうである。我々の車が時速一〇〇キロで走っていたから、事故をおこしたその車も当然同じ速度で走っていたことになる。

乗っていた人は即死か、よくて重症かと思いきや、みんなでドアをこじ開けて見ると、運転席に中年の男がひとり、さかさまにうずくまっていたが、顔から血を流しながらも自分から這い出してきたのである。

こんな大事故で命が助かった男にも驚いたが、「次の街で救急車を呼ぶよ」と言った我々の運転手が、車をスタートさせるなり、関わり合いになると、目撃者として警察で時間をとられるからと、何一つ、どこにも連絡しなかったのにはもっと驚いた。その後、男がどうなったのか、今でも気になってならない。

熱帯の朝は緑が眩しい。夜明け時、車は密林地帯を走っていたが、鳴く鳥達のやかましさといったら。文明慣れしていないのか、フロントガラスにぶつかり昇天する哀れな鳥もいる。これまでベネズエラの都市部しか移動していなかった私は初めて南米の緑の美しさに目を見張ったのである。

朝食のために寄った村の粗末なレストランの店先には、豊富な果物が所狭しと並んでいるが、メロンなど日本に比べればタダのような価格である。反面この国の観光土産品は乏しく、この店もマラカスばかりが目につく。ベネズエラのマラカスの音は特にいいのだそうである。

奥地から出て来たらしい先住民達が数人、毛皮や生きた動物を売っている。けれどスペイン語は全く話せないし、アンデス音楽に出てくるような詩情溢れる先住民ではなく、もっと未開の種族である。

ベネズエラの文化の中心は主にカラカスと石油都市マラカイボであって、国土の大半はまだ未開のまま、白人の侵入を好まないインディオが多く住んでいる。そういう場所は危険区域として、立ち入りにも政府の許可がいるという。

国境ひとつで人の性格も変化する

朝食後間もなく、車はどんどん山道を登り始め、涼しさが寒さに変わってきた。アンデス山脈の最北端にあたるメリダ山脈を超えるのである。木の緑はすでに見えず、岩と絶壁と谷の多い風景が、絵ハガキで見たアンデスを思わせる。ここまで来ると、もうラジオからは隣国コロンビアの放送の方が多く聞こえて来る。クンビア(注)の発祥地だけあって、クンビアが断然多い。

この山地を越えて暫く行けば、ベネズエラ側の国境の町サン・アントニオに着くが、その町に住むという同行の男の話では、彼の家族は週末のレストランでの食事、友人とバーで飲む時、食料の買い出しなどは、国境を超えたコロンビア側の街まで行くそうだ。「あなた、夕食の買い出しにちょっと外国まで行ってきますわ」と言っても間違いではないが実際は多摩川を挟んだ東京と川崎のようなものである。物価はコロンビアの方がベネズエラの半分以下だという。代わりにククタの住民はベネズエラ側に電化製品や時計などを買いに来る。コロンビアは輸入制限が厳しいから、このような製品に乏しく、かつ高価なのである。

クンビア
コロンビアを代表する大衆音楽。中米からメキシコで長年人気があり、数々のヒット曲を生み出している。

「国境ひとつでそんなに生活が違うんですかねえ」

「それだけじゃねえよ。コロンビアの奴らはムイ・セリオ（真面目すぎる）でつまらねえ。ベネズエラの女は話し方も歩き方もコン・サボール（カッコよくて）コン・リトゥモ（リズムがあって）コン・サルサ（いきがいい）さ。例えばククタのバーに行くだろ。コロンビアの女が『何を飲む？』ってしょぼくれて聞くから『アブラ・コン・サボール（勢いよく話せ）』って言ってやるんだよ。ビールを運ぶ時だって『トラエ・コン・リトゥモ（リズムに乗って持ってきてくれ）』さ。やっと酔いが回って気分良くなるだろ。そしたら女が『あのー』って口ごもるから『ディメ・コン・サルサ（サルサっぽく話せ）』って言ってやった。『今お宅から電話がありまして』って、ますます小さくなりやがる。『コン・サルサ・イ・リトゥモ！（サルサっぽくリズムに乗って）』って言ったら、彼女何て言ったと思う？　いきなり腰をフリフリ、調子をつけて、こう言いやがんの。『あんたのおっかさん、交通事故で死んじゃった！　死んじゃった！　急いでお帰り、お帰り』だってさ」

もちろんこれはジョークであるが、ベネズエラ人とコロンビア人の気質の違いをよく表している。だからといって、コロンビア人が特別おとなしいというわけでは決してない。そこはラテン民族、我々日本人の数倍は陽気であるが、言い換えれば、アフリカ系の多いベネズエラ人がバカみたいに〝陽気すぎる〟ということなのだ。しかしあれから時が過ぎて、懐かしかった思い出も今は心が痛む。今世界中で話題になっているベネズエラの危機。四〇〇万人のベネズエラ人が、経済危機のためブラジル、コロンビアの国境を越えていると報道されているが、私が越えた国境そのものが今はベネズエラ側からコロンビア側へ逃げる人達でごった返し、コロンビア側には難民キャンプがあると聞く。そしてこの人達がいなければ今の私はなかったと思い、わずかではあるが、エディス・サルセードに送金しているのである。彼女だけが貧しいのではなく、国がほぼ破綻している状態なのだ。日本もそのような危機が訪れ、また戦争が起きないことを私は祈る。

車は再び山を下り始め、ラジオからはクンビアがますますはっきり聞こえ、コロンビアが近いことを告げていた。

コロンビアのプロモーターはタチが悪かった

コロンビアにおいて、相手の契約違反で裁判に発展し、数年後勝訴、家を四軒もらったと前述したが、今回私と契約を結んだコロンビア人のプロモーター、カルロス・レデール氏は当の問題の人である。彼との関係は、一九七七年春、法律的には切れてしまったが、私がコロンビアに入国することは彼が生きている限り危険であると弁護士から忠告を受けている。

国境を越えコロンビア側の町ククタへ着いた私は首都ボゴタ行きの飛行機に乗

り換えた。先入観とは怖いもので、ボゴタのエル・ドラード空港に飛行機が着くやいなや、私は懐の財布に手をあてすれ違う人ごとに身構えた。「コロンビアではドロボーやスリに十分気をつけるように」という言葉で送られてカラカスを発ったので、無理をして良いホテルを見つけたのも、今回に限りカッコつけたわけではなく、まず安全第一を考えてのことであった。皮肉にも、二度にわたるこの国への訪問は、他の国に比べればこの種の被害がずっと少ない方であった。いや、レデール氏とのトラブルに比較すれば、そんな被害など些細なことである。

「レデールさん、コロンビアでの私のデビューの日はとっくに過ぎているのにあなたからは何の連絡もないし、おかげで無駄な日々を費やしてしまいました。どうせメキシコへ帰る途中ですし、実情が知りたくて、ボゴタへ立ち寄ったんですが」

ホテルで一服するのももどかしく、彼のオフィスへすっとんで行き、訴えた。

「いやぁ、それが努力はしているんだけど、TVとクラブのスケジュール調整がうまくつかなくてねぇ」

「レデールさん、カラカスであなたから電報を受け取ったのは、先月一八日ですよ。〝六月二五日ボゴタ・デビュー決定〟と書いてあったから、その時点でスケジュールは決定していたんじゃないですか？」

「電報なんか打ちませんでしたよ、セニョール・ヨシロー」

あきれた。これは相当にタチが悪い。まずいことに、私は迂闊にも証拠になるその電報を、カラカスに置いてきてしまっていた。が、今更水掛け論を始めてもしょうがないし、ベネズエラ同様、この国でも成功を狙っている私である。

「済んだことを言い争っても仕方がありません。今からでもいい、私のスケジュール調整をしてくれませんか。二日間待って何もないときはメキシコへ旅立ちます」

二日どころか、こちらは一か月でもねばるつもりでいるが、足元を見られるのは禁物である。もっとも、先方も本人が乗り込んできたのを、みすみすメキシコへ返すのはもったいないと見え、即座にTV局やクラブに電話をしたが、会話の成り行きから察するに、ことはうまく運びそうな気配である。そして「明後日までになるべくいい返事をするようにしましょう。それから参考までに契約書のコピーを置いていってください。私の方のがどこかに紛れてしまったので」と言われるまま、私は疑いもせずに契約書を手渡した。

整然としたボゴタ市街散歩

その後、数日経ってもレデール氏からの確定的な返事はもらえなかったものの、中間報告として逐次楽観的なニュースが入ってくるので、努めて安心するように心がけ、連日ボゴタの街をほっつき歩いてみた。

モダンで明るいカラカスに比べると、この街は風情があり、道ゆく人はどこかさえなく私の目にはうつったが、それは風土のせいもあろう。赤道に近いというのに、海抜三〇〇〇メートル近い高地のため、昼間は東京の四月ごろ、夜の冷え込みは北国に来たような錯覚さえ覚えそうになる。見方を変えれば、それはそれで興味の対象となるものはいくらでもある。スペインが統治していた時代の建物がまだ多く残り、古いヨーロッパを感じさせてくれるし、屋根は町中が柿色の瓦で統一されているので美しい。防寒のため、男女ともにかぶるルアーナと呼ばれる、ポンチョの変形のようなものが、これまた振り返ってみたくなるほど目を楽しませてくれる。

物価が安いので、土産物店に入ってもデパートのバーゲン同様目移りがして困る。街のいたるところに生牡蠣のカクテルを食べさせる立ち食いの店があって、客の見ているところで殻を割って食べさせてくれる。コップ一杯に客の好みのソースやケチャップ、香辛料、レモンを振りかけてくれて九〇円くらい。日本から来た友人はあまりに安いものだから気味悪がって口にしなかったが、食い意地の張っている私は、二杯も三杯もおかわりをする。そんなことがたたって、私が外国で落として来た医療費は膨大である。

ボゴタに限らず、コロンビアの地方都市の多くは、通りの名前が数字になっているので、私のようなよそ者も地図なしで目的地へ容易に行くことができる。曲がりくねった道も少ないので、五〇番街一五〇番地と指定されたら、数字を追っていけばいいだけである。自分の所在地と先方の番号から計算して、距離さえ推測できる。

すったもんだの挙句デビューしたワンマンショー

一週間が過ぎ、私のデビューは七月二一日『オーラ・デ・ダイナース』というTVのワンマンショーに決まり、その他クラブ、ラジオともこの国では一流の仕事が予定されていた。ところが、スケジュールを報告した後、レデール氏は出演料を契約書記載額の半分にすると言い出した。

「どうして？」

「だって、君の方から仕事を頼んで来たから、探してあげたまでだよ」

「契約書を交わしておいて、今更頼まれたから探してやったなんてありえないですよ。だいいち、契約書にはサインがあるじゃないですか」

「あの契約書は君から返してもらったし、もう過去のものだから捨てたよ」

初めてこのオフィスに来た時、彼が契約書のコピーの返却を求めたのは、証拠隠滅が目的だとなんとなく感じていたので、どっこいこちらだって負けてはいない。こんなことまで予測していたわけではないが、私は五通も余分に契約書をコピーしておいたのである。それに、前日アデコール（コロンビア・アーティスト・ユニオン）へ行き、それらを提出、公式認可の手続きを取ってあった。

「どうだ！」と言わんばかりのレデール氏に、これらのことを報告すると、表情が険しくなり、「なんでそんないらんことをするんだ！」とあわてて始めた。〝いらんこと〟ではない。これは私のやるべき義務である。レデール氏にとっては皮肉にも不幸なことであったが、私も、まさか一日後にこんなところで役に立つとは思ってもみなかった。ともあれ、これから仕事をともにするからには、言い争いをできるだけ避けねばならない。最終的なトラブル解決はユニオンに任せることにして、私はレデール氏とふたりきりになる機会をなるべく作らないようにした。

七月二一日、私は予定通り、TVの生ワンマンショーに出演した。かなりの曲数で、オーケストラのバックとカラオケの両方で歌ったのであるが、ここでハプニングが起きた。『太陽は燃えている』を歌いエンディングにさしかかったところで、三連のロッカ・バラードのバックの演奏がストップする。そこで私はたっぷりと間を取り演奏がストップしている間に「クアンド・カリエンタ」と歌い、「エル・ソール」でバックが戻り、カッコよくエンディングになるはずだったのだが、バックのオーケストラが鳴らないので、もう一度「エル・ソール」を四小節のばしてみたが、それでも鳴らない。ミキシングルームの方に向かって鬼のような形相で手でサインをしてもう一度「エル・ソール」とのばすが、バックは鳴らない。声を伸ばしすぎて、めまいがしそうになってバツの悪い顔がおそらくTVに映っただろう。音響エンジニアがもう終わったと思い、早めにカラオケのテープをストップしてしまっていたのだ。まあ、この種のハプニングにはかなり慣れていたから、番組が終わってまで引きずる私ではなかった。考えてみれば、私はこういった海外での失敗から多くを学んだ気がする。

この番組は、この国を代表する有名なもので、過去に出演したインターナショナルな歌手達の名を聞かされ、私もその仲間入りをしたような気持ちになってしまった。私の自信とうぬぼれは、この頃から手がつけられぬほどエスカレートしてきた。

「とうとう僕も国際歌手の仲間入りをするところまで来ました」と、そんな記事を、照れもせずに大真面目に日本の記者に送り、週刊誌もそれを大きく報道してくれた。

ショーの中断に客は慣れっこ、大拍手

私の行った国々で、コロンビア人ほど多くの拍手をくれる人種を、他に知らない。TVに続いて、七月二六日「カンディレハス」というボゴタで一番のクラブに出演するようになったが、初日、拍手のあまりの多さに、私は喜ぶよりもむしろびっくりしてしまった。

特に、その頃流行しており、私も早速レパートリーに取り入れたバンブーコ(注)の『エスプーマス（泡）』(注)を歌ったときなど一曲の中で八、九回も拍手が来たのである。まずイントロで、歌い出して二回目が、四小節目でまた拍手、サビで一段と大きく、間奏は最高潮、二番も同じような繰り返しで、エンディングはもちろん

バンブーコ
コロンビアの6／8拍子の大衆音楽。クンビアが低地発祥ならこちらは山岳地帯発祥である。伝統的な衣装と舞踏を伴う。

『エスプーマス（泡）』
Espumas
アナスタシオ・エラディオ・ゴンザレス、リト・バヤルドロ作。ホルヘ・ビジャミルのバージョンが有名。

大きな拍手。まるで拍手の大安売りである。その当時、お客さんが初めて見る東洋人ゆえにもらった拍手なのか、他の人にもそうするのか、今でもわからない。

TVは別として、私が外国で出演した劇場やクラブの中で、最高の伴奏と演奏を務めてくれたのが、このクラブに出演していたルーチョ・ベルムーデス(注)とそのオーケストラである。

アメリカでもそうだが、日本のようにフルバンドで歌える機会の多い国は、外国にはそうざらにない。ユニオンでプレーヤーの最低料金が決められているから、楽団員を集めるのはコスト高になるためである。

ルーチョ・ベルムーデス楽団は、コロンビア一の楽団であり、トロピカルものを主体としている。コーラスもよければ、男女ふたりの専属ソロ歌手も最高である。私はこの楽団に合わせて、オープニングの『ソーラン節』を新たに編曲してもらったのであるが、音を出してみてあっ、とびっくり。このバンドの得意とするクンビアとメレクンベ(注)を混ぜたスピーディーなアレンジで、日本の民謡がここまでハイセンスないわゆるラテン・トロピカル・ジャズ風に変わるのかと驚きながら歌っていた。

ただ、またしてもハプニングが起きた。『ソーラン節』の後、次の曲のイントロが始まったが、私は歌い出せなくて、楽団にストップしてもらったのである。何も言わずとも、観客も楽団も事情を察し、それで拍手が起きる。初日である上、この

ルーチョ・ベルムーデス
Lucho Bermudez
(1912-1994)
コロンビア最大のオーケストラ、ルーチョ・ベルムーデス楽団のリーダー。クンビアのモダン化に貢献。国内で80枚以上のアルバムを発表。

メレクンベ
メレンゲとクンビアを混合させたリズム。コロンビアの作曲家、パチョ・ガランによって考案された。

激しいリズムと拍手で、三〇〇〇メートルの高地であることを念頭に入れず、つい張り切って踊り狂ってしまったのである。息の苦しさといったら、肩で息をしながら「ウン・モメント・ポル・ファボール（ちょっと待ってください）」と言うのが精いっぱいであった。

観客も土地柄（?）か、慣れていて、「ポコ・アイレ（空気が少ないのさ）。よかったら、この席にかけて、一杯飲んでから歌ったら?」と冗談口をたたく。翌日も翌々日もこの空気不足には悩まされ続け、一曲歌っては「ちょっと待ってください」、客も「ハイ、どうぞ」と心得たものであった。

ショーの合間の、ルーチョ・ベルムーデス楽団の演奏が、私には何よりの楽しみであった。コロンビアは、地理的にもカリブ海側、太平洋側、アンデス、アマゾン地域と多様なので、音楽も種類が多く興味深い。クンビア、メレクンベ、バンブーコ、アフリカ系音楽、そしてフォルクローレのようなこの国の代表的トロピカル・リズムも、アンデス音楽の影響を受けたと言われるメロディーが織り込まれているものが多く、陽気でいて、どこかうら寂しい面がある。

ベルムーデス楽団の専属黒人歌手ヘンリーの凄さは今でも心に残る。彼がもしニューヨークのようなビッグ・マーケットに進出していれば、一躍サルサ界のスターになっていただろう。それほど素晴らしかったのである。

コロンビアには『オラ・デ・フィリップス（日本流に言えばフィリップス・ア

ワー)』という、長い歴史を持つラジオ音楽番組があるが、私はこれに一週間出演して、日本のマスコミとの違いを感じた。この番組は一時間の公開生放送で一回に五組ほどの歌手が出演するが、国際的に名の知れたスター歌手が必ずひとりは出ているから、察するにかなりの費用をこの番組は使っているに違いない。今の日本で、毎日莫大な出演料を払って、四、五人もの歌手を出すラジオ番組などは皆無である。

八月に入り、かつて私がアカプルコのクラブへ出演した際、テーブルに招いてくれたジェーン・マンスフィールド(144頁注参照)がショー出演のためボゴタ入りし、再会を喜んだりで、私の周囲も再び華やいでは来ていたが、私とレデール氏との間のトラブルもだんだん表面化しつつあった。

クソとウンコの大きな違い

一九六六年八月八日。この日の午後、ボゴタ市にあるレデール氏のオフィスの前を通りかかった日本人がいたとしたら、おそらく耳を疑ったに違いない。

スペイン語の罵声に混じって、時折「ウンコッ!、ウンコッ!」という絶叫が聞こえたはずである。そんなスペイン語があるのだろうか。レデール氏と私は、ある問題に関して二時間以上も議論を続けていたが、話はとうとう決裂してしまい、壮絶な口論になっていた。

もっとも、スペイン語でがなりたてているのは日本人の私の方であって、レデール氏は比較的冷静を装っていた。狡猾な彼が、実にけしからんことを、高度なスペイン語でいんぎん無礼に話すからこちらは余計にイライラして「バカ、アホウ、マヌケ」といった類の〝初歩的〟で下品なスペイン語で応酬してしまう羽目になるのである。悪賢くとも一見紳士風のレデール氏は、ラテン系の男なら例外なく使う、この〝日常化〟された品の悪い言葉など使わない。その代わりに「ウンコッ！」とまぎれもない日本語でやり返してくるのだった。

その数日前、レデール氏の秘書が「ヨシロー、『ミエルダ』って日本語で何て言うんだい？」とたずねてきた。これは、糞を意味するスペイン語で、私はウンコと教えたのである。日本でも腹を立てたり、口惜しい時などに歯ぎしりしながら「クソッ！」と言うが、スペイン語でも同じこと、彼らも全く同じニュアンスに「ミエルダ！」を使う。英語にも同じような言葉があり、愛や歌に国境がないように、この種の発想も国境はないようである。

だから、この時私は正しく「クソ」と教えるべきだったのだろうが、なまじっか教養があるものだから、より〝上品な響き〟を持つ「ウンコ」の方を選んだのだった。その時に居合わせたレデール氏も面白半分にそれを覚えていて、この時とばかりに「ウンコッ！」と、私をやっつけたつもりでいたのである。

妙な日本語まで飛び出した、このいさかいのいきさつは、こうだった。

二週間の契約期間を前の週に終えた私がレデール氏のオフィスを訪ねたのは、出演料の残額をもらうためだった。それに対しレデール氏が言うには、

「前にも言った通り、契約書はなかったものと思ってもらいたい。だから出演料は契約書に書かれた半分の額でOKしてもらえないかね」

「どうして？　契約書はユニオンに保管されていますよ」

「だから、そこは話し合いで解決してほしいんだよ」

「だったら契約書は何のために取り交わしたのですか？」

「たしかに契約書はあった、でもあれは過去のものだよ。それに、あの契約書にはカラカス～ボゴタ間の旅費はプロモーター、つまり私が払う義務になっているのに、君は自費で先に来た。ということは君自身だって、あの契約書の記載事項を認めてなかった、ということではないのかね」

「へえー、そんな解釈の仕方があるんですかねえ、レデールさん。あなたが切符を送ってくれなかったので、私が立て替えて来たんですよ。もちろんその分もこれからいただくつもりです」

ああ言えばこう言うレデール氏は、すぐに次の理由を考えつく、

「あの契約書には、デビューの日時が明記されていなかったね。だから、あれは例えば二年先の一九六八年のための契約書だと私が言えば、それまでだよ」

たしかに、芸能界の契約書には〝日付オープン〟といって、デビューの日付だけが明記されていない場合がある。これは興行の日程がまだ定かではない時に日付だけを空欄にしておくのであるが、トラブルの原因にもなりやすい。プロモーターがスケジュールを決めても、同じ時期にアーティストの方にもっと条件のいい仕事が入っていて断られることがあるし、その反対の例が、六月二五日に決まっていたデビューの日を、一方的に延期された今回の私の場合である。

「レデールさん、私がそれほど法律にうといとお思いですか。われわれの契約書に日付は入っていませんが、アーティストが仕事を始めた日から、自動的にそれは有効になるというのを、頭の良いあなたが知らないはずはないでしょう」と唱えてみたところで、両者の言い分は平行線をたどるばかり、挙げ句の果てには前記のようなみっともない口論に発展してしまったのである。

死者を出したコンサート

ひとまず私は、彼のオフィスを辞することにした。

先方の腹がわかった以上、私は次の行動を急がねばならなかった。二日前まで出演していたクラブ「カンディレハス」のオフィスにそのまま足を運び、この店のオーナー、カイセード氏より前々から話があった、コロンビア国内巡演の契約書にサインしたのである。

「レデール氏とは問題ないんだね」とカイセード氏は念を押したが、「完全にフリーです」と私は言い切った。前記のレデール氏の強い口調から、私もついその気になってしまったのだが……。

その翌日、カイセード氏率いるコンサート・グループに私も急遽加わり巡演の旅に発った。この一行は、メキシコのシンガーソングライター、フェルナンド・バラデス（注）と私がメインで、その他に地元の人気女性歌手イオリマ・ペレス、若手歌手、ダンサー、モノマネ、伴奏のロス・アンペックス（注）というロックバンドを含め一四名から成っていた。この公演は、少なくとも傍目には大成功に映ったはずである。

初日の八月九日、ペレイラという町の映画館での公演では観客が多すぎて、死者二名を出す不祥事になったが、それを新聞がセンセーショナルに報じたので、興味も手伝い、行く先々で日増しに客足が増えていった。

人の見方、考え方というものは、月日の流れとともに変わるものである。

私は、この巡演日記なるものを、ギンギラギンに燃えていた頃に発表しなくてつくづくよかったと思う。一九六七年第一回の帰国直後、ある週刊誌に寄稿した旅日記からこの事件についての部分を引用してみる。

「これまで日本人歌手で死者二名を出すほど観客が詰めかけた例があるでしょう

フェルナンド・バラデス
Fernando Valades (1920-1978)
メキシコ人歌手、ピアニスト。代表曲『Te Diré Adiós』。

ロス・アンペックス
Los Ampex
コロンビア、ボゴダのガレージロックバンド。演奏技術が高かったので重宝され、オスカー・ゴールデンはじめコロンビアのポップスの伴奏のレコーディングを大量に行った。

か。亡くなられた方にはお気の毒ですが、これは人気のバロメーターに他ならないと思います。私はラテンの本場で、とうとうこれだけの客を集められるようになったのです。『この熱気あるステージを日本の家族や知人に見せることができるなら、どんなに素晴らしいだろう』そんな思いでその日もステージに立つ私でした……」

以下、自分がいかにウケたかを、あの手この手で書き綴った文章が続いている。今でもはっきり覚えているが、その文章を書きながら、二度三度と感激がよみがえり、しばし甘い涙に酔いしれ、はっと我にかえると、目の前のカレンダーにはポツリポツリとしかスケジュールが埋まっていない。すると、自分を冷遇（？）する日本の芸能界が、いや世間が急に腹立たしくなり、夜の街に飛び出してヤケ酒をひっかけた後、決まって行くのがラテンマニアの集まる某店であった。ここでは二、三人のボレロ気狂いが、私の歌に熱心に耳を傾けてくれ、南米での感激の何十分の一かを満たしてくれたからである。

こんな心境で書いた文章は、えらく人の心を打つか、滑稽になるかのどちらかである。少しは冷静にあの頃を振り返ることができる今、よく考えてみれば「死者二名を出すほどに客がつめかけた」というのは、要するに田舎の町ゆえに映画館が小さすぎたと解釈する方が正しいのではなかろうか。キャパシティー八〇〇人の小屋に一〇〇〇人がつめかけたというだけのことで、二〇〇〇人収容の大ホールに一〇〇〇人が来れば「ガラガラの入り」と新聞は書いたかもしれないのだ。

などと他人事みたいに書いてみたが、もしも今あの時の騒ぎがもう一度起きたなら、私はやはり冷静さを失うかもしれない。あの日、開演が迫っているのに、群衆にもみくちゃにされ、二〇メートル先の劇場入り口にたどり着くことができず、イライラしながらも〝何故か〟顔はほころび、少しでも長くこの人混みの中にいたいと、心では願っていた。やっとガードの警察達が助け出してくれた時、とてもがっかりした私である。死者が出たのはその直後だったという。しかもこの巡演は、後々まで死に関係のある出来事につきまとわれたのだった。

音響係参加の大爆笑ドラマ

何事も大らかな国柄ゆえに、開演が遅れるのが常識なら、打ち合わせのずさんさは桁外れで、初日、そのとばっちりをまともに受けて悲劇を演じたのはヘンリー・カウチョであった。

ヘンリーの十八番はフォノミミコ（あてぶり）で、有名歌手のレコードに合わせて身ぶり手ぶりを面白おかしく真似たり、悲しい歌詞の歌に合わせて愉快なパントマイムを見せたりするのだが、音響係がレコードの順番を間違えたので、客も私も笑い喜び、彼は怒り狂ったのである。

軽妙な話術の後、傍のカツラとショールをまとった彼は、ジプシー女のポーズをとる。すぐに女性歌手の歌うフラメンコのレコードが流れるはずなのだが、五秒、六秒そして二〇秒たてども、音楽が聞こえてこない。客達はクスクス。微動だにせず、じっとポーズをとっていた彼も、さすがに二階正面の音響係の部屋（映画館だから本当は映写室）をにらむ。

やっと流れてきた音楽は、オペラ歌手の歌う男声の『グラナダ』。彼は慌ててカツラとショールを投げすて、『グラナダ』のあてぶりに切り替えたが、順番を間違えたのに気づいた音響係が、よせばいいのに気を利かせたつもりで『グラナダ』をカットし、初めの予定のフラメンコにしたものだから、ヘンリーはなおさら慌てて、投げすてたかつらとショールをひろいヘンシーン。

これだけでも客にとっては充分おかしく、ヘンリーにとっては屈辱きわまりないのに、次の曲ではオペラ歌手然とタキシードを羽織り『グラナダ』を待ちかまえる彼に、今度はマリア・ビクトリアの、しかもレコード回転数を間違えた、悩ましくも忙しい声が流れてきた。

さすがにプロのヘンリーくん、察するに余りある怒りをぐっとこらえ、ひきつる顔に微笑を浮かべ、二階の音響係に「お遊びはこれくらいにして、じゃあ本番いってみようか」とその場を取り繕ったつもりだったのに、またまた関係のないレコードがかかったものだから、とうとう怒りが爆発し、客のいるのも忘れたかのごとく、「まさかお前、酔っ払ってレコードかけてんじゃないだろうな！」と怒鳴る。

音響室からも何やら怒鳴る声が返ってきて、客席がどよめく。それにヘンリーが「なに？　お前が打ち合わせ通りレコードをかければ、こんなことにはならなかったはずだ！」と、さらに声を荒げた。

その後は舞台と音響室との怒鳴り合いで、客は腹を抱えて笑いころげ、ピーピー口笛とヤジと拍手。

「みなさん、今夜はボクの舞台を楽しんでいただけなかったのが、残念でしょうがありません。それもアイツのせいで（と二階をにらむ）私の責任ではありません。もうこれ以上続けることはできませんがお許しください」とヘンリーは引っ込みかけた。だが「ディベルティーモス・ムーチョ（とっても楽しませてもらったよ）」と客の誰かがヘンリーの背中に言葉を投げたから、またまた大爆笑。くるりと振り返ったヘンリーの形相は、思い出すにも恐ろしいものであった。

この当時日本にはまだ彼のようにフォノミミコだけを専門として食べているタレントは少なかったが、外国ではちょっとしたショーには欠かせぬ存在で、この分野のスターも多かった。芸達者揃いだから、メインのスター歌手よりも多く拍手がくる一流どころもあり、公演途中からトリのはずの歌手が前座に変えられたというのを私はメキシコで見たことがある。

楽屋口ないの？　では客席から入るよ

初日のベレイラ公演で、あてぶりショーのヘンリー・カウチョの失敗に笑い転げた私はといえば、もっと惨めだった。

第一部のショーは、私で幕が閉じることになっており、熱演に熱演（？）を重ね、客もノッてきた最中、突然タイミングも悪く〝不自然〟な拍手とざわめきが客席の後方で起こり、あっという間にそれは前の席まで伝わってきた。

この拍手でさらに陶酔の極地に達したかった私なのに、暗い客席に目を凝らしてみれば、客の大半はステージに背を向けているではないか。中腰になっているものもあれば、中には席を蹴立てて後ろの方へ走っていく子供もいる。

実はこの時、第二部に出演するフェルナンド・バラデスが、楽屋入りのため劇場の正面口から入ってきたのである。今思うに、この会場は映画館なので、特別な楽屋口というのがなかったような気がするが、私の記憶も定かではない。

「早く走って、楽屋に駆け込めばいいのに！」と願い、ハッシとにらみつけたが、足が不自由で、杖と付き添いを必要とする彼には無理な話である。

この歓迎の拍手を無視することはできない立場もわからないではないが、彼は悠々と片手を上げてそれに答えている。同じ舞台に立つ者へのエチケットとして、ショーの最中にこれはいただけない。

私は歌を中断すべきか、そのまま引っ込んでしまうべきか迷ったが、心ある一部の観客が同情顔で、歌を聞いてくれようとしているのを知っていたし、客席から「静かにっ!」という声も聞こえてきたので、かろうじて舞台を続けたのである。

こんな騒ぎの後でもアンコールの声がかかり、プロモーターのカイセード氏が私をステージに押し返そうとしたが、それだけは応じられなかった。ショーをメチャメチャにされたばかりでなく、フェルナンドの人気をまざまざと見せつけられ、嫉妬も手伝ってはらわたが煮えくり返らんばかりだったのである。

それだけでは収まらなかった。第二部の幕が上がってほどなく、カイセード氏が「ヨシロー、ショーが終わるとまた出口が混雑するから、今のうちにホテルに帰ったほうがいいよ」と急かした。

「だって、ショーの最中に出て行ったら、さっきのような騒ぎになって、迷惑がかかるよ」

「客席は暗いから、はじっこの方から出れば大丈夫さ」

「でも……」

私は口ごもりながらも、それではとさっきと同じような騒ぎを期待して(?)出て行ったのに、ものの見事に客は気がつかないでいた。わずかに二、三人の女の子が「あら、ヨシローよ」と言ったような気がするけれど、とにかく拍手は起こらなかった。

あまりに急いで通り抜けたせいもあるが、私は拍子抜けしてしまい、もう一度戻って「ハーイ、これからヨシローが通りますよーっ！」とひと騒動起こしたくてたまらなかった。またしても私の自尊心はエラーく傷つけられたのである。

フェルナンド・バラデスはメキシコのシンガーソングライターであると聞かされていただけで、どの程度の知名度の持ち主なのかも当時の私は知らなかった。その時のポスターには、後に私も歌うことになる『ポルケ・ノ・エ・デ・ジョラール』など古いボレロのヒット曲の名前が書かれていたので〝著名な〟と言っても間違いではないだろう。かといって、別段本国メキシコでは〝時の人〟ではなく、むしろ過去の人なのだが、この一九六六年のコロンビアでは、現役のメキシコの歌手のレコードよりも彼のレコードの方が売れており、コロンビアではちょっとしたブームになっていたのである。

〝気持ちの温かい人〟という周囲の評で私もそう思っていたが、あの騒ぎの後だけに、最後まで私はフェルナンドを好きになれなかった。

田舎興行のキャラバンはゆく

カイセード氏はこの一行をちょっぴり気取って〝コンサート・ツアー〟と呼んでいたが、日本流に言う〝実演〟がぴったりの感じだった。大都市はともかく、田舎の小さい町や村ではコンサート・ホールなどあるはずもなく、映画館を借りての興行であり、時には停電もあればマイクやライトの故障もあって、その都度客席はピーピーガヤガヤする。

日本でコンサートといえば、場所や日程があらかじめ決まっているのが常識であるが、われわれの巡演は大まかなコースだけが決まっており、日程は三日後さえわからないこともあった。

というのは、ある町で評判が良ければ、そこでの公演が二、三日延長になるのである。だから次の予定地では「近日公演予定」とだけ宣伝する。ひどい時は、予定にない隣町から前日急に話が持ち上がることもあって、そんな時は当日の朝からラジオやマイクロバスで宣伝を始めるのだが、それでも客は集まるのである。

また、こういう時こそ、出しゃばりでミーハー精神旺盛な私がとても重宝がられ、大活躍するのだった。

「今夜○○映画館におきまして……」と声をからす宣伝係の横で、キモノ姿の私がオープンカーの上からビラを撒くのである。かけよる子供達に握手をし、「今夜必ず見に来てね」と声をかける。他の共演者はといえば、ホテルでくつろぎながら「ヨシローも好きだねぇ、まったくよくやるよ！」と陰口の一つも叩いている時間である。当の私もこの原稿を書きながら「まったくあの頃はよくやったよ。好きじゃなきゃやれないことだねぇ」とつくづく思うのである。ただし、それには訳があった。エキゾティックなコロンビアの街で土地の人と交流する、これはステージでの交流とは違い、コロンビア人をじかに知る大切な時間でもあるのだ。

このような巡演のことをスペイン語ではカラバナ（キャラバン）と呼ぶが、実に〝言い得て妙〟ではないか。カラバナの移動は近距離が多かったのでタクシーに分乗か、貸切バスを使っていたが、公演後の夜間の移動の時は、私にとって泣きたいくらい怖いものであった。コロンビアにはまだ山賊が出るということを知っていたし、仲間に「この辺だよ、三か月前にバスの乗客が三〇人近くヤツらに殺されたのは」と知らされますます私は怯えるのである。

国際政治を知る人にはピンと来るであろうが、二〇一六年、コロンビア大統領がノーベル平和賞を受賞した。それは、一九六四年から続く反政府ゲリラ（ファルク）と内線終結で合意して武装解除したからであるが、一九六四年当時からファルクの武装闘争で何千人という人々が拉致され、多くの犠牲者が出ていたのである。

一方、昼間の移動は観光気分に浸るに十分な美しい景色を満喫できた。信じがたいほど鮮やかな緑の中に、この地方独特のひさしが長く赤い屋根にベランダのついた家がポツンポツンと建っており、二、三時間のうちに温帯から熱帯へと景色が変化する。赤道に近いこの国では、海抜二〇〇〇メートル以上のアンデス地域があり、下れば林やバナナの樹が美しい熱帯というわけだ。

クシャミは禁物　不幸を呼ぶ

あれは巡業に出て一週間が過ぎた八月一八日、イバゲーという町でのこと。

その二、三日前にもアルメニアという町の劇場入口の階段で、将棋倒しになった観客の中から死者が出たが、これは初日の事故に続き三人目であった。さらに踊りのデュエット、ロス・ダロッフの家族にも不幸があり、〝楽屋でのクシャミを禁ず〟と一同は約束しあったのである。それがコロンビアの芸能界だけなのかは聞き忘れたが〝楽屋でのクシャミは不幸を呼ぶ〟というジンクスがあることを私は知らされた。


夜、楽屋で出番を待っていると、女性の楽屋から悲鳴が聞こえてきた。かけつけると、衣装やメークアップの道具が床に散らばり、なおも泣き叫ぶ巡演グループの一員であるスージーが、手当たり次第に物を床に叩きつけている。

聞けば、二二歳になる彼女の兄が殺されたという電話があったらしい。それも、路上でふたり組の男に腕時計を盗られそうになり、抵抗したために惨殺されるというむごたらしい話であった。

それからさらに二、三日が過ぎた夜半、ホテルのベッドの夢の中で、私は誰かが怒鳴る声を聞いていた。激しく叩かれるドアの音で目を覚ました私の耳に、野獣が吠えるような男の鳴き声と、物が投げられる音が飛び込んで来た。火事か、それとも強盗か？　瞬時に私はホテルの窓から逃げようかと思ったが「ヨシロー、早く来て、アルトゥーロが大変！」とメンバーの女性が私を呼ぶ。アルトゥーロというのは一行の司会者で、まだ二〇歳前の青年である。

彼の部屋では、半狂乱で暴れるアルトゥーロを押さえつけようと、大の男達が四苦八苦しているが、手のつけられぬ有様である。椅子やテーブルはひっくり返り、鼻血で汚れたシーツは引きちぎれ、「ヨシロー、あんた日本人だからカラテを知っているでしょう？　アルトゥーロをほんのちょっと〝失神〟させて」と女の子が真面目に言う。私がそんな技を知るはずもないし、何が起きているのか全くわからない。私の目には、彼の気が違ったとしか見えないのである。そうしている間にも、アルトゥーロは、壊れたビール瓶の切り口で自分の腕を切ろうとし、制止するのにまたひと騒動。

やっと聞き出したことの顛末によると、アルトゥーロが公演の後飲みに出かけいい機嫌で戻って来たところへ、母の死を知らせる電報が待っていたのだという。かなり酔っていたので、そのまま錯乱状態に陥ったのである。

このままでは夜が明けてしまう。結局ホテル側で医者を手配し、私は自室に戻ったのであるが、前日楽屋でクシャミをしたのをふと思い出した。

その翌日、遅い朝食を取りに食堂へ降りて行くと、もうとっくに郷里へ帰ったであろうはずのアルトゥーロが、浮かない顔つきで座り、周りの連中は不謹慎にも大口を開けて笑っている。

聞けば、昨夜の電報は誰かの悪質ないたずらで、電話に出た母親はすこぶる元気だったそうである。鎮静注射と二日酔いで、ぞうきんのような顔をしたアルトゥーロは「体が痛い、体が痛い」とくり返していた。

母親が〝生き返った（？）〟喜びよりも、昨夜の器物破損代をホテルから請求された悩みの方がアルトゥーロには大きなものであった。

ぼかぁ日本からはるばる来た日本人歌手でーす

戦後まもなく映画やドラマで、日本へ里帰りする日系やその二世三世は、例外なくハイカラかつモダンな格好で登場し、皆の憧れの的であった。私もいつだったか「あなたは二世みたいですね」と言われ「いいえ、ぼかぁ生粋の日本人ですよ」と強く否定しながらも、まんざら悪い気はしなかった。

毎年八月にコロンビアでも有名なフェリア（市）が一週間に渡って開かれるパルミーラ市は、農業に従事する日系人が数百人も住んでおり、八月一一、一二、一三日の三日間、同市での公演を行った。この公演中、「私はこの国で生まれた二世でも三世でもない、〝日本から来た〟日本人です」と、公の場でも、もっぱら弁明に努めなければならなかった。なぜなら「ヨシローは実はパルミーラ生まれの日系三世である」という噂が広まったからである。

これはプロモーター側にとっては不利である。日本ほど極端ではないが、どこの国でも外タレの方が売りやすいことに変わりはなく、「遠い日出ずる国からはるばるやって来た」と宣伝してこそ価値がある。

だが、そのことが元で、コロンビアの農業発展に尽くした貢献度のはかり知れぬパルミーラらの日系人の方々に私は心苦しいことをしてしまった。

「私は本当に日本から来たのですよ」と答えているうちは良かったが、出番前の忙しいときなおも執拗なラジオのインタビュアーに「私がそんな地元出身の歌手に見えますか」と、つい傲慢な発言をしてしまった。これだけでもこの町在住の日本人には失礼極まりないのに、ステージの後、汗を拭く間も無く、再び彼が「ヨシロー、パルミーラの観光はいかがですか?」とマイクを向けた時、私はぶっきらぼうに「ムイ・マル（とても悪い）！」と一言。実況放送であったから、瞬間にしてその言葉はパルミーラの町中に流れたはずである。弁明すると、その時の音響が悪かったので苛立ち、タイミング悪くその言葉を使ってしまったのだが……。

この町での公演初日の夜、客席の日系老人達に「コンバンワ」と挨拶すると、皆深々と頭を下げ、歌の後は涙をふきふき拍手をしてくれた。故国を離れ、おそらく何十年も日本人歌手のナマの舞台など目にする機会もなかったに違いない。

しかも二晩目には初日よりもさらに多くの日系人が来てくれていたので、彼ら一世二世のためにこの夜は『ラ・メンティーラ』など自分の好みの曲はしばし忘れ、特別に日本の曲を増やし、考えられる限りのサービスをして喜んでもらいたいと願っていた。お望みとあらば『チャンチキおけさ』や『トンコ節』、いや、もっとサービスして東海林太郎（注）の歌でもなんでもやりやしょうぐらいの心意気だったのである。

ところが私の出番になるとマイクの調子が悪くなり、私は歌を半ばあきらめ『ソーラン節』を素人民謡舞踏の会員のごとく盆踊りスタイルで必死に踊ったが拍手はまばらだった。これを歌えば日系人は泣いて喜ぶだろうと勝手に決めていた『赤とんぼ』も、スピーカーの雑音に消されて、時折思い出したように歌詞が聞こえるだけ。一方、もとより日本の歌や言葉など知るわけもないコロンビア人は、人の気も知らず「スペイン語で歌え！」と怒鳴る始末である。まして早変わりに至っては、そこが屋外劇場だったため四方からネタも全て丸見えで、ちっとも驚いてはくれず、まったく「バカミタイ！」の一言に尽きるステージであった。

「ムイ・マル（とても悪い）！」、それはとんだピエロを演じてしまった私自身への言葉であり、決して観客へではなかった。人の良さそうなあの時のインタビュアーが、そのことをわかってくれただろうか……。

東海林太郎（1898-1972） 秋田県出身。ロイド眼鏡に燕尾服で直立不動で唄う戦前から戦後にかけての国民的歌手。代表曲は『赤城の子守歌』。

心ない日本人よ、外国へ行くな！　と人のことは言えない……

日本人、そしてその二世三世が中南米で長い年月をかけて築いた大きな信用を、一部の心ない日本人が傷つけてしまうことに、私は心を痛める。

海外に初めて出た日本人は、改めて日本の良さも悪さも見つけるが、その結果として、現地で尊大になるか、反対に卑屈になる人が、かなりあるようだ。

日本にいた時は、外国人に対して意味もなくコンプレックスを抱いていたのが、急にいばり出し、些細なことで現地の人を怒鳴り散らす商社マンだとか、無銭旅行で散々現地の人に厄介になりながら礼状の一本も出さぬバカ若者とか、例をあげればキリがないが、パルミーラの日本人会館で読んだ日系移民の血と汗の歴史を綴った本を思い出すにつけ、無益な日本人は海外に行くな、とまで極言したいのである。

かくいう私自身、このコロンビア巡演の時のステージ写真の多くは国辱的だと思い、人の目に触れないようにして来た。私の個性的な扮装を目にして、現地の邦人の多くはさぞかし驚いたであろう。

何千という観客の半分以上はヨシローが目当てとプロモーターにおだてられ「入場料の倍は楽しんでもらわなくては」と、日本茶と紅茶とコーヒーを一緒に出して客をもてなすような過剰サービスをしたのである。それは歌よりもむしろ衣装に重点が置かれていた。私の客へのサービスは、これまでの早変わりがエスカレートしすぎたもので、もはや仮装行列の扮装と呼ぶ方がふさわしい国辱的なものであった。

コロンビアに着いた当初の不安が嘘のように、この国での後半の私は上り坂にあったが、それは後一九七七年『ジャマラーダ』の世界的ヒットを出したコロンビア人作曲家ホルヘ・ビジャミル氏のおかげでもあった。この国において、私のキャッチ・フレーズは〝『エスプーマス（泡）』をよみがえらせたヨシロー〟で、ビジャミル氏はコロンビアのリズムを生かして書いた彼の過去のヒット曲を私に合わせてシンプルなボレロに編曲、日本語とスペイン語で歌わせ、自ら宣伝に努めてくれたのである。

ある日、その『エスプーマス』を歌う時、キモノ姿で、傍に置いてあったパナマ帽によく似たコロンビアの帽子をひょいと頭に乗っけると、それがどっとウケたので次の日はポンチョも着けた。またまたウケたので次の日はカルティエル（この国の男性がよく使うヒョウの毛皮でできたカラフルなショルダー・バッグ）を下げて客席へ降りていくと、もう観客の喜びようといったら……。

だが、その写真の何枚かを取り出し、よーく見ると、しらけた批判的な目で、あるいはコワイモノ見たさのような表情でじっと見ている何人かの観客がいるのに気づき、私をうろたえさせたのである。歓声の中にこの人達の失笑の声も混じっていたに違いない。

闘牛も青くなるこのプロど根性

私のプロ意識に徹した根性はわれながらあっぱれで、それはアンセルマという町の闘牛場での公演で極致に達した感があり、コロンビアの芸能史に残るべき（？）〝感動的〟なものであった。

その日、折悪しく開演間際から小雨が降り出し、ダンサーの中には「カツラが濡れる」と勝手な言い訳をして出演を拒否するものもいたし、他の歌手も一、二曲で引っ込み、ショーはフルスピードで運ばれていた。「ヨシローも一曲でいい」と言われた時は、まだ雨も小降りだったので「なーに、客がノッてくればそれではすまない」と自負し、いつものように六曲は歌うつもりだった。

が、私の出番が近づくにつれ、雨は本降りになり、バンドの若者達は楽器を抱えて楽屋に駆け込んできた。

「頼むから一曲だけ伴奏して」

「だって、楽器が傷んじゃうよ」

「我々はプロだろう、客がいる以上はやるのが当然じゃないか」

事実、観客の大半はどこかに消えてはいたが、前列の方にはまだ新聞紙やビニールを頭にかぶり、頑張っている観客も数百人いたので、この熱心な人々を帰しては大変と、私は闘牛場の真ん中の特設ステージへと歩き出した。とたんに歓声が

「ワーッ！」とわく。場所が場所だけに、己が闘牛になったような気がして、少しだけみじめである。

くるりと振り返り、バンドのメンバーに出てくるよう合図をしたが応じてくれない。私は両手を広げ観客を見回しアピールする。期せずして「歌えーっ！」と野次が飛んできた。

私はいったん引っ込み、司会者のマイクをひったくると、声色を使い、「ではみなさん、有名な日本人歌手ヨシロー・ヒロイシの登場です。たくさんの拍手を！」と言い終わると、知らん顔をしてスタスタとメイン・ステージに上がり「では、ロス・アンペックスの皆さんにもあたたかい拍手をどうぞ！」と、ついにバンドの引っぱり出しに成功したのである。彼らの憎悪の視線を背中に感じながら一曲歌い終えると、バンドは約束通りさっさと引き上げてしまった。

強引な私の誠意に観客が感激しないはずがない。全員立ち上がっての拍手である。ずぶ濡れの私は、ステージから降り、広い闘牛場の中をスタンドの柵すれすれに闘牛も顔負けで走り回り、歌いに歌った。一つのスタンドで歌い終わると、すそを蹴散らして、フルスピードで反対側の別のスタンドへかけていく。もちろん全部無伴奏である。

これが熱演でなくて何であろう。

しらけずにここまで徹すれば、滑稽を通りこして美しいではないか。あのバイタ

カルロス・ガルデル
Carlos Gardel (1890-1935)
説明不要のアルゼンチンタンゴの伝説的歌手。ブエノス・アイレスにはカルロス・ガルデル駅やカルロス・ガルデル通りなどがある。

リティーを、私はどこに忘れてきたのであろう?

タンゴの都メデジン　ガルデル、ランコ、アボ　そしてヨシローは……

一行の人気がピークに達したのは、八月二二日から一週間、コロンビアの京都とでも呼びたいこの国第二の都市メデジンでの公演である。二〇〇〇人収容のフニン劇場は連日満員だった。

だが、初日から私を戸惑わせたのは、アンコールに「タンゴ、タンゴ」という声がかかることだった。これまでにも二、三度そのようなことはあったが、私には畑違いだし、うまく逃げてきたのだけれど、この街では二〇〇〇人近い観客が声を揃えて「タンゴ、タンゴ」と繰り返すのである。〝ロック・バンドでタンゴを歌わせるとは、なんと無粋な〟と思ったものだが、それはむしろ私の勉強不足だったかもしれない。

不滅のタンゴ歌手カルロス・ガルデル(注)がメデジンでの飛行機事故で亡くなったこと、そのせいか、タンゴは本場アルゼンチンに劣らず愛されていること、また、前年にこの町で早川真平(はやかわしんぺい)とオルケスタ・ティピカ東京(注)、ランコ・フジサワ(注)、イクオ・アボ(注)ら一行が大成功を収めたことなど、話に聞いてはいたが、いやこれほどタンゴに熱心だとは知らなかった。

早川真平とオルケスタ・ティピカ東京
早川真平(1914-1984)率いる日本を代表するタンゴバンド。

ランコ・フジサワ
藤沢嵐子(1925-2013)
オルケスタ・ティピカ東京の看板歌手でもあり、アルゼンチンでもタンゴといえばランコと言われるほど絶大な人気を得た。大統領夫人エビータの追悼コンサートでも歌ったという。早川真平夫人。

イクオ・アボ
阿保郁夫(1937-)
オルケスタ・ティピカ東京出身のタンゴ歌手。1964年以降アルゼンチンを中心にコロンビアでも人気を得る。発表したタンゴのアルバム多数。

いくらステージの上で図々しい私でも、ランコ氏、イクオ氏に比べられて笑われるのはつらい。両氏は日本を代表する世界的なタンゴ歌手、一方の私はタンゴ歌手ではないのだから劣っていても当たり前という謙虚な気持ちなど、その当時の私は持ち合わせていなかったのである。

アンコールの曲は、ともすると「タンゴ、タンゴ！」の大合唱にかき消されがちであった。『スキヤキ』という声もかかった。これは『上を向いて歩こう』をタンゴに編曲、イクオ・アボが見事にスペイン語でレコーディングしていたからで、コロンビアに着いて、私もラジオから流れるのを度々耳にしていた。この場を切り抜けるにはこの手しかない、と私は次のようにあいさつした。

「メデジンの皆さん、私はみなさんにメッセージを持ってまいりました。ティピカ東京へのイメージを壊したくはありませんのでタンゴはお許しください」

そしてスタスタと引っ込んでいったが、おかげで私は翌日もまたその翌日も同じセリフを繰り返し言わねばならなかった。

この件以来気がついたことは、ラジオやジュークボックスから流れるタンゴの比率が他の町よりずっと高く、ふとブエノスアイレスにいるような錯覚さえおぼえるのだった。私のメデジン入り以降、ティピカ東京のレコードも前にも増して多く流されていたようである。また、ランコ・フジサワとイクオ・アボを賛美する言葉を、この街で幾たび聞いたことであろう。それは「うまい」といった類の平凡な言葉ではなく「インクレイーブレ（信じられない）」という表現であって、これは歌手に対する最大級の褒め言葉である（私へもこの言葉が使われたことがあるが、残念ながらそれは歌よりも早変わりの素早さに対してであった）。

メデジン公演は三日の予定だったのが一週間に延長され、われわれは互いに成功を喜び合ったものだが、ある朝、ふたりの招かれざる客が私の夢を打ち砕いた。彼らはメデジン警察の者で、私に差し出した手は握手のためではなく〝強制出頭命書〟を私に突き出すためであった。

逮捕されても平気　新聞記事もスクラップ・ブックに

警察に〝強制出頭書〟を突きつけられた私は、恐怖におののき、取り乱してしまった……と書いた方が、よりドラマティックで、ストーリーとしても効果的だろうが、実は必ずしもそうではなかった。

「出頭の理由は？」との私の問いに警察官も「ボゴタ市の外国人警察署（外国人を管理する警察署）のボスから、あなたの身柄をあちらの署に送検するよう連絡があったのですが、どうもあなたはこの国では仕事をしてはならない立場にあるらしいのですな。われわれも詳しいことは聞かされていないのですが……」と恐縮したように答えた。

私には事の成り行きがすぐに察せられた。警察の訪問は決して青天の霹靂(へきれき)ではなくこんな日もいつか来るのではないかと漠然たる不安がいつもつきまとっていたから、意外に冷静でいられたのである。

だからといって、私が〝すねに傷持つ身〟であったわけでもない。

「私は正式な仕事のビザを持っていますから、出頭の必要はないはずです」と突っぱねると「われわれとしても、ボゴタからの指示に従っているだけでして……」とふたりの警察も半ば面倒臭そうで、TVドラマの犯人逮捕場面のように私を威嚇するような態度を示すでもないので、余裕の出てきた私は、こう考えた。

〝一年前メキシコで一時逮捕された時、ギャーギャーわめいたことで何の得になったろう？　今こそあの教訓（？）を役立てるべきだ。この際私は多くを語らず、すべてプロモーターのカイセード氏と当地の主催者に解決を委ねるのが早道だろう。劇場の前売りも三日後の分までかなり売れているそうだから、私をこのまま警察側に引き渡して損をするようなことはプロモーター側もしないはずだ。〟

はたして私の強制出頭は三日間延長が許されたが、その陰では〝おエライさん〟と金の力がものを言ったらしい。

翌八月二四日付けの新聞は、私が逮捕されたことを報じたが、実際にまだ逮捕されていない当の本人は、新聞ボックスでそれらを大量に買いあさり、ホテルで切り抜きを楽しんでいた。幸か不幸か、まだスペイン語新聞をスラスラ読めるまでにはいたっていなかった時の私だから、むしろその切り抜きを得意になって宣伝用スクラップ・ブックにはりこんでさえいたものである。日本ではわが母がそれらの記事を「大成功！」とでも報じていると思ってか、きれいに保存していたのを後日帰国後に知った。実はそこに〝シンガーソングライターのフェルナンド・バラデス（206頁注参照）らとメデジンで公演中の日本人歌手ヨシロー・ヒロイシは、昨日早朝にわが国の入国監査局から強制出頭を命ぜられた。彼の立場は予断を許さない〟と（スペイン語で）書かれているのだと知ったなら、母はさぞかしオロオロしたに違いない。また、当然のことながらこのような記事はアーティストにとってマイナスである。後にメキシコでPRのためにこのスクラップ・ブックを某プロモーターに見せたところ、彼はびっくりして「この記事だけは、すぐにでもはいだ方がいい」と言った。

警察署長を煙にまく方法

メデジン公演はさらに延長になり、プロモーター側もあの手この手を尽くして私の出頭を一週間も延期してもらっていたが、私自身はこれ以上の引き伸ばしは危険であると感じていたので、一行がメデジンを発つ八月二九日が身の引きどころ、この日のうちには出頭する意志があることを、この三日前に私自らボゴタの署長に長もわかっていた。

距離電話し、誓っていたのである。その一方、やはり想像どおり、私との契約を不履行に終わらせた、コロンビアでの最初のプロモーター、カルロス・レデールがわれわれ一行の各地での成功をねたみ、首都ボゴタの外国人警察署長を動かした事実もわかっていた。

ドラマティックだったのは、むしろこの朝のメデジン空港での出来事である。前夜に一行はこの地での公演を終え、この日はカリブ海に面した美しい観光地カルタヘナに出発するため空港に来ていた。一方の私は彼らと別れてボゴタへ発つべく、すでにチケットを買い搭乗手続きも済ませていた。

ところが私の身を案じてくれたバンドメンバーが実力行使に出て、最後の最後まで私のボゴタ行きを妨害したのである。バンドメンバーは「行くな、危ないから」と、タラップに上りかけた私を引きずりおろした。いつもはクールな踊り子のリリアン・キャロルが、半泣きで私の搭乗券やバッグを取り上げたのを、私は取り返し、ボゴタ行きの乗客のひとりとなったが、仲間がこれほど取り乱し、私のボゴタ行きを阻止した意味が、後々になってわかった。この国の事情をよく知る彼らは危険が迫っているであろうことを予測していたのである。

この騒ぎでボゴタへの便は一時間近くも出発が遅れたが、ただひとりの乗客も私に文句をつけなかった。日本では考えられぬことである。

その日の昼下がり、ボゴタ外国人警察署長室で、私は二〇日ぶりにレデールと対面したのだが、それは前に述べた〝ウンコ論争〟をはるかに凌ぐ醜いものであった。

「セニョール・ヨシロー、あなたはセニョール・レデールとの契約を完了しないまま、他のプロモーターとの興行活動に入りました。そこでレデール氏から要請があり出頭してもらったわけですが、あなたは強制送還されることになるでしょう」

との署長の言葉で、争いは始まった。

私はこの時ほど、己のスペイン語の未熟さを口惜しく思ったことはない。つたないスペイン語で自分の正当性を主張してみても、レデールの一言が全てを覆してしまう。

「署長、カルロス・レデール氏との契約は二〇日前に完了しました。その件は出演先に問い合わせていただければ明瞭です。ですが、このカルロス自ら、その契約書は無かったものとし、今回は口約束で仕事をしたことにしてくれと言ったのに、今さら契約不履行をうんぬんするのは、納得ができかねます」と主張すると、すかさずレデールが口をはさんだ。

「何を言う。ここにれっきとした契約書があるじゃないか！」

「もちろんだとも。だけどこの紙切れを認めたがらなかったのは、カルロス、あんたの方じゃないか」

「ハハハ……署長、この日本人は相当タチが悪いようですよ」

私は完全に罠にはまったようである。理路整然と署長に陳述したくとも、私のスペイン語は貧しすぎ、一方のレデールにとってスペイン語は母国語だから、何一つ苦労なく弁舌さわやかだ。そればかりか、所長とレデールは古くからの付き合いだそうで、ふたりがグルになっているのは歴然としていた。

「いいかね、ヨシロー、君は二週間の私との契約終了後も二か月間は、コロンビア及びペルー国内での興行活動が私の許可なしに出来ぬことを知っているかね？」

「契約書にはそう書かれている。だけどカルロス、あんた自身が認めなかった契約書の内容を今更うんぬん言うのはナンセンスじゃないかね」

「おや、いつ私がこの契約書を認めないなんて言った？」

「このウソつき！　仮にその契約書が有効だとしても、あんたはそこに記載されている二週間の出演料の半額しか払ってくれなかったじゃないか。ということは、違反を先にしたのはあんたの方だよ」

「残りの金は払うつもりで準備してあったんだ。だけど君はそれを受け取らないで、勝手にカイセード氏と仕事を始めた」

ああ言えばこう言うで、私の主張は退けられ、署長は「あなたが強制送還されることは明白ですな」と宣言した。

「喜んでこの国から出て行きましょう。こんな不愉快な思いをするなら、その方がよっぽどマシです。ただし、送還ではなく、出国にしてください。行き先も自分で決めます」

「それは身勝手というものですな。強制送還だけでなく、事情を綿密に調査する間、留置するということも考えねばなりません」

「この国には罪もない人を留置することが可能な法律があるのですか？　私は一刻も早くこの国から出て行きたいのです」

「セニョール・ヨシロー、私はあなたを困らせるつもりはないのです。そこで、どうでしょう」

署長の態度が変わった。

「もう一度セニョール・レデールと話し合ってみては」

「それは、どういうことですか？」

そう答えたが、私にはすでにその意味がわかっていた。

「あなたはまだ若い。将来もある。この国でも人気が出てきたのを私は知っている。もしあなたが望むのなら、このまま成功に包まれた巡業を続けることも可能ですよ」

「……つまり、金で解決をしろということですね」

すかさずレデールが口を挟み込む。

「それが最良の方法だと思うがね。あの後私は君のための仕事も用意していたんだが君はいなくなってしまったし、私は君のことで損をしたんだ」

「カラーホ（ファック）！　あんたに金を出すより、この国を追い出された方が、よっぽどせいせいするよ」

「やれやれ、わしはお前みたいな悪がしこいアーティストに会ったのは初めてだよ」

「それはこっちの言うセリフだ。カブロン（オタンコナス）！」

私は言葉の不足を補えない口惜しさのあまり、日本語に訳したら表現できぬほど卑しい意味を持つカラーホやカブロンを連発しなければならなかった。カイセード氏との興行が不成功だったら、こんなトラブルに巻き込まれることもなかったろうが、新聞は「大成功」と全国紙で書き立てる。それを目にしたレデールは自ら破棄した契約書を持ち出し、私から契約違反金をせしめよう、もっとはっきり言えば、警察がらみでゆすろうとかかったのである。その提示額は四五〇〇ドルであった。

「今払えば、すぐにでも君は釈放される。一六時発のカルタヘナ行き最終便に間に合うから、君は今夜のショーに出演できるよ」と、先方は一行のスケジュールや航空便の時間まで詳しく調べていた。

「私は金を持ってはいない。第一、公演の途中でここへ連れてこられたんだから、出演料さえ全額もらってはいないんだ」

「カイセード氏が払ってくれるさ。彼だって君がいなくて困っているだろうから」

レデールは言いたい放題だが、新聞がセンセーショナルに書き立てるほどには興行収入はあがっていなかったので、カイセード氏が払うなどあり得ぬことである。

だが、このままでは〝契約違反〟のかどで本当に留置されてしまうだろう。レデールの真意は、私を追い出すことではなく、金をせしめることにあるのだから、むしろ私をこの国に繋ぎとめておきたいのである。

人間、窮地に押し込められると、色々考えつくものである。ここで私は、一大ボラを吹くことにした。

「日本政府は、国外でのアーティストの活躍には文化交流の意味からも特に力を入れていますので、私のコロンビアでの芸能活動を非常に喜んでくれています。私は、日本ではスーパースターですから、それくらいのハシタ金なら日本大使館が貸してくれるでしょう。ただし二日間の猶予をください。もしその期限内にお金を用意できなかった場合は、私をどう扱っても構いません」

大活劇はなかったけれどスリリングな国外脱出

警察署長ともあろう人が、どうして私のそんなセリフに騙されたのか、今もって不思議なのだが、とにかくその言葉が効き、私は大使館に駆け込んだ。大使館側も初めは半信半疑だったが、私を保護し、大使館の顧問弁護士アルバロ・エスゲーラ氏を相談役として選んでくれた。

もしこの時、アルバロとの出会いがなければ、私の立場はどうなっていたかわからない。彼は職業的なカンで全てを察し、私をホテルから連れ出すと、他ならぬ彼の自宅にかくまってくれたのである。

三日間の調査で彼が言うには、私は法律的に潔白であり、むしろ訴えられるのは彼の方であるということだった。契約違反、出演料未払い、名誉毀損、公演中止による経済的精神的損害の理由で、私はレデールに対する訴状にサインした。どうせ勝訴したとて日本円で五〇万円もらえるかどうか、それも日本でのこのようなケースの通例から推せば一％の可能性もないので、気軽なサインだった。

そしてもう一つ、これは民事的問題なのだが、先方が刑事扱いにしていることで、警察に連行でもされたら容疑を晴らすまでに運が悪ければ一年いや一〇年だってかかりかねないと、この国の事情を話してくれ、一刻も早く国外に出るのが安全だということだった。期限日は過ぎており、警察の目に止まったら即刻逮捕と留置は確実だった。さらに、コロンビア国内の主要空港からは、私が出国できないと既に入管出国係に通知が入っていたと聞く。はじめ考えたのはパナマかベネズエラとの国境から脱出するプランだったが、その後の交通の弁や、ましてそこまでの道中で捕まる恐れもあるのでやめにした。やはりボゴタから出るしかない。

ところが、そのどたん場になって一番うろたえたのは、出国手続きに必要な書類がレデールのオフィスにあったこと、出国のサインをもらうには外国人警察署に行かねばならぬことであった。名弁護士のアルバロも、これには困り果てたようで、予定はここで一週間延びた。

アルバロは色々試みたようであるが、私が今でもはっきりと覚えているのは、お人好しでわずかの期間交流のあったレデールの秘書を買収して書類を入手したこと、そして、アルバロは相当優秀な弁護士かつ当時の大統領とつながっており、あらゆるトリックを使ったことである。どうしてあの硬いガードをすり抜けて国外に出られたのか、今以て不思議でしょうがない。しかし、ボゴタのエル・ドラード空港に着いた時は緊張のあまり立っていられぬほど気分が悪くなっており、追手を考えて飛行機の出発ギリギリに駆け込んだ。

その五年後、忘れかけていた頃に数千万円もの大金で勝訴したという知らせが届いた。麻薬カルテル、反政府軍と政府、そのどれもが三つ巴に絡んだコロンビア史上でも大きな事件に発展していたのだが、その時のスリリングな出来事は後々に書くことにしよう。

ティファナの町に入るときはいつも無一文の私

九月八日、メキシコへ向けて発った私の懐中にはわずかな金しか残されていなかった。

当面の問題は、メキシコ・シティからロサンゼルスへの航空券の費用であった。

こんな傷心で帰国するのはいかにも不本意だが、もう一度メキシコで勝負する気力とてなかったのである。それでもモンテレイの前回出演したクラブが快く再出演をOKしてくれた。

モンテレイからロサンゼルスまではメキシコ・シティからよりも近いし、二週間の出演で帰国の費用もできる、万事好都合と思ったのも束の間、そのクラブは私の出演中にユニオンへの出演料税金滞納のため、営業停止を食らってしまった。

懐は一層淋しくなったが、クラブのオーナーの計らいで、次はアメリカとの国境の町ティファナへ発った。

一年前この町にたどり着いたときは無一文、そこへ再び同じ状態で戻ってきたのも、皮肉な巡り合わせである。前回と違っていたのは、新聞が私のティファナ入りを歓迎する報道をしてくれたことだった。かつてアベリーナ・ランディンとともに歌ったクラブ、「シャンテクレアー」への出演が決まっていたからである。ところが、ここでも私はダブルパンチをくらい、もう踏んだり蹴ったりであった。

「シャンテクレアー」出演の三日前、楽屋入り前の早い時間、すでにタキシードに身をつつんだ私は、シーザー・ホテルのレストランでラウル・ミラモンテス氏との再会を楽しんでいた。金を盗まれ、このホテルのロビーで途方に暮れていた一年前、声をかけてくれたのが彼であり、その後彼のクラブに出演したのが、メキシコ国内でのデビューだった。

テーブルを回って歌うトリオが、われわれの席に来た時「どうだい、久しぶりに一曲」とラウルにうながされ、私は気軽に歌い出した。それに、たまたま日本人団体客も居合わせたので、つい熱が入ってしまい、三〇分近くもワンマン・ショーみたいなつもりで歌ってしまった。

その夜から私は「シャンテクレアー」出演をキャンセルされた。契約期間中、ライバルのラウルの店で歌ったのがすぐに伝わり、オーナーの癇に障ったらしい。もちろん私はあくまでお遊びのつもりであり、出演料をもらったわけではないが、熱の入った歌いぶりと、その上にタキシード着用とは度が過ぎていると受け取られ、契約違反を申し立てられたのである。が、それは表向きの理由に過ぎなかった。度重なるダメージでボロボロにくたびれていた私は、かろうじて声が出るといったひどいステージぶりだったので、「シャンテクレアー」はこれ幸いと、体よく私をクビにしたのである。

八方塞がりの私は気分を変えようと、近くのカウンターバーへ立ち寄ったのがさらに運の尽き。

隣にサンディエゴに停泊中のアメリカ海軍の若い兵隊がひとりで飲んでおり、脈絡もない話を続けているうちに、相手の酔い方が尋常ではないのに気づいた。聞いてみたところ、睡眠薬らしきものとアルコールを併用し「天国にいるような気持ちになるんだ」と言う。「どうだい?」と私に一錠勧めてきたが、断る理由とてない。

睡眠薬とアルコールを同時に飲むと、どれだけハイになるかは、東京で幾度も経験していたので躊躇なく口に放り込んだ。

それから何時間飲んだのかも記憶にないが、やたらに多幸感に包まれ、訳のわからない話を続け、気がつくともうバーの外には朝が訪れていた。

場所を変えて私のホテルのプールサイドで朝食をとりながらもハイの状態は続き、気が付くと太陽は沈み夕闇が迫っている時間だった。米兵もいつの間にかいなくなっていた。

その二日後、後ろ髪を引かれる思いで帰りたくない日本へと向かった。

LAからサンフランシスコに向かう空港で、三個で六〇キロもあるスーツケースをチェックインのため並んでいたアメリカ人の品のいい若いジェントルマンに「このスーツケース、あなたの分として預けていただけませんか?」とお願いしたところ、「OK」とごく当たり前のように快諾してくれ、おまけに手荷物まで持ってくれたのである。私は一年半分の荷物を担ぎ屋のように持ち、二、三メートル歩くのにもヨロヨロするざまだったのだが……。サンフランシスコへ向かう機中、ジェントルマンとの会話で、このパン・アメリカン航空機をサンフランシスコから操縦してきたのは他ならぬ機長である彼であり、LAで仕事明けになり、客席に座っているということがわかった。飛び上がるほど驚いて謝る私に彼は特に気にする様子もなく、「大丈夫ですよ」を繰り返す。私が図々し過ぎたのか、または当時のアメリカの空港がユルすぎたのか、これが六五年のアメリカであった。

初めての凱旋帰国？

一九六六年秋、それはそれは大きな夢を抱き一年半ぶりで羽田空港へ降り立った。大勢のカメラマンや記者が待ち構えているような錯覚を愚かにもおぼえたが、待ち構えていたのは私が一〇代の頃から何かと気にかけてくれた小澤惇（おざわあつし）氏（小澤音楽事務所社長）と私の記事を常に発信してくれた、後に日本の音楽プロデューサーのトップになる小西良太郎（こにしりょうたろう）氏、そして私の家族であった。

出国ロビーに出るなり皆私の姿を直視できず、笑うというより泣きたい程恥ずかしかったという。というのも背広の上にポンチョを二枚も重ね、頭にメキシコとコロンビアの民族的な帽子をかぶり、さらに一年半の旅で荷物が多くなりすぎて、トランクに入りきらなかった服を全て着込むという、思いっきり目立つ格好をしていたからである。

休む間もなく毎日小澤氏の事務所へ行ってはＴＶの番組は入っているか、レコーディングはどうなっているか、などと矢継ぎ早に催促し小澤氏を悩ませたものである。

間もなく、数々の映画に出演しシャンソン歌手としても活動していた人気女優、島崎雪子（注）が銀座に「エポック」という大きなライブハウスを開き、小澤氏の事務所と提携した縁で私はそこに美輪明宏、菅原洋一（注）と同じ扱いで定期的にゲスト出演するようになった。

前記のふたりに比べれば私は全く無名であったが、オーナーの島崎雪子がとても私を気に入り「小澤さん、私も応援するから何とかヨシロウさんを売り出しましょうよ」と熱を入れてくれ、自ら出演する日は私を引っ張りだしては、『キエン・セラ』などをデュエットする日もあった。

ある日、店側の手違いで私が出番の日に美輪明宏もブッキングしてしまっていた。軽いリハーサルの後、美輪さんに「今夜はあなたが出番なんだからトリをとるのはヨシロウさんよ」と言われ、びっくりして「と〜んでもない、天下の美輪さんと出て私がトリなんかとれるはずがないじゃないですか、それに美輪さんのような派手なステージの後に歌ったら私がしぼみすぎちゃいますよ」と辞退したが、「それにしてもたった二年でどうしてこんなに上手くなれるのかしら。今のあなたは行く前と比べてまるで別人ね」と言われたのを私は今も折につけ思い出す。

高松のキャバレーに島崎雪子と出演した時のこと。店の前に着くと、大きな垂れ幕に〝NHKのアナウンサーで海外でも大成功した歌と三味線のヨシロウ広石〟と、これでもかと大きな字で書いてある。どうやら三味線を持って撮った海外での派手な宣材写真がプロダクションを通してキャバレーに送られており、さらにプロ

島崎雪子（1931-2014） 俳優座出身の女優、後にシャンソン歌手。主な出演作は『七人の侍』『めし』など。夫は映画監督の神代辰巳。

菅原洋一（1933-） オルケスタ・ティピカ東京出身の歌手。『知りたくないの』『今日でお別れ』の大ヒットで有名。

フィール欄の〝NHKの『歌の広場』に出演〟という文句がかなり曲解されて伝わっていたらしい。島崎さんは笑っていたが、私は真っ青になり言葉を失ったのだった。

もう一か所、小澤氏が用意してくれた出演場所が渋谷にあった「ディノス」である。女性ファッションモデルが経営者ということで客は当時の男女一流のファッションモデルが多かったが、東京公演で来日中のラテン系のアーティストも多く集まってくれた。私も日本人のお客さんに無理してレパートリーを合わせなかったのが功を奏してジャズファンやプロの歌手達が連日遊びに来てくれ、週末には日本公演中のアルマンド・オレフィチェ&ハバナ・キューバン・ボーイズ（注）のメンバーの何人かが来てセッションが始まり、それを見たさに客が客を呼ぶ、という日もあった。

当時のトップ俳優岡田眞澄（おかだますみ）（注）が私の歌を気に入り、足を運んでくれたのも今は懐かしい。あの頃の二枚目俳優はイケメンという言葉が安っぽく響く程で、フランスのトップ女優が彼を追っかけていたというのもこの頃話題になった。

一方、私の友人の歌手ふたりを小澤氏に紹介したところ、すぐレコードデビューとなり、売れ出したのを知って私の思いは複雑だった。

そのうちのひとり、浅川（あさかわ）マキ（注）は地味ではあるが、黒人的なテイストで彼女なりのジャンルを確立した『夜が明けたら』『港の彼岸花』などのヒットを飛ばし、

アルマンド・オレフィチェ&ハバナ・キューバン・ボーイズ Armando Orefiche & His Havana Cuban Boys
アルマンド・オレフィチェ（1911-2000）が率いるキューバの歴史的バンド。

岡田眞澄（1935-2006）
〝ファンファン大佐〟で有名な男優。

浅川マキ（1942-2010）
石川県出身のジャズ、ブルース、ゴスペル、フォークソング歌手。池袋文芸坐で行われる大晦日のコンサートは恒例であった。

その後、吉田拓郎その他日本のフォークの人気歌手とジョイントしたりで一線に昇りつめた。

丁度私が帰国した頃、菅原洋一の『知りたくないの』が売れ始め、紅白歌合戦にも出場が決まっていた。小澤氏に「広石、菅原がかなり売れ始めたから会社も少し潤ってきた。その金をお前の売り出しにつぎ込むから一年待ってくれないか」と言われたが、「はい、待ちます」とは素直に答えられなかった。

当時のヒットメーカーの中村泰士さんが私の為に作ってくれたラテン歌謡風のテスト録音をしてみたが、何度やってもうまくいかず、スタッフ一同、私のラテンのフィーリングと比べて、どうしてこんなにも違うのだろう？　と首をかしげるも当の私は、これ以上うまく歌えない、日本語の歌い方を勉強してこなかったので、歌い方がわからない。これでは日本人の心を揺さぶることなど無理だろう、と妙に納得するのだった。

私はすでに日本での活動の難しさを感じ始めていたので、小澤社長に暫くお休みをいただくことにした。

その頃毎月開かれていた『ラテン騒会』というカジュアルなパーティーで、私が松岡直也(注)氏の伴奏で歌っているところにたまたま居合わせた東京キューバンボーイズのマエストロ、見砂直照氏が「ヨシロウ、歌が変わったねえ」と喜んでくれて、それを機会にＮＨＫラジオ、ＴＢＳラジオの生録音に度々起用してくれ、時

松岡直也（1937-2014）
松岡直也＆ウィシングを結成。独自のラテンフュージョンで日本の音楽界を牽引し続けた。

には二、三週間のコンサートツアーにも声をかけてくれるようになったが、とても可愛がって下さった反面、音楽には厳しかった。

ある名古屋でのコンサートのこと。その日は六曲歌う予定だったのだが、二曲目が終わったところで私に近づいてきて、「今日はうまく歌えてないから次の曲で終わりにしよう」と優しい声で耳打ちされた。この夜の経験がその後どれだけ役に立ったことか。私が中南米で歌ってきた、当時の日本には無かった最先端のアレンジのラテンを、このベテランのマエストロが「我々もこういうものをどんどん取り入れなければ」と言って自分達の音楽に取り込み、彼らのレコーディングにも積極的に私の歌を入れてくれた。その音楽への情熱に私は心を打たれ、尊敬の念を抱いている。

小澤氏からも「戻ってこい」と度々電話をいただいたが、日本の音楽業界の現状がわかり、また日本語で歌うことの難しさも痛感していたので、丁重に断った。

海外へ再び出ることを考えていたのである。

1966年 コロンビア パルミーラ市の闘牛場にてファンと

1966年 コロンビア メデジン

1966年 コロンビア メデジン2

1966年 コロンビア メデジン3

1966年 コロンビア メデジン空港

第８章

メキシコオリンピックの年に

列車をぶつけたのは運転手だ　オレの知ったことかい！

激しい音を立てて列車が傾き始め、私はとっさに寝台の手すりにつかまりながら、列車が川か谷底に落ちさえしなければいいと、ひたすら祈った。自分の乗っている列車が脱線して走っていることは闇の中でもすぐに気がついた。一九六八年四月七日、早朝のことである。

目が覚めて、列車が止まるまでは十数秒ぐらいだったろうか。乗客の叫び声や、うめき声がすぐに聞こえてきた。前の車両に乗っている家族を心配してひとりの婦人が泣き叫んでいるが、隣の車両へは行きようがない。

後で見たら、その連結部分は無残にも変形していた。

時計はまだ朝の四時を過ぎたばかりで、外は暗い。私を含む同行の日本人四人はみな無事だったが、誰もが「あいた、あいた」と言いながら顔や足をさすっていた。しばし、驚きを語り合った後「救助の人が来るまで、もう少し眠っていよう」と私は三人をうながし、傾いた寝台にかろうじて身体を横たえ、そのうちに眠り込んでしまった。

〝自分の歌は、日本では一〇年も進んでいるから、外国で仕事をすべきだ。〟若い情熱が有り余っていたので、それをうぬぼれと感ずる余裕もなく、こんなことを本気で考えていた私は、要するに日本では売れなかったから焦って二度目のラテンアメリカへの旅に出たのだ。今回の旅はピアニストの林梓氏が同行してくれた。一年半ぶりに再びメキシコ入りした私は、すぐモンテレイ市に飛び、TVの録画撮りをすませて、メキシコシティーに帰る一〇〇〇キロ余の列車旅行中、この脱線事故にあったのである。前の車両三台が横転していたので、かなりの大きな事故であることは想像していただけると思う。

再び目が覚めた時は、八時半になっていた。

「救助なんか来ないじゃないか」

メキシコが初めてなら、スペイン語だって分からない不安げな林さんの顔が私をのぞいていた。

「これがメキシコだよ」と、すまして言ったものの、正直言って私も驚いた。

われわれが驚いたのは、事故そのものよりその後の乗務員や乗客の態度である。これだけの大事故に遭いながら平然と眠り続けた私も私だが「お怪我はありませんか?」と尋ねに来ない職員もあんまりである。やっと来た車掌に事故の原因を聞いても「さあ、それは運転手のやったことですから、私にはわかりませんねえ」と呑気なものだ。他の乗客もそれ以上詰め寄ったりしない。

「救助の人は?」

「もう来ましたよ。死者やけが人を運んで帰りました」と車掌。

「われわれをどうして救助してくれなかったんですか?」

「だって、あんた達ゃ、自分ではい出て来たじゃないですか」

「………」

この会話だけでも、日本では問題になって何日もワイドショーを賑わすだろう。それればかりではない。こんな車両の中にいても仕方がないから外へ出ようと、荷物を列車から運び出してもらったら、ポーターにチップを払わせられた。迷惑の責任はそっちにあるんだぞ、と文句の一つでも言いたくなるが、それは日本人の考え方であって、ポーターに言わせれば「この事故は自分が起こしたものではない」となる。

テーブル上のコップがかろうじて倒れない程度に傾いており、それでも脱線車両の中では一番傾きの少ない最後尾の食堂車で朝食をとったが、料金はたっぷり払わされ、その上チップを置く羽目になった。

村人達の行列が、手に手に花を持ち、抑揚のない歌を合唱しながら、どこからともなく現れ、暫く見物してはやがて列車の下を潜って、また山の麓まで立ち去って行った。ちょうど日曜日であったので、教会へ礼拝に行く途中だったのである。

九時半には迎えに来るはずのバスは、一一時になっても来る気配はない。なのに乗客は誰ひとりとして邪険な顔をしない。

それでは、この間彼らはどうしていたかというと、木陰の広場に陣取り、ハイキング気分にひたっていたのである。ポータブル・ラジオに合わせて踊り、歌い、ビールやジュースでちょっとした屋外パーティーだ。

何から何まで日本では決して決してありえないことである。メキシコ人の精神構造はいったいどうなっているのであろうか。

われわれももちろん屋外パーティーに加わったが、やたらと口をついて出る言葉は、「驚いたなあ、まったく」であった。

この時の事故は、メキシコ・シティから北へ三〇〇キロほどのグアナフアト州リンコンシージョという人里離れた地で起こったが、新聞やラジオではほとんど報道されなかった。聞くところによればこの鉄道がメキシコ国有鉄道、つまり政府のものなので、上から圧力がかかったのだという。この事故を思い出すにつけ、わずかな列車の発着の乱れにも職員につめよる日本人、それを大きく報道するわが国の新聞やＴＶ、何か考えさせられるではないか。

進んでいたと思ったら一年半の間に一〇年も遅れていた

五月三日、私はメキシコ・シティの「クラブ・テラーサ・カシーノ」に念願のデビューを果たすことが出来た。

このようなクラブは、ひとりあるいは一組のアーティストが何分かの持ち時間をつとめると他のアーティストに変わる。それが順ぐりに続いて行くので全員が同じステージに立つことこそないけれど、出演者の数は実に多い。しかも一級クラブであればあるほど一流どころのそうそうたるスターを揃えるのである。

この時の「テラーサ・カシーノ」の私の共演者は、ソロ歌手が当時の花形マリア・ルイサ・ランディン、マグダ・フランコ(注)、フェルナンド・フェルナンデス(注)、コーラスグループがエルマナス・アギラ(注)、エルマノス・レジェス(注)、トリオ・ロス・パンチョス、アメリカからのブレントン・ウッド(注)とリトル・リチャード(注)、スペインのペドリート・リコ(注)、プエルトリコの官能美人ルーシー・ファベリー(注)その他多数で、半分は私が日本でレコードを持っているほどの知名度を誇るアーティスト達だった。

けれども一流の歌手達と同じステージに立ったからといって、自分もまた一流であるとは言えないことが、遅ればせながら私にもわかるようになっていたので、もはや以前のように浮かれて日本の新聞社へ記事を送るようなことはしなかった。

真の意味で、そして歌手としても人間としても勉強になったのは、この二回目の旅である。けれど、一年半の空白のうちに、メキシコの音楽界はガラリと変わっていた。日本のラテン音楽は一〇年も遅れている、そして日本のラテン音楽のレベルより一〇年進んでいると公言した私の音楽は、ここメキシコでは反対にかなり遅れている感があった。

マグダ・フランコ
Magda Franco
ドラマティックな歌唱法で一世を風靡したメキシコの女性歌手。

フェルナンド・フェルナンデス
Fernando Fernandez (1916-1999)
〝メキシコのザ・クルーナー〟の異名を持つ歌手・俳優。

エルマナス・アギラ
Hermanas Águila
マリア・エスペランサとマリア・パスの姉妹デュオ。

エルマノス・レジェス
Los Hermanos Reyes
メキシコの3人兄弟ボーカルグループ。

ブレントン・ウッド
Brenton Wood (1941-)

メキシコオリンピックと私

一九六八年はメキシコオリンピックの年である。

当時はアメリカとの関係も悪くなく、経済的にもある程度安定していると私は思っていたのだが、貧富の差は大きく、政府への不満、その他の問題に怒りを持っていた国民が立ち上がり、若者を中心に連日激しい暴動があったので、友人達から外出は気をつけるようにと注意されていた。

暴動での死者数は四〇〇人から五〇〇〇人と報道され、一時は開幕さえ危ぶまれていたほどだ。

私は開幕直前からメキシコシティーの中心にあるホテルのレストランシアターで歌っており、新聞のショー案内も後押しし、連日思った以上の集客があった。その中には日本人オリンピック選手やコーチ陣の顔もあり、戦後初の日本人水泳金メダリスト古橋廣之進（ふるはしひろのしん）(注)氏、体操選手のメダリスト遠藤幸雄（えんどうゆきお）(注)氏他そうそうたる一行で私達を応援してくれたのだった。

短い会話の中でだが、古橋氏が戦後初の水泳世界記録保持者だったのを子供心ながらに覚えていて、当時の日本人に夢を与えて下さった事など話して行く中で、「あなたのような若者がこの時代に海外に出て挑戦しているのを知って、反対にはげまされているのは私達ですよ！」とおっしゃってくれたのだった。それが社交辞令だ

ルイジアナ生まれのポップソウル歌手。

リトル・リチャード Little Richard (1932-2020) ロックンロールの草分けのひとり。ゲイであることをカミングアウトし派手な衣装と化粧で全世界を席捲した。

ペドリート・リコ Pedrito Rico (1932-1988) スペイン生まれだがアルゼンチンで活躍した色男歌手、俳優。

ルーシー・ファベリー Lucy Fabery (1931-2015) 〝チョコレート人形〟の愛称を持つプエルトリコ人歌手、女優。

古橋廣之進 (1928-2009) 〝フジヤマのトビウオ〟

としても、日本を代表して来ているこの選手やコーチの言葉が、いつも希望と恐怖のはざまで歌っていた私をどれだけ勇気づけてくれた事か。

マラソンの日、私は沿道で応援していたのだが、君原健二(注)選手が走り過ぎるのを見届けると、そのままタクシーを拾いゴールのスタジアムの入り口で待った。

興奮して外まで出て来た観客を会場の中に押し込む係員を横目に、私はそっとその中に紛れ込んでスタジアムの中に入り込み、ばれないよう観客席を半周して、ちゃっかりと一番いい席に座った。

君原選手は二位入賞、銀メダルを獲得した。その姿を見て、私は異国でのやりがいはあるが、明日の保障もない自分の苦労を勝手に重ね、胸に熱い思いがこみ上げてくるのだった。

このオリンピックでは、アメリカのアフリカ系短距離選手の金、銀メダリストふたりが表彰式の国歌演奏の最中に黒い手袋をはめたこぶしを突き上げて、米国の人種差別に抗議したのである。このシーンは世界中のTVで報道され、大きなニュースとなった。

メキシコ人は普段はそうでもないけれど、オリンピックの期間中、スペイン人の選手が出る競技では、最大限の憎悪で彼らを罵倒したのを目の当たりにして、私も驚いた。つまりメキシコ市を中心にかつて栄華を誇った先住のアステカ帝国、ユカタン半島のマヤ帝国他をスペイン人に征服された苦い思いが、こうゆう時に爆発す

の称号を持つ世界的スイマー。JOC会長、国際水泳連盟副会長などの要職を務めた。ローマでの水泳大会中に突然死

遠藤幸雄 (1937-2009) 秋田県出身の体操選手。東京オリンピックで個人総合優勝。養護施設出身という境遇で死去するまで養護学校に寄付を続けた。

君原健二 (1941-) 小倉出身の長距離走選手。東京オリンピックで8位、メキシコオリンピックで2位、ミュンヘンオリンピックで5位。75歳になってもフルマラソン完走を果たしている。

るのだ。何かと考えさせられるオリンピックだった。

ショーの最中にカーテンが落ちてきた

どんな歌手にでも、長い芸能生活の舞台での失敗はあるものだが、私のそれはいささか頻繁すぎ、しかも度がすぎていた。

一九六八年五月三日、メキシコ市のクラブ「テラサ・カシーノ」に初出演した私は、その契約が延長になるとともに、まもなくレストラン・シアター「ロス・グローボス」にも掛け持ち出演する機会に恵まれたが、そこでの初日に大きなヘマをやらかしたのである。

私のショーの終わりは、サンバ『トリステーザ』(注)であり、フィナーレにふさわしく八人のダンサーがからんで踊り歌うのであるが、振付師が私の踊りの実力範囲を超えた振り付けをしたことから悲劇は起きた。

間奏で八回ターンをするように決められていたが、四、五回ほどターンしたところで、もういけません、どこが正面だかわからなくなってしまったのである。しかもその場所がカーテンのすぐ前だったのが運のつき、回る時に弾みをつけ、両手でカーテンを巻き込み、それでもさらに回そうとしたから、私は完全にカーテンの中に迷い込んでしまった。網にかかった動物のごとく慌ててもがき、カーテンを力一

『トリステーザ』Tristeza
1960年代のハロルド・ロボ、ニルティーニョ作のサンバのヒット曲。セルジオ・メンデスやアストラッド・ジルベルトなどカバーは枚挙に暇がない。

杯引っぱったものだから、もともとチャチに出来ていたのかどうか、あっという間にカーテンは落ちて来たのである。客はもちろん驚いていたが、私が期待（?）したほどは大騒ぎにはならなかった。前記の列車事故と同じで、カーテンの付け具合が悪かったぐらいに思っていたのではなかろうか。

カーテン事件といえば、もっとあわれだったのが、日本にも度々来たことがあるキューバ出身のピアニスト、ハバナ・キューバン・ボーイズのアルマンド・オレフィチェ氏である。私と同じステージではなかったが、カーテン・コールで何度も深々と頭を下げ、その都度どん帳は上がったり下がったり。「いいかげんにせい」とどん帳が怒ったかどうかは知らないが、次にどん帳が上がった時の顔はガラリと変わっていた。アルマンド氏のカツラをどん帳は引っ掛けて、天井高く持って行ってしまったのである。

閑古鳥

日本のクラブやキャバレーは通う客の大半がホステス目的だったので、ショーの良し悪しで客足が変わることはほとんどなかった。ところが、ホステスのいない外国のクラブ等はショーと店のムードだけが売り物であり、アーティストの知名度に頼る部分が大きい。

一九六八年一二月二一日、私はメキシコシティー北西のグアナフアト州レオン市の名も思い出したくないクラブに出演した。なぜなら新聞や放送で派手に宣伝してあるのにもかかわらず、第一回のショーが始まる夜一〇時はとうに過ぎているというのに、テーブルにはひとりの客もいなかったからだ。

一二月はメキシコもフィエスタが多い。「フィエスタの季節だから、客足が遅いんだよ」と店の主人が私をなぐさめるともなく言うが、かえって気まずい思いであった。

「出演料は……」とノド元まで出かかった言葉を私は慌てて飲み込んだ。弱気になった私は危うく「ギャラはいりません」と言いかけたのだった。こうして一回目のショーは中止された。

二回目は一一時からだが、客足はにぶい。

「もう少し待てばフィエスタ帰りの客が来るから」と、その二回目のスタートを一時間半も遅らせ、夜中の一時半に始めたのだが、それにもかかわらず、客は二組しかいなかった。

私は、歌の途中で気を散らせないため、いつも照明係に「客席はできるだけ暗くして」と頼んでいるのだが、この時は最大限に暗くしてもらった。二、三曲立て続けに熱唱（?）し、その後、軽快で誰でも知っているような曲になったので「どうぞ一緒に歌ってください」と客席に呼びかけ、ライトが明るく客席を照らし出した。盛り上がる場面だ。けれどバンドも私も「あっ！」と絶句し、音を止めた。

客席には誰もいなかったのである。

〝ジョーが遅れたのに客は立腹〟して歌が始まると帰ってしまった、と店主は言い訳をし、私もその場はそう信じているふりをして白けないよう努力をしたのであるが、もう恥ずかしくて大急ぎで着替えると、すっ飛ぶようにホテルへ逃げ帰った。

詳しく説明すると、メキシコ市のクラブに出演中だった私のショーを気に入ってくれたこのクラブのオーナーは、今回の出演までにメキシコ市で放送中だった私のＴＶ出演番組がこの地域で放送されると踏んでいたのだが、実際にはこのクラブに出演した一週間後に放映されたので、この時点で私は全く無名だったわけだ。それにこの日、同市のクラブや劇場にメキシコで最も人気のあるアーティストが出演しているので、そちらに客が流れるという私の心配は的中してしまったのである。

翌日の昼間にこのレオン市の街をあてどもなく歩いてみたが、まるで一七、一八世紀にタイムスリップしたかのような不思議な旅情に包まれた。かつてこの国を征服したスペイン建築とメキシコ独特の色合いがエキゾティックで、歴史的な建築に囲まれた街道が、外から来た人の旅情を掻き立てる。

私のこの地での契約は二日間だったが、二日目の今夜が心配でならなかった。思えば、私の長い歌手生活でこの時程屈辱的だった事はないだろう。今でもメキシコでのこの日を思い出し、もう一度この町で歌い、挽回したいと願う。

二日目のショーは前夜よりは少し多かったが、二〇〇人のキャパに二〇人弱だった。アーティストユニオンを通して契約書を交わしている以上出演料は決められたとおりの額が支払われたが、この親切なオーナーに、私はユニオンには内密にするからと半額を返した。大きな赤字を背負ったであろう事は歴然とわかるし、どちらの責任ではないにしろ全額受け取れば、後々まで悔やむだろうと思ったからだ。

マヤ文明発祥の地　ユカタン半島へ

閑古鳥が鳴いたレオン市のクラブからメキシコシティーへ戻ってまもなく、クリスマス・イブから一週間は、マヤ文明発祥の地ユカタン半島メリダのレストラン・シアター「トゥリパネス」に出演した。

メキシコはカトリック信者の多い国なので、人々はクリスマスを家庭内で過ごす。したがってこの期間を閉店にするクラブやキャバレーも多いが、観光地は例外だ。一二月でも泳げるトロピカル地帯のここメリダは、メキシコ湾からも近く、街を歩いていてもマヤ人のエキゾティックな民族衣装を着た女性達が他のメキシコの地に比べて俄然多かった。男性もグァジャベーラと呼ばれる、トロピカル・シャツを着ており、私も毎日それを着て過ごしていた。

市の中心街では、一五五〇年代に作られたという大きなスペイン建築が今でも使われており、それが銀行であったり、大きなドーム型で天井の高い建築の中には、土産物、食べ物などが売られているマーケットが広がっていたりと、観光客の目を楽しませてくれる。また住宅街ではマヤの様式を取り入れた住居がえも言えぬ異国情緒を誘う。

当時、仲良くなった友人曰く、「我々はマヤ人であり、メキシコから独立したい気持ちがあるんだ」と漏らしたのを私は忘れない。また、ある女性は、「昔スペイン人がマヤの文化を壊した頃多くの人は密林に逃げたのだけれど、逃げ遅れた人はレイプされて今のメキシコ人を構成している七〇％のメスティーソ（混血）になったのよ。でも私の祖先は、ジャングルの奥に逃げすぎてレイプされなかったから、今でも私の家族は背が低く、メキシコシティーに行っても、あたかも貧しいインディオのようにぞんざいに扱われるの」と冗談とも本気ともつかぬ顔で、私に気を許し言うのだった。

ショーに入ってから仲良くなった共演者に、昼はチチェン・イッツァやウシュマルなどのピラミッドや遺跡に案内され、マヤ文明の偉大さを認識するのだった。ユカタンにはジャングルが多く、二〇〇〇年代の今でも小さな遺跡が見つかるのだという。太古の昔、マヤの儀式の中で神に捧げる生贄として、若い男女の心臓を生きたまま取り出し、神に捧げるというのは有名な話だ。儀式の後残った体は、セノーテと呼ばれる湧き水でできた、当時としては深さもわからない井戸に葬り去られるのであった。私も恐々とその井戸を覗き込んだが、その中には金塊や宝石も一緒に供物として投げ込まれたという。

私の出演する「トゥリパネス」は、まず入り口にそれに似た自然の洞窟があり、湧水でできたかなり大きな池があった。メイン・ショーが始まる前に先述した神に捧げる儀式をそこでショーとして見せるのである。演者は若者に見立てたひとりの心臓を取り出し、投げるふりをした瞬間、池が盛り上がり、神がその心臓を咥えながら現れ、口の周りを血だらけにし「ワッハッハッハ」と不気味に洞窟中に響く声で笑い、また池の中に消えていくのだ。私はこれから始まる自分のショーもしばし忘れ、生まれ始めて見る儀式に度肝を抜かれるのだった。

さて、メインステージは、一週間前の屈辱が嘘のように、四、五〇〇人の大入りであった。その代わりここでは連夜〝鳥〟にバカにされ、悔しい思いをした。

ユカタンはファイサン（キジ）が多いことでも知られている。この店のホールにも、天井にまで届く大きな鳥小屋があり、キジをはじめ名も知らぬ南国の鳥がたくさん飼われていた。

その頃の私は、スペインのフラメンコ・ポップス『月と闘牛（ラ・ルナ・イ・エル・トーロ）』(注)がウリで必ず歌っており、エンディングで最後の一音を一オクターブ上げ伸ばすのが、一番の聞かせどころであった。けれどもそれは自分の出せる声の限界に挑戦したものであるので、当然無理があり、調子の悪い時は鳥が首を絞め

『月と闘牛（ラ・ルナ・イ・エル・トーロ）』
La Luna Y El Toro
アレハンドロ・サルミエント、カルロス・カステジャーノス作。ジプシー・キングスのカバーでも有名。

られたような声に聞こえるのである。

デビューした日、初めの数曲は私の歌に聞き惚れていたのか、もしくは眠っていたのか知る由もないが、静かにしていた何十羽ものファイサンが例の場所になると「ギャー」と怯えたように泣き叫ぶ。拍手していた客も途中から鳥小屋の方を振り向くようになり、私も荒れ狂う。二日目、三日目も全く同じで、ウエイター達もこの場面が来ると、一斉に鳥小屋を見るようになった。「鳥のくせにナマイキな！」と私はステージからハッシと睨みつけてやったが、そんなことは役に立たない。

けれども〝彼ら〟は実に正直である。彼らの音感は〝人間さま〟よりも正しいと見た。異常な音波に耐えられなかったのであろう。そうは言っても、たった数秒の声である。それに我慢できぬ鳥どもの〝失礼な態度〟に私は感情を害し、最後の最後までこの箇所はわざと甲高い声で、ついでにボリュームもあげ、やつらを苛立たせてやった。

とはいえ、私はすっかりエキゾティックなこの地に恋してしまい、スペイン語に混じって私の理解できないマヤ語を話す人々の声が聞こえてくると、なぜだか心が安らぎ、すっかり私は優しいマヤの人々のことが好きになっていた。

大女優マリア・フェリックスとメキシコの牧歌的なゆるさ

年が明けて一九六九年一月、メキシコ市のクラブに出演していた時のこと。前の方の席にただならぬ美貌の女性が座り、店中が騒然となっていた。聞きつけて来たのか、ショーの最中にカメラマンが彼女をメインに写真を撮り始めたのだ。特別熱心に私へ拍手を送る彼女につられて、店中の客も同じようにいつもより大きな拍手を送ってくれた。

ショーが終わって楽屋に入るなり、興奮気味なスタッフから、彼女はメキシコ映画の黄金時代を築き、その後ラテンアメリカは無論、イタリアやフランス映画にも出演した、世界的なメキシコを代表する女優マリア・フェリックス(注)だと聞かされた。

もう一度ショーを見に来てくれた際、ゆっくりとお話をする機会を得たが、私の歌うボレロのレパートリーと歌い方がえらく気に入ってくれたのだという。

まもなく、彼女のインタビュー記事に私の歌が好きだということが掲載され、私を知らない人も「ヨシローって誰?」というようなちょっとした話題になり、私にもそのことに関してのインタビューが来るようになった。

当時はエリザベス・テイラー(注)かマリア・フェリックスどちらが美貌の持ち主か、というような議論になるほどの存在であるということは後で知ったことだが、

マリア・フェリックス
Maria Felix (1914-2002)
バスク系メキシコ人の大美貌女優。メキシコ、スペイン、フランス、イタリア、アルゼンチンの映画に出演した。代表作は『フレンチ・カンカン』。

エリザベス・テイラー
Elizabeth Taylor (1932-2011)
イギリス生まれの世界一有名な大女優。8度の結婚と豪華な宝石で、まさに〝歩くハリウッド〟であった。

それを宣伝材料に使おうと、一緒に撮った写真をスクラップブックに貼り付けており、他の女性歌手に「ちょっと借りていい？」と言われ、気軽に貸したところ、二度と戻って来ることはなかった。それだけメキシコ人にとっても価値のある写真だったというわけだ。

後になって聞かされたのだが、TVのニュース番組の男性キャスターが、番組の中で「今日の午後、マリア・フェリックスが八回目の整形手術のために、パリへ発ちます」と話したものだから、それを知った本人が番組生放送中に直接電話をかけ、電話を取ったキャスターに「あなたが例のプロデューサーとデキていることは知っているわよ」と、その男性の名前を暴露し、その声は全国に放送されたという。生々しいといえばそれまでだが、これが人間味のあるメキシコのTV番組なのである。

病気になったら休むべし　今でこそそう思うのだが……

一九六九年一月、私はメキシコのオルフェオン・レコードと二年間の専属契約を結び、ブラジルの名曲『いとしい人の夜』(注)、日本のブルーコメッツがヒットさせた『甘いお話』、『もしもあなたが戻ってくれたら』(注)他を全曲スペイン語で吹き込んだが、なぜだか私の望んだ通りには仕上がらなかった。自分で聞いてみても

『いとしい人の夜』A Noite Do Meu Bem ブラジルのシンガーソングライター、ドロレス・デュランによる1959年作のヒット曲。エリス・レジーナやミルトン・ナシメントによるカバーがある。

『もしもあなたが戻ってくれたら』Si Vuelves Tu イーディ・ゴーメとロス・パンチョスによってヒットしたポール・モリアとラム・モーモディの曲。ラ・ルーペやマリリン・メイによるカバーもある。

〝ヘタクソ〟の一語に尽きる。

さらに運の悪いことに、そのレコードのキャンペーンを兼ねて地方のクラブへ出てみたら、レコードをすっかり盗まれてしまい、慌てて友人に金を送りレコード会社から至急送ってもらうように頼んだが、その信用していた友人にも金を使い込まれてしまい、レコードもないキャンペーンを私は続けるしか方法はなかった。

そのキャンペーンの場所はメキシコ市から一〇〇〇キロ近い場所にある太平洋側のシナロア州の州都クリアカン市にある「トレス・リオス」という名の大きなモーテル内にある洒落たクラブであった。以前にもこのクラブに来たことがあり、とても気に入っていたので、オファーを二つ返事でオーケーしたのである。キャンペーン目的のショーであったが、残念ながらレコードはそこには無く、それでも以前来てくれてすっかり友達になった客も混じり、初日からホットなショーをすることができた。

本来ならば、歌手は客席に座って接客してはいけないのだが、地方であるがゆえにユニオンの見回りもなく、友人になった客達と笑い転げながら雑談をし、お酒に酔うのが私の楽しみであった。

その間も私は金を送ったメキシコ市の友人に連日のごとく電話で催促をしたが、先方はのらりくらりでラチがあかず、結局レコードは送られてこなかった。

ある夜、ショーの後しこたま酔い、私と同年代の友人四人とプールサイドでさらに飲んでいると、いきなりひとりが全裸になりプールに飛び込んだ。それにつられて全員全裸で飛び込む。私はさすがにためらってパンツを履いて飛び込んだ。大声に気がついたガードマンがすっ飛んで来て「深夜は宿泊客の迷惑になるから上がってこい」と促す。つまらなそうな顔をした彼らが渋々上がって来たのはいいが、そのうちのひとりのアソコがなぜか勃起していたのをガードマンに指摘され、最後は一同笑いで終わるメキシコ的なシーンであった。

私がもう一度訪れたい場所はたくさんあるが、その中のひとつが今はもうないであろう、クリアカンのモーテルである。しかし残念なことに現在この地は麻薬カルテルがはびこる危険な地とメディアで報道されている。

前年三月から同行してくれていたピアニストの林氏もメキシコに着いて以来私と仕事をしたり、実力を買われ他のバンドやホテルのラウンジで演奏していたが、今回久しぶりに同行してくれたのが幸いした出来事があった。

メキシコ市への帰途は契約上、三時間程度の飛行機の移動のはずだったのだが、飛行機が飛ばず、二二時間もかかるバスでの旅になってしまった。

ところが、バスが出発して一時間もしないうちに私は体調の異変を感じ始めたのである。だんだんと熱が上がり腹痛もひどかったので三時間ごとのサービスエリアでトイレに駆け込む始末。体調はさらに悪くなり、どうやってメキシコ市のホテルにたどり着いたかもわからないほどであった。

その二か月前、ホンコンカゼにかかり三九・五度の熱を出した時、薬局で買った薬で翌日には平熱に戻った経験があったので、この時も同じ薬を飲んだものの、熱は上がる一方。それに嘔吐もひどくなるばかりであった。

翌日の昼間、私の様子を見に来たメイドのおばさんが部屋から出て行くと急に唇がしびれて来た。あわてて手を唇に当てると同時にその手がしびれ、足もしびれ、心臓は苦しく、呼吸が困難になって来た。〝ああ死ぬ！〟と思った。こんな経験は初めてである。

恐ろしくなって部屋の外に飛び出したが、すでに両足が硬直してしまい、そのまま倒れてしまった。懸命に助けを呼ぶも、断末魔のような声で「エメルヘンシア（救急）！」と言わず、やたらに「ポリシア（警察）！」と叫んでいたらしく、てっきり殺人事件が起きたと思ったと、居合わせたホテルの人達は後に語ってくれた。

大勢の人がかけつけて、部屋のベッドに戻してくれたが、私は苦しさのあまり床に転がり落ちた。この時には顔も手も足もしびれ切って硬直し、わずかに〝生きている〟感覚が残されており、苦しいとか痛いなどという言葉では言い表すことはできなかった。

「神様、もし助けてもらえるのなら、すべてを無くしてもかまいません」

私は〝命乞いをする〟という言葉の実感を、初めて味わったのである。そして意識を失わないよう、必死に努めた。

医師が来るまでホテルの従業員達は、ウイスキーを私の身体中にぶっかけ、心臓が止まらぬよう数人がかりでマッサージを続けてくれた。医師が駆けつけるまでにどのくらいの時間がかかったのかわからないが、私には随分長い時間に思え、舌がもつれて言葉も出ず視覚さえあやしくなった時は、半ば絶望しかけていた。

その後のことは、とぎれとぎれにしか覚えていないが、病院に運び込まれ、ようやく意識が回復したのは夜中になってからであった。熱はまだ三九度以上あったが、手足の硬直も取れて指も曲がれば、目もはっきり見えた。私は助かったのだ。

翌日、やはり熱は出ていたが、意識がはっきりして来たので、ドクターから昨日の経緯を詳しく聞くことができた。しかし、私が理解できた医学用語は一〇分の一もなく、はっきり分かったのは、私が病院に運ばれて来た時はほとんど仮死状態で、血圧も計れぬ状態だったということであった。とにかく医師の言葉がわからないものだから、私はその原因を、熱を下げようとして強い風邪薬を飲みすぎたためショック状態になったのだと勝手に判断し、病名もインフルエンザと決め込んでしまった。

次の日、熱は三八・八度までにしか下がらなかったが、ロス・モチス市のホテルへ出演が決まっていたので、私は強引に退院してしまった。

ロス・モチスはメキシコ・シティ西北のシナロア州にあり、つい先日二四時間の旅でシティに戻って来たクリアカンからさらに一八〇キロ、シティから直線距離でも一〇〇〇キロ以上ある。解熱の注射を自分でし、一時的に三八度以下に熱を下げ、飛行機とバスを乗り継いで、やっと辿り着いたのが開演時間わずか三〇分前、夜の一〇時半だった。

幸い一足先に林氏がリハーサルを済ませてくれていたので、そんな悪条件にもかかわらず、私の声は普段よりもむしろ調子が良く、三〇分予定のショーは連夜一時間近くアンコールで伸びるのが常であった。

だが、熱の方は一向に下がる気配はなく、解熱注射が切れるとすぐ三九度まで上がってしまう。さすがに不安になり、土地の病院で再度診てもらった結果はインフルエンザどころか腸チフスとの診断であった。

日本の習慣に従えば、即隔離病棟行きだが、ここではホテルのマネージャーにその旨を告げても、さしたる驚きは見られなかった。同室のピアニスト林さんさえもメキシコに慣れてしまっていたのか「今まで一緒にいてうつらなかったんだから」と部屋を変えようとはしない。あまりの苦しさを紛らわすため、部屋のレコードの音量を上げて、ベッドから起き上がり踊ってその苦しさを紛らわそうとするが、余計苦しくてベッドに倒れこむ毎日……。

ショーは続行され、一〇日間の契約期間中、私は一度も休まず、また周囲も私を風邪程度にしか扱ってくれなかった。

病気もやや回復した私は、間も無くメキシコを後にするのであるが、林氏はこのホテルに気に入られ、その後専属ピアニストとして三年以上ここにとどまった。

個人的なことだが、どうしてもここで触れておきたい日本人がいる。宮良高志(みやらたかし)という青年である。メキシコ・オリンピックの年に水泳のコーチとしてこの地を訪れ、その後もメキシコにとどまり、多くの優れた選手を育て上げた。私が曲がりなりにもメキシコで仕事を続けられたのは、この人の助力が大である。前述したキャンペーンのレコード盗難の際、彼は一六ミリカメラや時計を売って助けてくれた。そのほか数え上げたら彼に受けた恩はキリがない。その後若くしてこの地で惜しまれて亡くなった。多謝。

たった一夜のニューヨークのショー

これから発つニューヨークのプロモーターとの連絡、ビザの取得など何かと物入りであったので、メキシコ市に帰って以来、連日お金を預けた友人のホセに連絡し、家まで行ったが、親切だった彼の姉までも彼と連絡がつかないと要領を得ない返答だった。それまで稼いだ金のほとんどを銀行がわりに彼に預けていたのだが、警官からもゆすられたことのある私は、すでに悪い予感がしていた。

ニューヨークへ発つ直前も連日彼の家に行ったがラチがあかない。姉もその事情を熟知していると見て、協力するふりはしていたが、最後は日本語でも書けないほどの汚い罵り合いになってしまった。

翌早朝、ブラジル人の歌手カティアやエルバ、そのほか親しい歌仲間の友人に窮状を訴えた。その後何度も経験したが、こういう時のラテン系の人の動きは早い。キリスト教徒は寄付の精神も日本に比べて行き渡っているので、とりあえずのお金はあっという間に集まった。飛行機のチケットは持っていたので、なんとかなりそうな額だったことを覚えている。

その日の夜、私はかねてから憧れていたニューヨークへやってきた。ラテン系のクラブ、「リボーリオ」との契約である。

歌手であれば誰だって一度はニューヨークで歌ってみたいと思うだろうが、私の夢はあっけなく壊れてしまった。なんだかわけが分からないまま、このクラブはストライキのため暫く閉店になり、私が出演したのはたった一日だけだった。とはいえ、この夜の共演者はキューバ系、プエルトリコ系とメキシコに比べてよりカリビアン色が強く、今でいうサルサ系のキレの良い演奏や歌が心地よく刺激的だった。それに次にベネズエラでの契約も決まっていたこともあり、それほど失望することもなく、わずかな期間ニューヨークを楽しもうと気持ちを切り替えた。

この当時のニューヨークは暗黒の町だの、地下鉄はスリや殺人の温床だのと、日本のマスコミはいささかオーバーとも思える表現をしていたが、私はその地下鉄に二日間寝泊まりしたのである。

ことの発端はこうだった。

私はここでアメリカ人夫婦のアパートへ身を寄せていた。週末、夫婦は私に留守を頼んで別の街へ出かけたのは良いが、近所に買い物に出た私はうっかり鍵を部屋に置いたままロックしてしまったのである。

途方にくれた私が思いついたのは、終夜運転をしている地下鉄だった。同じ路線を行ったり来たりして朝が来るのを待ち、翌日の夜もそうした。そんな思いをしても、私にとってニューヨークは活気のある魅力的な街であった。わずか一〇日間の滞在でニューヨークを語るのは図々しいが、どんな格好をして歩こうと、決して振り返って見たりしないのが素晴らしい。

当時、ハーレムといえば治安が悪く危険な町で、実際ニューヨーカー達にも行くなと言われたが、そう言われればなおさら行ってみたくなるのが私の性である。

そろりそろりと入り込み、気がつけば中心地のピアノ・バーで飲んでいた。これまでもそうだったが、他の国の貧民街でも差別されている人達はなぜだか私を仲間だと思うらしく、朝まで冗談を言い合い、あまり上手くもない『セントルイス・ブルース』(注)を即興で歌い、なぜだかウケたのだった。

『セントルイス・ブルース』
St. Louis Blues
W・C・ハンディ作のブルース進行曲。サッチモとベッシー・スミス版が有名。スティービー・ワンダー他アメリカの大歌手が競って歌っている。

メキシコ 列車事故2

メキシコ 列車事故

1968年 メキシコシティ

1968年 メキシコ メリダ ユカタン ロス・トゥリパネスに出演

マヤのティピカルな家2

マヤのティピカルな家

第9章

差別主義者はお断り！官能的なクラブ・ディプロマティコ

1970年 ディプロマティコにて

ベネズエラの六本木「東京ガーデン」はうたかたの夢だった

一九六九年八月、ほどなくして私はベネズエラへ発った。

デビュー当時からなじみだったバンドネオン奏者T氏が某日本人女性実業家M氏と組んで、ベネズエラの首都カラカスの一等地プラサ・ベネズエラにある三〇階建てのビル、トーレ・フェルプスの一階と地下をくり抜き、「東京ガーデン」というどでかいショーレストランを開いた。日本からバンド、ダンサー、それにシェフも連れて乗り込もうという大掛かりなもので、私はそこに出演するだけでなく、ショーのプロデュースも受け持つことになっていたのだ。

開店の日には、ベネズエラの大統領や各界の大物が詰めかけ、一〇〇〇人以上の客が入りきれないほどの盛況であった。この状態はひと月近く続き、カラカスの夜はこの「東京ガーデン」に独占された感さえあった。

しかし、二か月目に入る頃から客は目に見えて減り始め、やがて店は閑古鳥が鳴く日が続くようになるのである。

私はこんな日が来るのを予想していた。

日本料理が売りものだったが、当時日本料理の認知度も低く、口に合わないという一部の客の意見を気にして、あの手この手で工夫をしたが時既に遅く、美味しくない、という噂が広まってしまった。

ショーにも原因はあった。ベネズエラの法律では、現地のアーティストを守るため、外国人アーティストひとりに対しベネズエラ人アーティストを五人必ず雇用することを義務付けていたが、それはあくまで表向きであった。裏でユニオンと金銭的なやりとりがあったらしく、日本人プレーヤー三人、ダンサー三人と私、計七人に対して現地のアーティスト七人が加わり、必要もないのに出演料が飛ぶように出て行く。

さらに文化も素養も違う日本人とベネズエラ人のダンスチームが一糸乱れず踊れるわけがない。日本人とベネズエラ人のミュージシャン、それぞれに音楽的には優れていたがフィーリングの面で見事に合わず、私も勿論、気持ち良くは歌えなかった。

そんなこんなである日、T氏もM氏も国外へトンズラし残された我々は二か月分以上の未払いの給料が残されていた。嗚呼‼

さんざめく「ディプロマティコ」の夜

この頃カラカスには、ニューヨークの有名なプレイボーイ・クラブ（注）と提携した「ディプロマティコ」という名のクラブがあった。「東京ガーデン」閉店と同時に、私はこのクラブと契約したが、これがなんとも言えないファンタスティックな

プレイボーイ・クラブ　アメリカでセレブの行くクラブ。美人のバニーガールがいることで有名。

店で、私の人生で、これ以上に居心地のいい場所はなかった。

まず第一に客層が広い。いや、〝広すぎる〟と言ってよい。大統領、政府高官、石油成金その他世界的な有名人が派手にシャンパンを振る舞うかと思えば、カウンターでは金の無い学生や若者がウイスキー一杯で何時間も粘っているのである。内装は、当時最先端のディスコと一九三〇年代のパリ風キャバレーを混ぜたような感じで、店にはウェイターの他に、グラマーで美人のバニーガールが数名、私の他にこれまた各々が一芸に秀でた美人のショーガールや歌手が一〇名近く出演していたが、この店がいつも繁盛していたのは経営者リト・デ・オロとアルゼンチン出身の司会者かつ作曲家である共同経営者のバジャルドのおかげでもあった。さらにこの店はいかなる人種や性的マイノリティも差別はしない、そして貧しくてもショーを見たい人は特別な値段で入れてあげる、というポリシーを掲げていた。

リトはキューバ出身のダンサーで、一九五五年にカラカスに来て、ディープなアフロキューバン・ダンスで人気をあげた後、この地で最も愛される人物として知られていた。ゲイであることを隠さず、彼の桁外れたエキセントリックさと人柄に魅了され、海外から自家用ジェット機でわざわざ会いに来る有名人もいたほどだ。

だが、そのことは四〇歳手前のリトの最大の悩みになっており、「自分はやがて美貌を失い、スターでなくなるだろう」と美貌が売りものの女優のような口をきいていた。すでに彼はスターではなくなっていたし、もともとハンサムでもなかったのだから、そんな心配をすることはないのだが、彼は真剣だった。客が友情のために「君はまだ若いし美しいよ」と無理して持ち上げれば、時にはお礼に最高級のシャンパンが返って来た。彼は芸術家タイプでまともでないのが魅力的だった。

ショーが終わった後、突然リトが店に入って来てカウンターに突っ伏し号泣し出す。驚く人もいるが、それに慣れっこの人もいて、バニーガールや出演者が交互に慰めに行くも「ほっといてよ、私は彼に振られたんだから。もう人生も終わりよ。明日の日曜日、私は自殺するからお見送りのパーティーよ」と嘆く。

私のこの店の記憶はここから始まった、と言っていいほどインパクトがあったのである。

その翌日、彼から「私が死ぬ前にこれからお別れパーティーをする」と泣きながら電話があった。

店に駆けつけてみると、これがこれから死のうとする人へのパーティーか、二～三〇人の若い男女が、あるものはディスコに踊り興じ、あるものは高級酒に酔い、派手な乱痴気騒ぎをおっぱじめていた。休日だからバーテンダーもいないし、この時とばかり飲み放題なのである。

主役のリトはさすがに浮かれてはいない。テーブルの片隅で、まさにこの世の終わりが来たかのごとく泣きじゃくり、友人二、三人が交代であやしている。

初めは驚いたが、だんだん様子がわかって来た。聞くところによると、これは彼なんとみみっちい。

の病気みたいなもので、よくある事なのだと言う。なるほど、調子に乗ってシャンパンを抜く私に、いい加減泣き疲れたリトが急に我に返って、「それ一本いくらすると思ってるの。もったいないわよ！」と怒鳴る。これから死のうとしている人がなんとみみっちい。

それでも翌日、とりあえず心配しているフリをして電話をかけてみると、本人は思いのほかケロッとしている。そしてその日の開店前には、共同経営者のバジャルドと大喧嘩が始まるのだ。原因は、リトの気まぐれからどれだけのシャンパンがタダ飲みされたかということにある。けれど、夜も更けて、リトの身体に酒が回ると、またまたカウンターに突っ伏した彼は、「ああ、アタシにとって人生はなんと無情なのかしら！」と言いながら、さめざめと泣きだすのだ。

こんな夜のショー・タイムに、私は彼のオール・リクエストで悲しい曲ばかり歌う羽目になる。『セ・アカボ（全部おしまい）』からの『そして今は』などの絶望の歌だけが続き、歌が佳境に入るとリトの涙の量は増え、手前味噌だが、私の歌に感じたバニーガールのひとりが彼のそばへかけ寄ると、一緒になって泣き出す（彼女もその頃恋人に逃げられていたのだった）。こんな状態が二〇日間も続いた後、梅雨が明けて夏が来たかのごとく彼は急に陽気になり、踊り狂う日々がやって来るのである。

ディプロマティコにいる限り、驚きという言葉は辞書から消さねばならなかった。いちいち驚いていたらキリがないのである。

一流芸とは

さて、この店のショーについて書くと、ひとりひとりがビッグ・スターでは決してないが、各々がその人にしか無い優れた芸を持っていた。その中でも、私の記憶に残る共演者を紹介する。

オープニングは、メキシコの大きなクラブにもメインで出演していたアルゼンチンのピアニストから始まる。偶然にも以前彼女のステージを見たことがあったのだが、ヨーロッパのコンクールで入賞したほどの腕前で、申し分ない品格と美貌を持ち合わせていた。超ビキニの上にほとんど透けて見えるガウンをまとい、クラシックの名曲の演奏から入り、息もつかせぬ超絶的な技巧で客を引き付けながらも曲は展開していき、最後はジャズのアドリブで客を煽る。鳴り止まぬ拍手の中エレガントに立ち上がると、ステージの前の方まで優雅に歩きながら、客に軽く会釈をし、バックのオケとともに優雅な踊りに入る。彼女はダンサーでは無いが、その見事な動きがその頃流行っていたサイケデリックなライトに浮かび上がると、裸体の周りに蝶々が舞っているように見え、まさに美の極みであった。

続いて、次の演者はウルグアイ出身の世界ミス・バスト・コンクール優勝者である。優勝した後、バストに恥じないように踊りを特訓をしたと本人から聞いたが、バストだけでなく、踊りもファンタスティックであった。

そして、何と言っても忘れ難いのは、亡命キューバ人のベテラン女性歌手である。アフリカ系だけに、よりディープなキューバのソン（サルサの原型とも言われている）、ボレロ、アフロを歌うが、何よりも凄かったのはいつも最後に持ってくるソンのナンバーのモントゥーノ（コール＆レスポンス）で気が狂ったように踊り、歌う彼女の姿だった。即興で次から次へと社会や政治に対する批判的な歌詞が飛び出し、客はその都度拍手をして声を上げる。革命政権を揶揄する歌詞で客に共感を得るのであった。

次の出番を控えた私は、いつも彼女の歌があまり盛り上がらないで欲しいと願い、なんとか気持ちを落ち着かせるのであった。

彼女への拍手が小さくなると、すかさず私の一曲目のイントロのベース、ドラム、コンガが聞こえるか聞こえないかのピアニッシモで鳴り始める。大いに盛り上がった後は突然静寂な音楽に切り替えるのが効果的というリトと私の考えが一致、狙い通り客席はシーンとなる。いや静かにならなければ、お互いにシー！　と口に指をあて〝次のお楽しみは！〟というムードになるのだ。

私の一曲目は前述のシャンソン『そして今は』だが、歌詞はオールフランス語である。歌詞の内容は絶望的なので、歌の始まりは語るように抑え、私も抜け殻のような無表情になる。後半バンドのリズムが変わり、フォルテになるあたりから、私の気持ちが入り込みすぎてコントロールが効かなくなり、最後は気が触れたかのようにマイクを何度も手で叩く始末。今、あの頃の歌い方はとてもじゃないが恥ずかしくて再現できないが、時として客席にいるフランス人のカップルが涙を流して聞いていたりして、私自身も涙をこらえるのに懸命だったこともあった。

客層も二〇代から七〇代と幅広く、週に二、三回来る人もあり、嬉しい反面、飽きられないようにレパートリーを絶えず変えていた。

カラカスは北米のTV番組も見られるので、若い人向きには当時流行っていたスティービー・ワンダーのスペイン語バージョンの『フォー・ワンス・イン・マイ・ライフ』や彼のスペイン語バージョンで知られる『マイ・シェリー・アモール』等をレパートリーに加えた。

この時期はTVショーに定期的に出演していたので、毎回同じ歌を歌うわけにもいかず、より現代的な歌（主にアメリカ産のポップス）を求められるようになっていた。

もうキモノもたまに着る程度で、これまでのキモノの生地をリアレンジした最新のコスチュームを身につけるようになっており、オリジナルな和洋折衷でコシノ・ジュンコや山本寛斎のデザインのようだと我ながら悦に入っていた。

そして私の最後の歌はいつも決まって前述した『ハヴァナギラ』である。今では年齢ゆえに出ない最後の高音を出すため、出演前の発声に夢中で、度々やかましがられた。客は男も女も魅力的で、明日はどんな人が客席にいるだろうかと心踊る毎日だった。

　ある夜、イタリア人女優クラウディア・カルディナーレ（注）が遊びに来たことがあった。一九五〇〜六〇年の初めまで、イタリア、フランス映画は日本、いや世界で今では想像できないほど大衆的な人気があった。男優ではフランスのアラン・ドロン（注）、イタリアのマルチェロ・マストロヤンニ（注）、女優ではフランスのブリジッド・バルドー（注）、ジャンヌ・モロー（注）、イタリアのソフィア・ローレン（注）、ジーナ・ロロブリジーダ（注）他が花盛りだったが、その中のひとりで、スクリーンで見たことのある主演女優が今まさに私の歌を聞いてくれている。終戦後一〇年にも満たない頃見たイタリア映画の女優の存在は遠い遥か彼方のおとぎ話に出るプリンセスのようであった。クレイジーでチャーミングなこの店の客もとてもスマートで、サインをねだるわけでもなく、彼女がリラックスできるような心遣いがあり、私はそれにも感激した。

　この地にはイタリア系の人が多かったため、友人から習っていたイタリア語と、喋れない部分はスペイン語で「まさかあなたにお会いできるとは思ってもみませんでした。日本が戦争に敗れて間も無くイタリア映画とフランス映画が多く入って来た時代があり、その中に出演していたのがあなたです。戦争で打ちひしがれていた

クラウディア・カルディナーレ
Claudia Cardinale (1938-)
〝CC〟と呼ばれたイタリアの女優。フェデリコ・フェリーニやルキノ・ヴィスコンティ作品のミューズ。

アラン・ドロン
Alain Delon (1935-)
言わずと知れたフランスの二枚目俳優。

マルチェロ・マストロヤンニ
Marcello Mastroianni (1924-1996)
イタリアを代表する大俳優。フェリーニ映画の常連。

ブリジッド・バルドー
Brigitte Bardot (1934-)
〝B.B.〟の愛称で知ら

日本人を立ち上がらせてくれたのは、あなたでもあり、イタリア映画やフランス映画でもあるのです。今ここで感謝を込めて私の歌を捧げます」と話した。感情の高ぶりとともに、少し芝居がかっていたのが振り返ると恥ずかしいが、ラテンアメリカにはアメリカ人よりも日本人をひいきにする人が多かったので、この言葉はかなり効いたらしく、全員が大きな拍手を送ってくれた。

ベネズエラは世界最多のミス・ユニバースを誇る国であり、美人が多い国である。また、出演者も負けじと美しいので、歌いながらも、あれほど魅惑的に思えた映画の中の彼女が、今夜はそれほど目立って美しいとは思わなかった。

けれど彼女が店を出るとき、全員が立ち上がって拍手をし、私も入り口でお見送りした。何とも言えない、これまた映画の中のワンシーンのようであった。

銃所持は規制すべき

週に三日はカウンターに座って飲み、たわいもない話をする男性客がいた。ある時、時間があったので彼の隣に座り、コニャックをご馳走になりながら話をしていると、彼が「日本はあんな大きなアメリカと戦って勇敢でエライ」というような事を言い出した。この種の話はアメリカ嫌いのラテン系の客から他の国でも何度もされたことがあり、飽き飽きしていたのだが、「いいえ、日本はアメリカに負けてよ

れる20世紀のヨーロッパを代表するセックスシンボル。

ジャンヌ・モロー Jeanne Moreau (1928-2017)
人気ではバルドーを下回るが、女優としての貫禄ではモローが上だろう。『死刑台のエレベーター』『突然炎のごとく』等に出演したヌーベルバーグの象徴である。

ソフィア・ローレン Sophia Loren (1934-)
イタリアを代表する大女優。近寄りがたいほどの美貌でハリウッドを席捲した。

ジーナ・ロロブリジーダ Gina Lollobrigida (1928-)
ソフィア・ローレンと人気を二分した大女優。

かったのです。もし勝っていたら、あの日本の軍国政権はもっと酷い暴力で取り返しがつかなくなったのではないでしょうか。しかもソビエトではなくアメリカに負けたのは運が良かったと考えた方がいいのだと思います」と答えた。

その途端、彼の顔色が変わり、背広からピストルを取り出すと、私の脇腹に突きつけたのだ。私の言葉が彼の気持ちを裏切ったらしく、やたらに日本を罵倒する言葉に変わり、気づいたマネージャーのエクトルが私をソファ席に座らせ、他の常連客は彼をなだめるのに必死だった。バニーガールのひとりが私の膝に顔を押し付け、助かって良かったと号泣していたのをはっきり覚えている。

彼はそのまま店を出て、二度と姿を表すことはなかった。後から聞いた話によると、彼はレバノン出身らしく、推測だが歴史的な背景から強い反米感情を持っていたのではなかろうか。日本の若者は政治的な話をしなさすぎると思うこともあるが、この事件以来、外国では絶えず相手がピストルを持っているという仮定のもとにこの種の論議は激しくしないことにしている。

以前、メキシコのクラブで共演していた女性歌手が、いつもハンドバッグに護身用のピストルを忍ばせており、ショービジネスの女性は遠方へ自分で車を運転して仕事に行くことも多く、時として危険なこともあるので申請すれば理由によっては所持が許可されると言っていたことを思い出した。

そんな話をした三日後、彼女が劇場での出演を終え、駐車場の車に乗り込もうとした時、男性四人に囲まれ、すかさずバッグからピストルを取り出し、「これ以上近づいたら撃つわよ」と脅し、難を逃れたという。

私もこの事件があってからは、万一のため、店側に手続きを取ってもらい、ピストルを持ち歩くようになった。

ある夜、ショーが終わり、いつも来る客というより友人に近くなっていた同年代の青年四人とどこか他の店に飲みに行こうということになり、何軒かハシゴしたことがあった。皆かなり酔いも回っていたが、夜明け近くに彼らに言われるがままに別の場所へと車で向かうと、だんだん人気のない山道へ入って行くではないか。私は不安になり、「どこへ行くんだ、戻ろう」と言うも、酔った彼らは後部座席の真ん中に座っていた私の肩を組み、ジャケットのポケットに手を突っ込み始めた。手を払うと、もう片側の友人が肩を組んでポケットをまさぐる。私は気がついていないふりをしながらも細心の注意を払い、ポケットの中身を盗られた瞬間、「表に出よう」と車をストップさせて強引に外に出た。すると、彼らはこちらに向かってこようとしたので、私は殺されるかもしれないという恐怖で、思わず借りていたピストルを彼らに向けた。少しずつ後ずさりさせ、大けがをさせない程度に足元に狙いを定め、一発撃った瞬間、その中のひとりがしゃがみ込んだが、なおも撃つふりをして一目散に来た道を走って逃げたのだった。

大通りに出るともう出勤の時間らしく、次から次へとカラカスの中心地へ向かう車が走っている。私は助けを求めて、走って来る車の前に立ちはだかり「助けて！」と叫ぶも、狂った東洋人がこちらに向かって来る、と先方も身の危険を感じてさっとかわして行ってしまう。一〇台ほどにかわされるうちに、相手も恐怖を感じているのだと気がつき、車の前には立ちはだからず、事故にあったふりをして手を振り続けたところ、やっと一台が止まった。私は襲われた経緯を話し、途中の警察署まで連れて行ってもらったが、特別な調書を書かされるわけでもなく、「気をつけるんだよ」と一言言われただけで、警察にタクシーを拾ってもらい、ホテルへ帰ったのだった。

その三日後、「ディプロマティコ」のマネージャーが外で待っている客がいると言うので出たところ、例の四人の中で一番人の良さそうな青年が気まずそうに待っており、自分はヨシローに危害を加えるつもりはなかったと言って、盗んだ私の身分証明書を返してきたのだった。私はあの日以来心配していた、ピストルを向けた別の青年について聞いたが、「僕の友達ではないし、かすった程度で大丈夫だ」と言って、慌てて帰っていった。

身に危険が迫っていたとしてもピストルを発砲した事は事実で、私は今でも自責の念がある。

その後、今日までに北、中南米の私の友人の五人以上が銃で命を落としている。そして世界中で銃によるテロで多くの人が犠牲になっているニュースに触れ、心を痛めるが、米国では銃規制に反対の人が多いという。嗚呼。

日本にはありえない魅力的なクラブ

リトはショー・ビジネスを心から愛しており、自分の店にプライドを持っていたので、どんな上客であろうと、ショーの邪魔になる客は店から追い出すのだった。ある夜、『そして今は』を歌っている最中、ステージ直前のテーブルのふたりの客が酔ってうるさかったことがあった。私はじっと我慢して歌い続けていたのであるが、突然リトが舞台に出てきて私のマイクをひったくると、こう私を罵倒したのである。

「ヨシロー！　ドアホー！　バカヤロー！　恥知らず！　あたしは誇りを持ってこの店のアーティスト達を客に紹介しているのよ！　よくこんなやかましい中で歌えるわね。あんたは誇りを持っていないの？　歌わなくていいから楽屋に引っ込んでらっしゃい！」とキューバ独特のリズムに乗って歌うかのごとくまくしたてた。とっさのことでみんな唖然としたが、私はその意味をすぐ理解した。

喋っていたふたりの男性客も立派で「ゴメン、ゴメン、リト、つい話に夢中になって」と謝り、一五分程して再び私が呼び出され歌いはじめたのだが、リトのショービジネスに対する想いが伝わってきて最後まで真摯に歌うことができた。

歌い終えた途端、客はおろか、店のスタッフまでが立ち上がり「ヨシローブラボー!! リトブラボー!!」と、興奮状態の中いつまでも拍手を送ってくれ、私は言葉を失い、ただその場に突っ立っていた。その後、何度か一流の劇場に出演したが、この時ほどの熱い感情を感じたことはなかった。と同時に、客第一と考える日本で、私は何度不愉快な思いを我慢しながら歌ってきたかと思い出していた。

私は「ディプロマティコ」での出演中、他からより良い条件の話があっても、何一つ躊躇することなく半年余りも断ってきた。私自身が私自身で生きられ、繕う必要がなかったからだ。そしてあまりにも多くの魅力がこの店にあったためである。友人の日本人商社マンのひとりは、給料のほとんどをこの店で使い、後に東京で再会した時「まったく夢のような生活だったね」と述懐した。

禁断の果実に魅せられた夜

「ディプロマティコ」での忘れられない出来事は書ききれないほどある。

ある夜、前の席にひとりで私の歌を聞いていた青年がいた。あまりにも魅力的だったので俳優ではないかと、つい私もそちらを見て歌っていたのだが、彼は目をそらしもせず誘惑するように見つめてきたので、私は他の客に歌うふりをしながらも何度も彼の目線に応じて歌った。

ショーが終わって会話でもと期待していたのだが、客席に戻った時には既に彼の姿はなく、リトが彼はトニーという名の俳優だと教えてくれた。二日目も三日目も同じ席に座り、こちらがうろたえるほど熱い視線を送りながら聞いていたが、ショーが終わると、またそこに彼の姿はなかった。

それが心に残ったまま四、五日が過ぎた頃、ショーが終わるとウェイターが「マルタが呼んでるよ」と声をかけてきたので「どのマルタ？」と聞くと「席に行けばわかるよ」と言う。そこにいた彼女は夜目にも美しく、びっくりして暫し見とれてしまうほどで、ミス・ベネズエラの優勝者のひとりなのだと紹介された。短い挨拶の後、「トニーが私を誘わないでひとりであなたの歌を聞きに行ってると知って来たのよ。ヨシロー、素敵だわ、あなたの歌。トニーが私を誘わないでひとりで来てたことに嫉妬してたのよ」と言われ、ようやく合点がいった。

シャンパンを何本も空けて、かなりのお金を使った後「トニーはもう家にいるみたいだから、いらっしゃらない？」と誘われ、私は胸をときめかせて彼女の車に乗ったのだった。

ふたりとも若いのにどうして、と思うほどの豪邸に着くと、お互いに店に来るのは隠していたらしく、驚いてとまどうトニーの顔が今も忘れられない。

私はこの美男と美女に憧れられ、嬉しいというより嘘みたい、というのが正直な所で、ドキドキする気持ちを隠すのに最初は懸命だったが、すぐに打ち解け、ずいぶん長い間飲んでおしゃべりをした。

気が付くと当時アメリカで流行し始めていた大きなジャグジーに何もまとわずグラス片手に三人で入っていた。このふたりの気持ちは計り知れないが、私は欲情を抑えて何気なくふるまうことに疲れるほど努力していた。禁断の果実を食べたかって？　あなたの想像にまかせましょう。

その後、大人のお洒落を気取って三人で同じベッドに入り、この上ない甘美な朝を迎えた。五〇年経った今も、この一夜が素晴らしい思い出の財産として強烈に蘇ってくることがある。

店へ来る客は、誰しも私へ夢を運んでくれた。私は彼らを恋人のように愛していた。

今夜はどんな新しい恋人がテーブルにいるだろうか。私のショーを気に入ってくれるだろうか。ショーの後には、どんな〝オシャレな会話〟が待っていようか。

楽屋入り前のひと時、ホテルの一室でそんな思いを馳せていると、思わず緊張に心震えた。ショーの始まる二時間も前から店に入り柔軟体操と発声練習をし、気を落ち着かせようとするのだが、それでもさんざめくホールに「ショータイム！」のMCが入ると、手の震えが止まらなくなる。そんな店だった。

カリブ海の美しい島　イスラ・サン・アンドレスへ

他の店のオファーは断っていたのだが、さすがに飽きられないうちに他のマーケットも開拓しなければと思い始めていた矢先の一九七〇年八月、コロンビアから仕事のオファーが入ってきた。

前述したように、一九六六年にこの国を訪れた際、私は拉致に近い恐ろしい思いをし、ほうほうの体で脱出、再びこの国を訪れることは不可能だと思っていた。しかし、メインの出演先がカリブ海の美しい島だと聞き、更にカラカスの友人もこの島の美しさを大げさにたたえるので気持ちが少し傾いてきた。先方のプロモーターにすべてを説明し、身の危険を保障してくれるという約束の元に私は行く決心をしたのである。

まずはコロンビア第二の都市、メデジンのホテルに二日間、そしてサルサが盛んと言われるカリ市のクラブ「ラテン・クォーター」に一日の出演だった。先方に事情を説明し、短い滞在にしてもらったわけである。

『カリ・カリエンテ（カリは熱いよ）！』という歌や、サルサの掛け声として「カリエンテ」が使われるが、実際カリはとても暑く、その言葉には音楽も人も熱いよ、という二つの意味があり、この町からコロンビアのサルサは発信されていると言っても過言ではない。ニューヨークやマイアミへ進出しているサルサミュージシャンや歌手も多く、キューバやニューヨークのサルサと微妙に違う味わいが醍醐味だ。

私はこの地のショーが終わるまで生きた心地がしなかったが、何事もなくその後、カリブ海に浮かぶ美しい島サン・アンドレス島へ飛んだ。

その昔オランダ、イギリス、アメリカに支配されていたが、今はコロンビアの一都市である。公用語はスペイン語で英語はもちろん、人種も言語もクレオール（混血）であるパトゥア語も話されていた。人種構成も多様で、特にアフリカ系の住民はその昔ジャマイカから連れてこられた奴隷の子孫である。この島はカジノで名高く、買い物と賭博、ショーを楽しむ客で賑わっており、コロンビア、アメリカ、ヨーロッパ、近くは中米諸国の金持ち層が訪れていたが、当時は特にラスベガスのようなゴージャスな建物があるわけでもなく、ギラギラしたネオンサインさえ見なかった。

私の出演するクラブは宿泊していたホテルの中にあり（もちろんカジノもあった）、リハーサルの時点でバンドがハイレベルなので、人口五、六万人のこの島の者ではなく、コロンビア本土から呼ばれているのであろうと彼らの訛りからも分かった。私のショーのレパートリーも多国籍の客に合わせてアメリカやヨーロッパの歌、そして前回の訪問で私の売り物になったコロンビアの名曲『エスプーマス』と幅広く、『エスプーマス』では狙い通りイントロが始まると拍手と大きな掛け声がかかる。さらに歌が始まると拍手、サビにくるとまた拍手、間奏にくるとまた拍手、二番を歌いだすとまた拍手。今でもわからないのだが、何故この歌に限ってこんなに何度も拍手が来たのだろうか。コロンビアの風習なのか、この歌が彼らにとって特別な歌なのか、その疑問は聞き忘れてしまった。

そして最後は少々歌い飽きていたがお決まりの『ハヴァナギラ』であった。いつものようにエンディングは超高音で私が勝手に考えるイスラエルのコブシをくどいほど使い、時にはそれがフラメンコまたはアラブ民謡のコブシになったりと、わけがわからないのだが、この地でも客は熱狂してくれた。

ショーは一二時から一回だけだが、その後に始まるダンスタイムのサルサ、クンビア、バジェナート(注)の演奏に熱狂して朝まで残る客は、やはり土地っ子やラテン系の客が多かった。

歌に国境はないというけれど

翌朝、初日の公演の疲れもあり、もう少し眠っていたかったのだが、遅い朝食をすませた後、ホテルの前のビーチで遊ぶ人達の声に惹かれ、外に出て思わず息を飲んだ。こんなにも美しい緑の海を見るのは初めてだ。しかも遠浅で透明なので、一〇メートルも進むと小岩やサンゴ礁の中で魚が泳いでいるのが透き通って見える。

暫くその美しさの中で戯れていると、「昨日のショーは楽しかったよ！」とひと

バジェナート
コロンビア北東部発祥の大衆音楽。カハ・バジェナータという小太鼓、グアチャラカというギロの一種、3列ボタンアコーディオンを伴奏に用いる。

りのアフリカ系の大きな男がまくしたてるように話しかけて来た。昨日のショーで彼が後ろの席から大きな声で掛け声をかけており、目立った存在だったのですぐに気がついた。聞けば彼はワトゥーシ（アフリカ系のニックネームで、それに誇りを持っていた）という名の船頭で、岸からすぐのところにあるジョニー・キイという名の小さな島に客を運ぶ仕事をしているのだという。有名な観光の島というわりにビーチに人はまばらだったが、どうやらビーチはここだけではないらしい。

島に渡ろうと言うので誘われるがままにモーター付きの小型ボートに乗せてもらったのだが、着いてみるとそこは菓子や飲み物を売るリヤカーの屋台が二つほどしかない殺風景なものだった。

ふたり組の男を取り囲むように人だかりができていたので、見に行ってみると、ひとりはかなだらいをひっくり返し、そこから一本のロープを弦のようにはり、手だけで音階を出している。もうひとりの男はマラカスやカウベルで土地の歌や当時ラテンアメリカで大流行したクンビアの代表曲『赤いスカート』他、珍しがって取り囲む観光客へのサービスにロックもどきの有名な曲も歌っていたが、このかなだらい一本で音階を変えていく奏法に、どうしてこんなことができるのかと、楽しむよりも同業者としての興味の方が上回っていた。

もう少しゆっくりしたい気持ちもあったが、今夜のショーのことが気になっていたので、ホテルへ戻った。そして少し仮眠をとった後、今夜歌うレパートリーの歌詞の確認をする。どんな風光明媚な場所であれ、仕事で来た限りはやはり音楽優先で、それを心から満喫することはできない。

その夜のショーも乗りに乗り、一曲目から熱い声援が飛んで来ていたのだが、「それでは次の曲は『ハヴァナギラ』」と言った途端、それまで拍手喝采だった前の席を陣取っていた家族グループの態度が急変し、全員の「ノー！」という叫びとともにブーイングが起こり、曲が始まると彼らはホールの外に出て行ってしまった。

私は何が起きたのかわからず、不安な気持ちのまま歌い終えたが、終わると同時に彼らは再び席に戻って来てくれた。

そのうちのひとりの女性に「あなたの応援に明日も来るわ。でもお願いだからこの歌は歌わないでちょうだい。私達はレバノンから移住して来たコロニーなの。もうわかるでしょう」と言われ、私は虚をつかれた思いだった。この歌はイスラエルの歌で、レバノン他アラブ圏とは敵対関係にあり、彼らの先祖の中には土地を追われた人もいるのだ。

「どうか明日も来てください。迂闊だったけれどもあなた達がレバノン人であるということは知らなかったのです」と複雑な思いの中で気持ちを伝えた。

そして最後の歌を歌い終えると彼らは気持ちよく拍手をしてくれ、またその翌日も来ると約束してくれたのだった。〝歌に国境はない〟というけれど、この出来事以後私はこの言葉を二度と使うことはない。

世界各国の性器崇拝信仰

この島に着いて三日目であるが、ホテルのスタッフやビーチで遊ぶ人達は、すでに親しげに話しかけてくるようになった。水が飲みたいとホテルで頼むと「ワーラ！」と冗談っぽく返ってきたが、これぞクレオール語（混血語）なのだ。昔イギリス人やアメリカ人が言う「ウォーラー」をアフリカ系の人が「ワーラ」と言い出したのはわかりやすい。このようにしてオランダ語、スペイン語、さらに先住民の言葉も混じったのだという。

アフリカ系の女性が「渡し舟のワトゥーシはこの島で一番大きい自慢の巨根の持ち主よ！」と恥ずかしげもなく笑いながら言う。詳しく聞くと、彼の巨根を拝めば子宝に恵まれ、その他の願い事も叶うと言われており、観光客も彼の巨根を渡し舟の中で拝んで、チップを渡し、ワトゥーシは結構稼いでいるそうな。

そういえば日本にも木で作られた男根をお神輿に乗せ、幸せを願う祭があるではないか。私もワトゥーシの船の中で見せてもらい、最大時で二八センチというその大きさにびっくりしながらも、昨夜のレバノン系の客のことを思い出し、世界に国同士の諍いが無くなることを願い、仏式の合掌で拝んだ。

この〝巨根崇拝〟はアフリカ系の人達だけの宗教的な考え方なのか、それとも島に住む他の人種も認めているのかは聞き忘れたが、私のホテルのスタッフの中には、彼を嫌う人もいた。土地っ子はカリブ海のいい意味でのいい加減さがあるが、当時内地から来ているコロンビア人はそうではなく、陽気なアフリカ系の島の人々との温度差もあったのだろう。それとも、これは単に金稼ぎの手段だったのか今でも分からない。でも立派なものを見せてくれた彼には感謝している。

はたして前夜のレバノン系の人達は来てくれるのだろうかと、その夜のショーが始まる前からソワソワしていた。

MCの紹介と共にステージに出て行くと、前列の席で昨夜の家族が待っており、歌う前から拍手をくれるではないか。私はこみ上げる思いをこらえ、いつものように歌い始めた。

ショーの後半、「私が小さい頃覚えたトルコの『ウシュクダラ』(注)という歌をあなた達に捧げます」と言って、歌う予定ではなかった曲をアカペラで歌い始めた。言葉は多少通じているらしく、大きな拍手が来た。忘れられない思い出がまた増えた一夜だった。

その前年の一九六九年、中米のエルサルバドルとホンジュラスとの間のサッカーの試合が元で一〇〇日戦争と呼ばれる戦争が始まったことや、一九六七年、フィデル・カストロとキューバ革命を成し遂げたチェ・ゲバラがその後ボリビアに移り、ゲリラ戦を始め、同年一〇月ジャングルで射殺されたことなど、この島に来てから近隣諸国出身の観光客と皮肉にも内戦の話などをする機会が多かった。ゲバラは中

『ウシュクダラ』
Uska Dara
トルコ民謡『キャーティビム』を元にアーサー・キットが歌った1953年のヒット曲。雪村いずみや江利チエミによる日本語ヴァージョンもある。

南米を乱す悪とされていたが、当時を知らない今の若者達は見てくれがカッコいいゲバラを崇拝し、憧れ、彼のファッションの真似をする人までいるのは私にとって複雑である。

ヒッピー？　革命家？　この時代に見られたラテンアメリカの若者

その翌日の夜九時頃、ショーの前の発声を兼ねてビーチに出ると、陽気な六、七人のフルヌードの若い男性とすれ違った。どちらからともなく「オーラ」とあいさつを交わし、「何でみんな裸なんだ？」と聞くと「これが制服さ」と笑う。夜風も気持ちよく、人影もなかったので、つい裸になったのだろう。彼らはチリの大学生で顔つきからも話し方からも金持ちの息子達だと察しがつく。

さらに話しているうちに、彼らはチェ・ゲバラに憧れており、ゲバラの母国アルゼンチンから北上して同じ道を通り、ヒッチハイクやバスを乗り継ぎ、この島までたどり着いたのだと言う。

ラテンアメリカの貧富の差をなくしたいと言いながら、抱えたラムのボトルを私に勧めるので、一口だけ口をつけた。そのうちのひとりが、毛沢東を崇拝していると言い、日本と中国も同じだと思い込んでいる節が会話の中から伺えたが、あえてそれは指摘しなかった。今はともかく、この時代、日本も中国も同じだと思っている人はかなりいて、一度「日本から汽車できたのか？」と聞かれ返す言葉を失ったこともあった。

一九六〇年代のベトナム戦争に抗議するアメリカの若者が反戦運動を始め、ジョーン・バエズ(注)が歌う反戦歌が流行していた。それに賛同するラテンアメリカの若者達、社会主義に憧れる若者達と、目的は少し違っていたが、彼らのエネルギーは凄まじかった。

当時コロンビアでは反政府勢力との内戦状態が続いており、同じ頃、ブラジルの軍事独裁政権を嫌う多くの偉大なアーティストも亡命、追放された。私はこれまで自分のステージの表の部分をメインに書いてきたが、いつもその危険さと隣り合わせで仕事をしていたことをあえて伝えたい。

多国籍の客を前に七か国語で歌う私はとても重宝がられ、また招かれたい気持ちで一〇日間の仕事を終えた。五〇年後の今、あの島はどうなっているだろうか。

この年の八月、コロンビアから再びカラカスへ戻った私は、リトが交通事故で亡くなったことを知らされた。皆に惜しまれ多くの人が見送ったと聞かされ、その場に私がいられなかったことが悔やまれるのであった。

ジョーン・バエズ
Joan Chandos Baez
(1941-)
メキシコ系アメリカ人のプロテストフォークシンガー。ボブ・ディランと共に公民権運動の象徴的歌手であった。『ドナドナ』や『朝日のあたる家』などが有名。妹のミミ・ファリーニャも有名歌手。

1969年 ディプロマティコにて

第 10 章
ブエノスアイレスにてピアソラと共演

MICHELANGELO

Presenta diariamente:
El mejor espectaculo de Buenos Aires

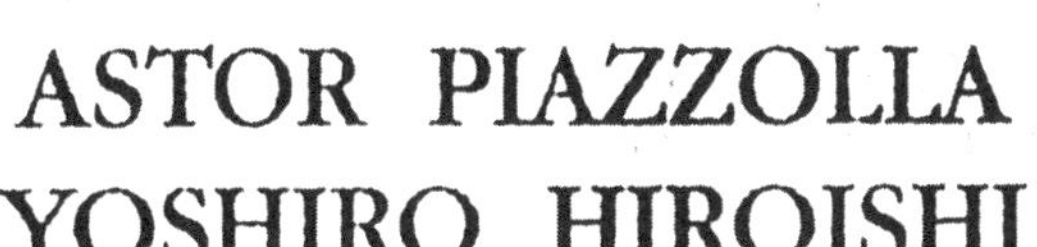

Cene en el grill y snack bar
MICHELANGELO, habilitado en planta baja

MICHELANGELO

Balcarce.433-Tel.30-4836 y 6542
Domingos y Lunes Descanso

ブエノスアイレスにて友人の交通事故に大笑い

一九七〇年九月一一日、すったもんだした挙句、南米のパリと呼ばれる美しい都ブエノスアイレスへ着いた。正式な契約が決まっていたわけではない。その二か月前、この土地のプロモーターであるロベルト氏に「あなたの都ブエノスアイレスで仕事をしたいと思います。北米、メキシコ、ベネズエラ、その他の国々で成功をおさめて来ました。きっとあなたの国でも成功することを確信しています。つきましては、九月一〇日頃からスケジュールをとっていただければ嬉しいです」なんて一方的な手紙を出したが、ベネズエラのビザが切れたので慌てて来たのである。

日本人の友人K君のアパートへ身を寄せた私は、幸い仕事にも恵まれ、デビューまでの短い日々をたまたま来ていた小澤氏と共にブエノスアイレス観光などをして楽しんだ。ちなみにK君は、ひよこのオスかメスかを瞬時に判別し区分けする雛の鑑定士の仕事についていた。日本人の雛の鑑定士は腕が良く、的確さとスピードで現地の人より高い収入を得ており、世界中を渡り歩いている人もいるという。

九月一八日、ブエノスで一番大きく格式の高いクラブ「ミケランジェロ」初出演の日である。しかし、リハーサルの時間もとっくに過ぎているのに、楽譜も持たず駆け込んだ私の説明を聞き、店のオーナーは大いにうろたえた。うろたえていたのは私とて同然である。不可抗力と言ってしまえばそれまでだが、これは偶然とはいえあまりにも悲劇すぎた。

デビューの前日、日本へ発った小澤氏と別れ、K君のアパートへ戻って来たが、彼は夜中になっても帰らず、鍵を持っていない私は近くのホテルで一泊した。

ところが、デビューの日の昼過ぎになってもK君は帰らない。リハーサルの時間を気にする私の耳に入って来たのは、K君が首都から列車で一時間のメンドーサという町で交通事故にあい、二日間も意識不明の重篤との知らせであった。

K君の容態は気にかかるものの、とりあえず私は仕事に出かけなければならない。そのためには部屋の中にある楽譜や衣装を取り出す必要があり、アパートの管理人に掛け合ってみたが、K君の許可なしには開けられないとの返事である。思い余って警察にも相談に行ったがはねつけられた。最後の切り札と、私の名前の出ている当日の「ミケランジェロ」のショー案内を見せて、くどく説明してもダメだった。そもそも治安の悪い南米では、人をあまり信用しない。人を信用できる日本人を、私はこの時つくづく誇らしく思った。

楽譜なしのリハーサルをやってみたが、まとまるわけはなく、結局私のデビューは一週間延期し、翌週の金曜日とされた。

その夜、K君と親しい日本人の友人三人と私は、緊急の会議を開いた。主治医の話では、完全に助かるという保証はできないという。気が動転した友人のひとりA君は「先生、助かるのか死ぬのかどっちかに決めてください。じゃないと、日本の家族に知らせようがありませんから」と、とんでもないことを口走る。

一応国際電話をしようということになったが、何と言っても日本はアルゼンチンから一番遠い国である。あまり家族を動揺させてはいけない、その配慮から、もうひとりの友人B君はこう言ったものである。

「あ、もしもし、K君のお母さんですか。実はK君が交通事故で、頭をそっと打って、意識不明になり、重体かもしれないんです。でもご心配なく」

そばで聞いていた私達は電話口に聞こえないよう口をふさぎ、笑いをこらえようとしたが、不謹慎にもとうとうたまりかねて隣の部屋へ逃げ、笑いに笑った。

幸いK君は一命を取り留め、五日目には意識も回復した。ただし口がきけるようになるまでにはそれからさらに三週間を要したが、彼の口から出た最初の言葉が、これまた実に傑作だった。

その病院はカトリック系の病院で、神父さんが毎日病室を見舞っていた。日本では病院にお坊さんが見舞いに来るなんてことはないが、その辺は宗教観の違いである。

ある日の午後、K君のベッドに近づいて来た神父が「この病人さんの宗教は何ですか？　私がこの方のためにお祈りをしても差し支えありませんか？」とたずねてきた。

そのことをK君に伝えると、口がきけないはずのK君が、「アイ・ケ・パガール？

（お金を払わなくちゃならないんだろう？）」と弱々しいけれどノドを振り絞った声で心配そうに口を開いたのだ。

意識を取り戻して以来、彼の脳裏には入院代のことがこびりついていたに違いない。やっと彼が口をきいた喜びよりも、おかしさの方が大きく、私は笑い転げた。

ミケランジェロでのデビュー

デビューは九月二五日だった。この仕事場がブエノスアイレスでも最高に権威のある店だと知ったのは、周りの反応からである。

共演者達がどのようなランクにいる人達なのかほとんど知らなかったが、その中でもあるバンドに気をひかれ、ことも無げにマネージャーに尋ねたものである。

「ねえ、すごいモダンなタンゴだね！　演奏も素晴らしい。何ていうバンド？」

「アストル・ピアソラ（注）だよ。彼が世界的にも有名だってことを知らないのかい？」

「ああ、名前は知ってるよ」

それでも私には彼の知名度がピンと来ておらず、二週間の出演期間中にも彼とは「コンバンワ」と二、三度言葉を交わしただけであった。今になってみれば、なぜもっと話をしなかったのか、一緒に写真を撮っておかなかったのかと悔やまれてな

アストル・ピアソラ
Astor Piazzolla
(1921-1992)
イタリア系アルゼンチン人のバンドネオン奏者、作曲家。ジャズやクラシックの要素を取り入れた音楽性で賛否両論ながらも不動の地位を築く。真の意味でのアルゼンチンタンゴの改革者である。

らない。

この店は各アーティストが一ステージずつ、四〇分から六〇分のパフォーマンスを務める。私のバックバンドは五人編成のハイレベルなモダン・ジャズのグループで、私の伴奏には勿体無いと思ったほどだ。リハーサルの後、この店の客層に合う曲を店のスタッフとプロデューサーに聞いたところ、なんと『ハヴァナギラ』であった。どうやらブエノスアイレスはユダヤ系が多く、私のアレンジは途中にフラメンコも入っているのでウケるはずとのこと。

この店での私は、タンゴ歌手ならいくらでもいるブエノスアイレスでタンゴでもあるまいと、ご愛嬌にもタンゴを歌うというようなことはしなかった。ラテン系ポピュラーと現代タンゴを売り物にするこの店で、私のオープニング曲は日本民謡の『八木節』(注)であった。

それはチンドン屋的発想でもなければ、エキゾティズムに訴えたのでもない。弘田三枝子(注)がニューポートのジャズ・フェスティバル(注)でもこの曲を取り上げていたし、「ミケランジェロ」での私の伴奏バンドもモダンジャズのグループだったので、フリージャズの感覚で冒険してみたのである。

私は一〇代の頃から日本を代表するタンゴバンドの一つ、坂本政一とオルケスタ・ティピカ・ポルテニアに度々呼ばれ、五曲くらいのレパートリーはあったが、タンゴにそれほど精通していたわけではない。

『八木節』
群馬栃木両毛地方発祥の民謡。複雑な成立過程は常に論争を呼んでいる。

弘田三枝子 (1947-2020)
〝ミコ〟の愛称で知られる歌手。アメリカンポップスやジャズソングの日本語バージョンが十八番であった。

ニューポート・ジャズ・フェスティバル
1954年からロードアイランド州ニューポートで毎年8月に開かれるジャズ・フェスティバル。日本人では穐吉敏子、弘田三枝子、原信夫とシャープス・アンド・フラッツ、渡辺貞夫、松居慶子、曽根麻央らが出演している。1958年のフェスはドキュメンこの年、ベネズエラでは『バラーダ・パラ・ウン・ロコ（気違い男へのバラード）』（注）という曲が頻繁にラジオから流れており「これがアルゼンチン発の最新のタンゴだよ」と聞いていたので、私も早速そのレコードを買ったが、かなり難解で哲学的な歌詞と演劇的な表現力を必要とする新しいメロディー進行だったので、私は手もつけられず、覚えるのはやめてしまった。さらに、アストル・ピアソラの名前は知っていたが、この曲を作った当人であることには気がつかなかったのである。

一度、ピアソラに「今夜セッションしてみないかい？」と誘われたことがあった。畏れ多い、という気持ちもあったが若さ故の図々しさも手伝い「喜んでお願いします」と答えた。

楽屋での打ち合わせの後、トリをつとめるピアソラのステージに招かれ『八木節』から始めたが、いつものようにフリージャズで歌っていたので、ピアソラはこの歌が日本民謡という認識はなかったようである。私のバックバンドも参加してモダンジャズ・タンゴという言葉でしか表現できない先鋭的なステージをくり広げた。

日本の音楽関係の人に、ピアソラの伴奏で『八木節』と『スキヤキ』を歌ったというと一瞬怪訝な顔をされるが、音源の証拠が無い為に私の説明だけでは足りなさ過ぎるのだろう。ピアソラも自分の音楽の世界にうまく私を引き込み、二曲とも近未来的な仕上がりであった。『スキヤキ』を即興であんなにもハイレベルに作り上げたのは、ピアソラの音楽性のなせる技で、それを他のバンドで再現するというこ

タリー映画『真夏の夜のジャズ』として有名。

『バラーダ・パラ・ウン・ロコ（気違い男へのバラード）』
Balada Para Un Loco
アストル・ピアソラ作曲、オラシオ・フェレール作詞、アメリータ・バルタール初演。1969年作。

とは不可能だっただろう。ちなみにこの時代南米では『スキヤキ』は食べ物の名前ではなく、女性の名前と思っていた人が多いようで、長崎でスキヤキにプロポーズして世界で一番幸せな恋の物語を成就したい、という内容で知られていた。

　私が今でもピアソラの曲を歌おうとしないのは、大袈裟に言えば彼への敬意からであり、彼の曲のレベルを下げたくないからである。

　ショーが終わりホテルへ帰る途中、有名なフロリダ通りを通ると午前二時だというのに映画館から出てくる人の波や、この通りを楽しむ人達で溢れ、ぶつかりそうになるほどの賑わいであった。よく南米のパリと言われるように皆オシャレで、女性はその頃流行のマキシコートを着ている人が多く、男性もパーティーにでも行くような正装をしていた。驚いたことに、タクシーの運転手も背広に蝶ネクタイをしているし、気軽に魚屋に行けば日本ではいなせな兄ちゃん、とでもいうような若い男性が蝶ネクタイで魚を売っているのだ。これまで渡り歩いたラテンアメリカ諸国と違い、店で物を買うにしても、きちんと順番待ちの列に並んでいるのである（今は変わったであろうが、他の国では並ぶ習慣など無かったような気がする）。そして私は曰くつきのコリエンテ通りコリエンテ三四八番を通り、「ホテルミラン（イタリア語でミラノ）」へ帰る。コリエンテ三四八番、それはタンゴの名曲『ア・メディア・ルス（淡き光に）』(注)の歌詞にあるコールガールの女性が「ここで待ってるわ」と歌った家の番地なのである。そしてその家は名所として当時まで残されていた。

『ア・メディア・ルス（淡き光に）』
A Media Luz
エドガルド・ドナート1922年作曲のタンゴ・クラシック。

リトの親友　サイマ・ベレーニョとの再会

一一月になり、私はブエノスアイレスの「クラブ・パラディウム」に出演、そして週末にはタンゴ発祥の地ボカにある「カサ・デ・アトゥン」にも出ていた。前者は「ミケランジェロ」より大衆的であったが、私の仕事場としてはむしろぴったりで、いきいきと歌うことができた。

アルゼンチンに来た私が一番感激した歌手は誰かといえば、皮肉にもこの「パラディウム」の出演者で、パナマ生まれキューバ育ちの女性歌手、サイマ・ベレーニョ(注)である。彼女は情感のあるフィーリン(注)やボレロを得意とし、サルサを歌えばその比類なき美貌とスタイルの良さと相まって、客は心を奪われてしまうのだった。フォルクローレ系の『アルフォンシーナと海』(注)も、メルセデス・ソーサ(167頁注参照)のそれとはまた違った味わいで良かったし、アフリカ系の血を引いているだけに『黒い天使』は特に素晴らしく、涙をそそるほどであった。

小澤氏が是非日本に連れていきたいと熱望したのだが、彼女は南米の多くの国でＴＶのレギュラー番組を持っており、残念ながらあらゆる条件が折り合わなかった。楽屋で彼女の親友でもあったリト・デ・オロが亡くなったことを伝えると「えっ！　嘘でしょ!!」と驚き泣き崩れ、「リトは私の家族みたいなものなの」と言っていたのが忘れられない。

サイマ・ベレーニョ
Zaima Beleño (1932-)
ベネズエラ、アルゼンチン、パナマと広域にわたり活躍し、その美貌ゆえに映画にも数多く出演した歌手。

フィーリン
1950年から1960年代にかけ、キューバで興ったムーヴメント。それまでのボレロやトローバといったキューバ音楽に、ジャズなどの要素を加えたもの。

『アルフォンシーナと海』
Alfonsina Y El Mar
アリエル・ラミレス作曲、フェリックス・ルナ作詞。ポール・モリア楽団やタニア・リベルタまで世界の一流歌手が歌う大名曲。

TV局との契約

　こうして一九七〇年も一二月になった。ここアルゼンチンでの仕事も一段落し、それからさしてアテのない私は、同月一二日にブラジルに発つはずであった。それまでの二か月余り、プロモーターのロベルトはTVの売り込みのため連日のように奔走してくれたのだが反応はなかった。しかし、幸運というべきであろう、急にこの日のTV出演が決まり、出発を二、三日延ばすことになったのだ。

　その番組は『サバド・デ・ラ・ボンダー』というタイトルで、その頃流行の超ワイド番組を早くから取り入れ、サバド（土曜日）の一四時から八時間もぶっ続けで、様々な歌手が出演するプログラムだった。

　出番も終わって帰り支度をする私を、ロベルトが改めて番組プロデューサーに紹介してくれた。とても楽しい番組だったので、「またブエノスアイレスへ戻る機会があれば出演させてください」と丁寧にお礼を言うと、「何を言ってるんだね。君は来週も、また次の週も出演するんだよ」とプロデューサー。

「でも、私はそんな話は聞いていませんし、クリスマスにはコロンビアのサン・アンドレス島での出演が決まっているんです」

「ところが、たった今、今後の出演が決まったんだよ。契約のことは明後日の月曜日に話し合おう。ロベルト、彼とコロンビアでの仕事をキャンセルするよう話し合ってくれないか」

　そんなわけで、私は強引に（しかし、これは私にとって大いに喜ばしいことだったが）ＴＶ出演をＯＫさせられた。コロンビアのサン・アンドレス島出演の話は、ロベルトと先方との話し合いによって解決したが、ロベルトは「ヨシローは急性肝炎で入院した」とデタラメを言ったのだそうな。

　その翌々日、ロベルトと連れ立ってＴＶ局を訪れた私は、またまたぶったまげた。この「カナル・ヌエベ（九チャンネル）」と一年間の専属契約を結んで欲しいと言うのである。

「タンゴは少ししか歌えませんよ」と言えば、「覚えればいいじゃないか」と言う。出演内容は毎週木曜日の『グランデス・バローレス・デル・タンゴ（タンゴの真価）』と、前記の土曜日のワイド番組だ。私がＴＶ局から「ぜひウチの番組に出てください」などと頼まれたのは、アイドル歌手として売っていた一九六五年のカラカス以来暫くなかったので、大いに恐縮してしまった。

　これは一九五〇年代、いち早くこの地で人気を博した藤沢嵐子の影響であろう。彼女はこの地で有名と言うよりは偉大な歌手として語り継がれ、私が来る三年前にも早川真平とオルケスタ・ティピカ東京で公演をしていた。日本でも今は亡き浅草国際劇場を満員にしてのコンサートを、上京したての頃に見ており、大分の田舎でも紅白歌合戦に毎年出演する彼女の歌に感動したものだ。タンゴ歌手で五年連続紅白出演と言うのは前代未聞であり、その後、彼女を超えるタンゴ歌手が出ていないのは残念である。程なくしてピアソラの名が日本にも知られるようになったが、日本での公演は〝嵐子が歌ってくれるなら〟という条件付きであった。

無名の私を紹介するには、すでに人気のある美人歌手と絡ませる方が話題に富んでいる。『サバド』ではシモーネという女性歌手と、『グランデス』では日系の美人タンゴ歌手で、フルビオ・サラマンカ楽団と訪日もしたチヨコとの絡みが多かった。

ある予感

ブエノスアイレスに着いた頃、私の財布はそれほど豊かではなかったが、こうしてレギュラー番組出演を続けているうちに懐もどうにか潤い、私の帰国を待ちわびる母を反対にこの国に招く計画さえ立てていた。

一方、私の家族は一日も早く帰国するようにと希望していた。その希望に私が応じられなかったのは、決して私が家族をかえり見なかったわけでもなければ、スターという虚像だけを追いかけていたわけでもない。

これまでの経験から〝一攫千金〟という言葉は私にとってバカげた夢ではなくなっていた。もう少し家族が待ってくれれば、ニューヨークでも東京でもいい、豪邸を建てられる。それが何よりも成功の証と勝手に決め込み、その千金を掴むのももはや時間の問題と胸を膨らませていたのである。ところが、年が明けた一九七一年一月、私の元へ二つの悪い知らせが届いた。その一つは祖母の他界、もう一つは次姉が交通事故に遭い、一命は取り止めたが重体だというのである。

私はその手紙をポケットにしまい、夜遅くまでブエノスアイレスの中心街を歩き続けた。幼い頃、両親の仕事の都合で、主に疎開先の祖母の実家で育てられた私にとって、祖母の存在は両親と同じくらい大きなものであった。終戦の年、B－29が度々飛んで来て機銃掃射に合い、防空壕に逃げ遅れた私の背中に、とっさに祖母が覆いかぶさった。自分の命を投げ打ってでも私を助けてくれたあのシーンは私の頭から離れるものではなかった。

初めて羽田からベネズエラに発った一九六五年四月二五日、同じ日に父が死に、私は死に目にさえ会えなかった。これは芸人の宿命として諦めようとしたが、今回は宿命ではない。私の見果てぬ夢ゆえにこんな結果になったのである。祖母は私に見捨てられたと思って死んでいったであろう。私は祖母を見殺しにしたような責任を感じて苦しく、次姉のことも気がかりであった。

私が二度目の中南米巡演へ発つ、ある三月の寒い冬、九一歳の祖母は「いつ帰るのかえ、いつ帰るのかえ」と我が家の二階の窓から落ちんばかりに身を乗り出して私を見送ってくれた。

「三か月で帰るよ」

「うそじゃないぞえ。早くお帰り」

そして祖母との約束は見事に破られ、三か月どころかあれから三年。けれど三か月と言ったのは、決してでまかせではなかった。世界を甘く見ていた私は、三か月という期間は北・中南米で成功するに充分と思っていたのである。いったい私は何を基準に〝成功〟などと軽々しく考えていたのであろう。やれレコーディングしました、やれTVのレギュラーが決まりました、やれ賞をもらいました、喜ばせようと思って書いた家族への手紙ではあるが、祖母にとってはそんなことはどうでもよく、返事は決まって「早く帰ってきておくれ。淋しい」であった。

祖母の死を知った今では、私のこれまでやって来たことは全て馬鹿げて軽薄に思え、ひとりの人間の死に比べてアルゼンチンのTV番組に出演することなど、一〇〇〇分の一の重みもなかった。私が一番すべきことは、祖母の看病をすることだったのである。けれど私を帰国させなかった一番の理由は、その頃の日本の〝人は皆同じでなければならない〟という風潮、つまり私のような性的マイノリティは受け入れないという土壌であった。

そして入院

ところが当の私もこの一か月ぐらい前から体の不調を感じていた。頭痛、吐き気、手足のしびれ、夜中に心臓が苦しくて飛び起きたこともあった。

最初はそれを毎週毎週ＴＶで新曲を歌わせられる緊張のせいだと思っていた。祖母の死と姉の事故を知った後、症状も一層ひどくなったが、それは精神的なもので、やがては治ると自分に言い聞かせていた。

夢にうなされ、思い余って日本へ電話をすると、母は平静を装い、姉は半年もすれば退院できるだろうと答え、私は幾らか安心もするのであるが、それなのに私の症状は軽くなるどころか、やがては枕元の電話に手を伸ばすのもやっとなほどに身体が衰弱してきた。そしてとうとう一九七一年一月一〇日、スタジオで歌い終わった途端、私はその場に倒れてしまったのである。

救急車で病院へ運ばれた私は、ろくに診察もしてもらえず、気休めのような薬と注射をインターンに打たれただけで「様子がおかしくなったら、またいらっしゃい」と、あっさり帰されてしまった。

何度同じことを繰り返したであろうか。ある朝〝嬉しい(?)〟ことに、やっとドクターから、「こりゃあ大変だ。かなりひどい肝炎だと思う」と診断され、即入院となった。ホテルで不安に悩まされて過ごすのに比べれば、入院したことの方がいくらか安心だと思った。それに〝なーに、単なる肝炎〟で、一週間も過ぎれば、また仕事ができると軽く考えていたのである。

ところが、入院後間も無く医師から無表情に「君の病気は肝硬変と十二指腸潰瘍だよ」と伝えられ、心が乱れながらも、その一方ではなお仕事への執念が断ち切れず、来週こそは退院してＴＶに出たいと連日のように医師へわがままを言っていた私である。

決定的な宣告は、一か月後突然なされた。

「あなたの国の医学は進んでいる。一日も早く帰国して、良い治療を受けなさい」と言われ、同時に退院が許可されたのである。

翌日退院し、そのまま昼一時半からのおなじみの番組にさっそく出演、観客のあたたかい声援を受け、張り切りすぎた。我を忘れて踊ろうとしたその瞬間、背中を激痛が走り、立っていることができず、私はしゃがみこんでしまったが、すぐに立ち上がり、どうにか最後まで歌い切った。

ブエノスアイレスとの別れ

ＴＶ局が私を励まそうとした親心かどうかは知らないが、この夜私は「カナル・ヌエベ（九チャンネル）」から表彰状をもらった。前年度の一二月『サバド・デ・ラ・ボンダー』に出演した時間帯の視聴率が三三％で、これは一一月にアルゼンチンの人気ポップス歌手サンドロが出演した時の三五パーセントに次ぐものであるという。

日本へ帰ろうにも、五〇メートルとて歩くことのできない私は、ひたすらホテルで体力がつくのを待った。ホテルのメイドさんに特別食を作ってもらい、部屋で食べる生活である。体調が悪い私が「この顔が黄色いのは黄疸じゃなかろうか？」とメイドさんに聞くと、「あなたは黄色人種なんだからそのくらい黄色いのは普通じゃないですか」との答えであった。〝肝硬変〟という言葉が、四六時中頭から離れない私は、抜け殻にも等しい状態で、ふと夜中に目が覚めては「日本の土を踏む前に、死ぬようなことがあったらどうしよう」と考え出すと、不安は先から先へとつのり、まんじりともできず朝を迎えるのであった。

それまで唯一の収入源であった『サバド・デ・ラ・ボンダー』の出演だけはなんとか続けていたが、七一年三月一三日、いよいよ身体の衰弱を感じた私は、この日の番組を最後に、翌日は日本へ帰る決心をしていた。ディレクターからも「ヨシロー、歌い終わったら司会のエクトルが〝日本語で〟君にお別れの挨拶をするから、意味がわからなくても、うつむいて悲しそうな顔をしていてくれたまえ」と頼まれていた。

この番組は公開ＴＶ番組である。私があえて悲しそうな顔をするまでもなく、私の最終日をすでに知っている若い女性ファン達は一曲目の『アモール・ノ・ジョーレス（恋人よ、泣かないで）』でもうすすり泣き、『ハヴァナギラ』では嗚き声と絶叫で、歌もかき消されがちとなった。

けれども同日の涙は、私自身さえ予測していなかったことで、これほど多くの集団が一度に泣くのを私はかつて目にしたことがない。最後にシモーネとデュエットしたタンゴの名曲『さらば草原よ』(注)を歌い出した時など、ロックのコンサートもかくやとばかりで、観客は泣きわめき悲鳴をあげた。

〝さようなら、私の草原よ。私はこれから見知らぬ土地へ旅立つ。さようなら、通いなれた道よ、山よ、川よ……。〟

それまで何気無く聞いていたこのタンゴの名曲がこれほど悲しく響いてくるとは。シモーネと私はもちろん、カメラマンもディレクターも司会者も、みんなみんな私のために泣いてくれた。

その翌日、私は車椅子に乗せられて、ブエノスアイレスの空港を発ったのである。

『さらば草原よ』
Adiós Pampa Mía
フランシスコ・カナロ、マリアーノ・モーレス1945年作。タンゴ歌手の定番曲。日本では藤沢嵐子のバージョンが有名。

1970年 ブエノスアイレス TVショー

1971年 ブエノスアイレス TVショー チヨコ、ロベルト・ゴジェネーチェと

1970年 ブエノスアイレス クラブパラディウム

1971年 ブエノスアイレス TVショー

1971年 ブエノスアイレス オリビア・ハッセーと共演

第 11 章
帰国、そして長期入院

1976年 ウクライナ キエフにて

三年ぶりの帰国

一九七一年三月、療養のため三年ぶりに帰国した私は、間もなく医師から「あなたは肝硬変ではありません。精密検査の結果から見て慢性肝炎ですが、それもほとんど正常に近い数値です。これは病気というより、海外生活の疲れからきた症状でしょうから、一週間もすれば仕事ができるようになりますよ」とあっさり告げられ、母は狂喜したが、私は手放しで喜ぶ気になれなかった。なんといっても私はアルゼンチンで〝肝硬変〟とスペイン語で書かれた診断書を持っており、三年にわたる外国暮らしの後であって、そうあっさり日本人医師の言葉を信じられなかったのである。

ひとまず私は郷里の大分に身を寄せた。母は父の死後、学校経営を辞め、別府女子大学と北九州女子大学でデザインと色彩学を教える身であった。しかし症状はひどくなる一方で、一〇〇メートルも歩けない状況が続いていた。

ナゾが解けたのは、半年後に母も学校の仕事を辞め、私の看病のために一緒に上京した時に訪れた、大学病院の医師の「交通事故にあったことはありませんか?」という言葉だった。

そう言われて、その前年一九七〇年の九月のはじめ、ベネズエラのカラカス市で車の衝突事故に遭い、むち打ち状態になり半分失神し、病院に担ぎこまれたことを思い出した。それを伝えると医師は真面目な顔で「そうでしょうねえ。今あなたが訴えている症状は、すべてその時の後遺症ですよ。つまり自律神経失調症です」と原因を説明した。これで私の苦しむ原因や病名が分かり、私の心もいくらかほぐされたのだった。

コロンビアより一通の手紙

一九七一年八月、コロンビアの私の弁護士から一通の手紙が届いた。

「かねて進行中であった訴訟問題に関し、被告であるカルロス・レデールは、原告であるヨシロウ・ヒロイシに一〇万ドルを支払うべく判決が下った」との内容であった。一〇万ドルとは、当時の日本円にすると三六〇〇万円である。

前に詳しく書いたことだが、一九六六年八月、私はコロンビア国内を巡演中、一方的な理由でプロモーターから訴えられたかどで訴訟を起こし、一切を弁護士に任せていたのであった。それからちょうど五年、私はすでにそんな過去の問題など忘れかけていた。いや、日本の例を考えると、そもそも最初から金が取れるなどという大きな期待もなく、弁護士が熱心に勧めるのと、先方から受けた屈辱ゆえに起こした訴訟であった。

判決文には「レデールは、コロンビアにおいて、原告の私と契約を開始した一九六六年七月より私のギャラを全部払い終わるまで、一〇万ドルプラス一日につき六六ドル（当時のレートで約二万二〇〇〇円）を支払い続けなければならぬ義務がある」と書かれていた。

契約書は強し　南米に別宅を四軒持った

九月に入って、私は一通の国際電報を受け取った。

「ヨイケイヤクアリ　トオカイナイニトウキョウヘユク」とある。発信人はやはり、コロンビアのプロモーターでカルロスのパートナーでもあったエドゥアルド・セバージョス氏であった。

まだ療養中で、外国はおろか国内の仕事さえ思うだにしんどく、その契約を受ける気持ちなど毛頭なかったが、それよりもその電報が何か嘘っぽいのが気になった。彼と私との間には契約に関する事前の打ち合わせもない。それに大スターでもない私と契約するため、高い旅費を払って日本まで飛んでくる必要もないはずである。しかも私が契約を承諾するかどうかも分からないではないか。それなのに彼は一方的に来日すると言っており、どうもこの電報は今回の裁判に関係があるのではないかと私は睨んだ。

はたしてそれから二週間後の朝、在日コロンビア領事館から「こちらにセバージョスさんというコロンビアのプロモーターが来られています。あなたと契約なさりたいとおっしゃってますが」と電話が入った。電話はすぐ本人と代わったが、ますます怪しいではないか。彼と私は旧知の仲なのだし、何も領事館を通してもったいぶるほどのことではない。

その夜、彼と私は赤坂のホテルのロビーでおちあった。

「わざわざ日本へ迎えにくるほど、僕の知らない間に〝ヨシロー〟の名は有名になったんですか？」

と問うと、彼は

「いや、君だけのためではない。東京には女性だけが演じる劇場があると聞いているので（国際劇場や宝塚のことか？）交渉してみようと思ってね」と言うかと思えば「ヨシロー、君は南米で有名になる必要がある。スターになれる」と言ったり、実にチグハグであった。そして「すぐコロンビアへ行こう」の一点張りで契約の核心には触れて来ないのである。

「ヨシロー、病気だと聞いたが、それなら今の君にはお金が必要なはずだ。いくら欲しい？」

「そりゃあ欲しいけれど……でも、もしかしたら、あなたは誰かに頼まれて日本へ来たんじゃないの？」

彼の目は少しうろたえて見えた。

るんだろう?」
「ねえ、そのお金も持っているんじゃないの? 例の裁判のニュースも知ってい

私は問い詰めていった。
彼は暫く黙っていたが、思い切ったように口を開くと、「ヨシロー、実はカルロスから頼まれて来たんだ。なんとか彼を助けてやってくれ。彼からの金を受け取ってくれないか」

「つまり示談ということなんだね?」
セバージョスの話によると、この裁判の結果は私の想像以上にコロンビアではセンセーショナルに報道されているのだそうである。ふと予感がした私は「本当はカルロスも来ているんじゃないの?」と尋ねたところ、なんと本人はロビーの外で待っているのだという。強く拒否したにもかかわらず、私はカルロスとの再会を強いられる羽目になった。

その夜から一〇日間というもの、私は被告カルロス・レデールに悩まされ続けた。朝は九時から我が家へ押しかけ、涙さえ浮かべて許しを乞い、ある時は赤坂の高級クラブへ私を招いて顔色を伺い、なんとか示談に持ち込もうとするカルロスは、寝る時間以外はひたすら私にぴったりとまとわりついていた。

五年前、私を脅迫し拉致しようとした居丈高な面影はすでになく、今のカルロスは打ちひしがれ、ただただ私に哀願するばかりの弱々しい老人であった。これは後

日わかったことであるが、ふたりが来日した当初の目的は、まず私と契約してコロンビアへおびき寄せ、その後はうまく彼らのペースへ引きずり込む算段であったらしい。

今は哀れに見えるこの老人を見るにしのびなく、示談に応じたい気持ちも山々だったが、全てを弁護士に任せるサインをしている私は、自分の意思で事を運ぶわけにはいかなかった。私はむしろ己が大きな犯罪を犯しているような気分にさせられ、それ以上カルロスの顔を見るのが苦しく、彼の前から姿を消した。病気も回復に向かい始め、帰国後初の仕事が大阪であったのを幸いに、私は逃げるようにして東京を離れたのだった。

その年の一二月、カルロスの財産の一部である家宅、マンション、オフィスなど計四軒が差し押さえられたという報告が届いた。つまり、それらの物件はしかるべき手続きの後、私のものになったのである。〝財産の一部〟と書いたのは、カルロスが単にプロモーターであるばかりではなく、表の顔は歯科医師であり、コロンビアの有名銀行や航空会社の役員でもあり、その財産総額のほどは数えきれなかったからである。しかも彼は、判決の後その財産のほとんどを名義変更し、差し押さえの多くを逃れている。

全ては私の知らぬ間に運ばれていったが、原告の私にもこの裁判は公平ではなかったように思える。真相は今でもわからないが、私の弁護士はかなりのやり手で、時の大統領との結びつきも強く、全てを有利に進めたと私は想像するのである（後に彼は在ベルギーコロンビア大使になったらしい）。

　差し押さえられた物件の査定は一〇万ドルに達していなかったので、示談で終わらせた一九七七年まで、法律上では毎日六六ドルが加算されていったわけで、結局私は六〇〇〇万円以上勝ったことになる（私が実際に受け取った金額はもちろんそんな大それたものではない）。

　今は手放してしまったが、一時期にせよ南米に家が四軒あるということは、ちょっとしたお金持ちになったようで、まんざら悪い気はしなかった。

　ところがである。おそらく当時の大統領の力も働いたのであろう。この四件の家も弁護士に誤魔化され、最終的に私の手に入ったのはわずかであった。しかもカルロス・レデールは当時の大統領に睨まれていた麻薬関係のボスである、という人もあり、私は怖くて今でもコロンビアに行けないでいる。けれども人生とは皮肉なもので、その後も仕事のオファーがくるのはコロンビアが一番多いのが不気味である。

三年ぶり　日本での再々スタート

　一九七一年九月、コロンビアのプロモーター、カルロスも諦めて帰国したらしく、怯えていた母も少しは安心した様子だった。私のムチ打ち症もかなり良くなっ

由紀さおり（1948-）
ひばり児童合唱団出身。1965年本名の安田章子でデビュー。1969年由紀さおり名義の『夜明けのスキャット』が150万枚を売る大ヒット。TVでコメディエンヌとしても活躍。

ちあきなおみ（1947-）
4才から米軍キャンプ回り、1969年『雨に濡

ていたが、一七歳で東京へ出たきり好き勝手をやってきたという負い目もあり、母を別府から東京へ呼び寄せ、一緒に生活するようになっていた。

日本での仕事はといえば、小澤音楽事務所と佐良直美音楽事務所が合同で私のマネージメントをするように話し合ってくれており、給料も保証され、とりあえず金銭的な心配は無かった。

当時、佐良直美は紅白歌合戦の司会を五年連続務めた程の売れっ子歌手で、同じジャズの先生の門下生ということもあり、私をもっと日本に紹介したいと言ってくれた。彼女の顔の広さもあり当時日本では名の知れた歌手のコンサート（由紀さおり（注）、ちあきなおみ（注）と佐良直美のジョイントコンサート、武道館での佐良直美と沖雅也（注）のジョイントショー等々）にゲストとして出るようになっていたが、皆歌謡曲の歌手であり、その中で私が異質のラテンを歌うことにいつも遠慮があった。果たして私がゲストに値するのか自問自答する毎日。

その頃たまたま私のラテンを聞いたルパン三世の音楽監督、山下毅雄（注）氏が気に入ってくれ、オープニングテーマと挿入歌を三曲録音することになった。

ところが、録音当日に私の歌を聞いたスタッフ一同の顔が冴えない。

「ヨシロウさん、いつも歌っているラテンの感じでいいんですよ」と簡単に言うが、大人から子供まで喜ばせるようなシンプルなメロディーを譜面通りに歌うのは、とても難しいことなのだ。その日はスタジオ中にシラケドリが何羽も飛んでい

れた慕情』でデビュー。『四つのお願い』などがヒット。しかしなんといっても『喝采』の人であろう。美空ひばりと並び称される昭和最高の歌唱力を誇るも１９９２年、夫の死去を期に活動休止。

沖雅也 (1952-1983) 『太陽にほえろ！』のスコッチ刑事や『俺たちは天使だ！』の麻生雅人役で有名な俳優。歌手としても『哀しみをこえて』のヒットがある。人気絶頂の頃に京王プラザホテルから投身自殺。

山下毅雄 (1930-2005) 神戸出身の作編曲家。モダンな作風で60〜70年代のTVや映画を席捲。手がけた楽曲は７０００曲ともいわれる。

るような感じで、「一週間勉強させて下さい」とその日は弱々しい声で引き下がるしかなかった。

そして一週間後、再び録音に入った。やけっぱちにルパンの「ル」を巻き舌で歌い、南米風のカーニバルのように掛け声などをやたら多く入れて歌ってみたところ、「あ、それいただきましょう‼」と皆大喜び。ルパン三世がアニメであることさえ知らなかったのがむしろ良かったのかもしれない。ルパンの「ル」は「L」なので、巻き舌などあり得ないのだが、「面白けりゃあいいんだ」とあっさり合格になった。あれから五〇年後の今、インターネットで検索すると私はラテン歌手というよりルパン三世を歌った歌手として紹介されている。嗚呼‼

その後、東芝EMIの越路吹雪のプロデューサーでもあるS氏が私にフォークを歌わせようと試みた。時代はフォークソングが幅を利かせており、南こうせつ(注)や下駄で歌うあがた森魚(注)、吉田拓郎等、四畳半的な質素な歌を歌うフォーク歌手が人気を集めていた。いでたちも普段着っぽかったので、S氏は私に髭を生やして椅子に座り、裸足か草履で歌えと言うのである。

さらにS氏に「ヨシロウさんはショー的で衣装もキラキラし過ぎているんだよ。今の時代に合わない」と言われ、嗚呼、日本は私を必要としていない、と今回も思い知った。

あれほどまで病気に悩まされ、帰国せざるを得なかったにもかかわらず、またも

南こうせつ (1949-) フォークグループ、かぐや姫のリーダー。代表曲『神田川』。

あがた森魚 (1948-) フォークシンガー。代表曲『赤色エレジー』。

や海外へ脱出したくなる衝動は抑え難いものになっていた。それに、私は自分の人生を呪いたい程の失恋をして、それを忘れる為にはこの国を離れる必要があったのである。

外国人が初めて覚えた下品な言葉

「アディオス、ペンデーホ（さようならアホタレ）！」

「あははは。どうせ聞こえてやしないんだから」

ここは羽田空港の国際線ゲート。当時成田空港はまだできておらず、国際空港は羽田にしかなかったのだ。一歩一歩、視界から遠くなっていく見送りの友人に、人前では使ってはならぬはずの下品なスペイン語を公然と使っているのは、日本への観光旅行から帰途に着こうとしているらしい、メキシコ人と見られるご婦人達であった。ここは日本、遠い旅先でのこと、わざとそんな言葉で楽しんでいる風情もあり、ここでは書けない品の良くない会話はなおも続いた。

ふとタラップへ急ぐ彼女達の後を追いながら、ひとつイタズラをしてやろうという気持ちが私の胸の中に湧いてきた。そこで、そのうちのひとりにわざとぶつかり、「アイ、ペルドン・セニョーラ（あっ、失礼しました、奥さん）」とスペイン語で、しかも大きな声で詫びてみせたのだ。

その一団は、期せずして「まあーっ！」と言ったきり、後は絶句。中には両手で顔をおおい、その場にしゃがみ込んでしまった者もあった。

ややあって、中でも一番喋りまくっていたひとりが「ああ、恥ずかしい、恥ずかしい」と、気の毒になる程うろたえている。私のイタズラは、効きすぎたようである。

「ご心配なく、皆さん。私はそんな上品なスペイン語まで分かりませんから」

「運が悪いわね私達。東京でのショッピングでは言葉が通じないので困ったのに、こんな時になってスペイン語にわかる日本人に会うなんて」

「でも、下品な会話は上流階級の人達がやる方が似合いますね。皆さんの会話を聞いていてつくづくそう思いました」

「それ、どういう意味ですの？」

「ほら、物語なんかで、王女が身分の卑しい若い男に惚れたりすることがよくあるでしょう。上流階級の人って、意外とそんなものに憧れるんじゃないですか？」

こんな会話がきっかけで、話はエスカレートしていく。

「ねえ、日本語の悪い言葉を言ってみて」

「日本語にはスペイン語ほど強い意味のある言葉はないんですよ。バカとかアホって言いますが、これだってTVやラジオにも使われる言葉です」

「バカってどういう意味？」

「スペイン語の〝トント〟とか〝ペンデーホ〟に近いけれどニュアンスは少し違

います」

「じゃあそれほど悪くないわね」

「じゃあ〝イホ・デ・ラ……（……の子）〟とか〝チンガ・トゥ（お前の……とやりやがれ）〟って日本語で何て言うの？」

さすがにその婦人は、最初のイホとかチンガまでは口にしたが、その後は……と言葉を飲んでニヤリと笑う。もちろん、これは典型的なスペイン語の過激なまでに下品な言葉なので、私にはすぐわかる。通常、前者の……にはプータ（売春婦、女郎）後者のそれにはマドレ（おふくろ、かかあ）が当てはめられるのだ。とすれば、これらの言葉の持つ意味もお分かりいただけるだろう。

「それらの言葉を日本語に訳すことはできます。けれどケンカしたって〝女郎の子〟なんて言葉は滅多に使いません。スペイン語ほど強烈なニュアンスじゃなくなるんです。宗教的な罪悪感の違いもあるでしょう。それに、日本語はデリケートですから、直接的な表現を使わず、時には綺麗な言葉で相手をぐさりと傷つけることがありますよ」

私はいささか得意げに言ってみせた。すると、それには答えずひとりの婦人がこう言った。

「私日本語知ってるわよ。〝オハヨウ〟〝アリガトウ〟それに……」

またか。それくらいの言葉ならその国に行けばバカだって覚えられるし、と私が思っていると「まだ知ってるわよ、〝マン◯チン◯〟」と言うではないか。今度は私が両手で顔を覆い、しゃがみこんでしまう番だった。

「あら、何という意味なの？　やっぱり日本語にも悪い言葉があるのね。ねえ、その意味を教えて」

私はすぐにその意味を初対面の婦人に教えることはできなかった。決して人前では使ってはならない下品で卑猥な言葉だったからである。

「日本人のいる前では、言っちゃいけませんよ」

「あら、でも私、毎日ホテルのボーイさんに挨拶がわりに使っていたわよ。いつもその度に彼は笑っていたけれど」

私はたまりかね、その意味をできるだけ医学的かつ専門用語で品良く説明してみせた。彼女は顔面蒼白で「アイ、ディオス・ミオ！（オー・マイー・ガー！）私気分が悪くなりそう。ちくしょう！　教えてくれたのはあのホテルのボーイよ！　日本に滞在中、何回言ったか覚えてないくらいよ。ああ、どうしましょう」

時は一九七四年一二月四日。これが再々度アメリカへ、そして中南米へ向けて日本を後にした私の門出の日の出来事であった。

ホノルル空港でのトラブル

ホノルルに到着した私は、入国手続きを待つ列の中で、羽田を発つ前に知り合った例のメキシコ人のご婦人達とふざけ合っていた。

その後、すっかり打ち解けあった私はその場で彼女らに頼まれ、自分の歌が吹き込まれているカセットをかけた。その中に収録されていた『グアンタナメラ』(注)に合わせてご婦人方は腰をふる。すると入国管理の女性係員がたまりかねて「列を乱さないで！　静かにしてください」とメガネ越しに睨みつけた。

今思い返してみれば、私の不運の発端は軽はずみに『グアンタナメラ』のテープをかけたことにある。

やがて私の入国手続きの番が来て、入管の女性係員に開口一番「あなたは歌手でしょう？」と問われ、「イエス」と答えた私は、次に彼女の賛辞を期待していた。社交的なアメリカ人のことだから「今のテープ、あなたが歌ってるんでしょう？ステキね」くらい言うかと思ったが、〝歌手〟という職業は私のパスポートには書かれていない。

彼女は無表情に「アメリカに来た理由は？　滞在するんですか？」と尋ねる。その表情から察するに、先刻のメキシコ人団体とのやり取りを聞いており、どうやら私を誘導尋問しようとしているらしい。

『グアンタナメラ』 Guantanamera
ホセイート・フェルナンデス作曲。革命家ホセ・マルティの詩を乗せて歌われるキューバの国民曲ともいうべき大有名曲。ピート・シーガーからロバート・ワイアットまでカバーしている。ラ・ルーペのブーガルーバージョンも楽しい。

「観光が主で、できれば四〇日ぐらい滞在したいと思っています」

「アメリカでの行き先は？」

「ロサンゼルスの友人を訪問したり、ラスベガスへ行ったり」

「ラスベガスでは何をなさるの？」

彼女はさらに無表情を装い、問い返してくる。〝分かりきったことを聞くでない。お前さんの質問の意図は分かっている〟と内心思いながらも、私はことさら平静を装って答えた。

「ショーを見るんですよ。僕は歌手だから、それが一番楽しみでね」

日本を発つ前から、こんなこともあろうかと予測していたが、先方は先方で〝どうせあんたの目的は何かわかってるんだから〟と思っていたに違いない。

「ラスベガスで仕事したいでしょ？」

「そりゃあ歌手である以上、もちろんですよ。ショービジネスに生きる人間にとってラスベガスは憧れですからね」

「では、どうして仕事なさらないの？」

だんだん腹が立って来たが、努めて平静を装った。

「今回は許可がないし、契約もしているわけではないんです」

「許可って何ですの？」

「あなたは入管の専門家でしょう？　観光ビザでは仕事ができないことを知らな

いのですか？」

「でも、あなたは仕事なさるつもりね」

もうお分かりであろう。この係員は、私が観光ビザで入国した後、アメリカで歌手としての仕事をする疑いがあると睨んで、質問をたたみ掛けて来たのである。申すまでもなく、観光ビザで入国した者が、その国で仕事をし、金銭を得るのは違法である。また、それまで過去幾度にもわたりアメリカに出入りした私は、その経験から今回もそのような疑いを持たれることもあろうと思い、それなりの言葉や、嫌疑を晴らす書類さえも用意していたのだった。しかし、この女性の質問は今までになかったしつこさである。

「失礼な！　あなたは何を根拠にそんなことが言えるのですか？　僕はそんな危険なことをしてまで仕事を得ようとは思っていません。見つかればブラックリストに載って二度とこの国に入れないことぐらいは知っています」

それから後は激しい押し問答で、いつの間にか入管の上役らしい男がふたり、加勢に出て来ていた。

私は、まず所持金を調べられた。二五〇〇ドル持っていた。

「友人の家に泊まれば、一か月の滞在費として充分だと思います。それに、こんな風に疑われることも予定して、小切手も持っています」

そう言って見せた小切手が、逆効果だった。コロンビアでの裁判に勝って得た四軒の家の内一軒を売った金を、私はニューヨークの銀行に預けていたのである。

「わずかな滞在なのに、どうしてニューヨークの銀行なんぞにこんな大金を預ける必要があるのかね」

話はさらにややこしくなった。裁判の事情まで説明したところで、先方は到底わかってくれないだろう。当時、日本人が観光ビザで入国し、仕事をしていることに対しアメリカ当局が敏感になっていることを知っていたので、仕事をしなくても困らないだけの金を持っているのをわかってもらい、先方を安心させようとわざわざ小切手まで見せたのである。

アメリカ入国に際し、私がこれほどまでに用意周到だったのには、それなりの訳があった。

その年の七月、アメリカでのオーディションに関する長い文章が書かれた手紙が届いた。話がうまくいけば一か月ほどアメリカに滞在し、その後メキシコへ行く予定だったので、オーディション用に楽譜、衣装など大掛かりな荷物を持参しており、入国時に不審がられることを計算していたのである。

先方は徹底的な攻撃をかけてきた。私のアタッシュケースは開けられ、書類の一枚一枚がチェックされていく。すると、その中から運悪く前記のオーディションに関する手紙が見つかった。

「やはりあなたはアメリカで仕事する気でいたのね」と、勝ち誇ったような女性係員。

「出来たらする気でいます。ですが、まずプロダクションと話し合い、条件が合えばサインをし、その後メキシコへ出て正式な手続きを踏み、仕事のビザで再入国して仕事をするという意味です。今回はあくまで契約の話し合いに来たのですよ。私がまだアメリカの法律を犯してもいない前から、そんな言いがかりはつけないでください」

「でもあなたはもう疑いがかけられているのです」と係員。

「この手紙を読んだらお分かりでしょう。この人と話し合いに来たのです。繰返しますが、その後メキシコに行き正式な仕事のビザでアメリカに再入国するのですよ」

ああ言えばこう言うの論争の中、さすがに開いた口が塞がらないほど呆れたことが一つあった。

プロモーション用に、五曲ほど歌を吹き込ませてもらった我が東京キューバンボーイズのLPを持ってきていたのだが、そのレコードをしげしげと眺めながら、彼女は「あなたはコミュニストですの？」とのたもうたのである。

あまりと言えばあまりなナンセンスぶりに呆れ返ったが、もしかしたらこれは彼女の職務を離れた単純な疑問であったのかもしれない。日本になぜか東京キューバンボーイズという名のオーケストラがあって、社会主義国キューバの歌ばかり吹き込んでいる。このことはアメリカ人にとって合点がいかないだろう。

まさかコミュニストと思われたためとは考えられないが、すったもんだの挙句、「あなたにアメリカ入国の許可は出ません。次のフライトで東京へお帰りください」と冷たく宣告されてしまった。

「まだアメリカの法律を犯したわけじゃないのに……」

「いいえ、この書類とアメリカのプロダクションからの手紙がある限り、あなたは我が国で仕事をする可能性があると判断せざるを得ません」

呆然とした私は、もしこのまま羽田へ送り返されたら、友人達にもらった餞別は返さなければいけないのだろうか、ふとそんなことを考えていた。

ロサンゼルス空港危機一髪

けれど、このままでは引き下がれない。ああでもないこうでもないと小一時間しつこく粘る私に呆れ顔で「そんなに粘るのであれば、ロサンゼルスまで飛んで、あちらで裁判にかけてもらいましょう」と相手に言わしめたのである。

「だけど、あなたが負けることは明らかですよ」とも付け加えられたが、一時間近いやり取りで私はすっかりアメリカに失望していた。すぐにメキシコへ行くことを考えていたので、たとえ裁判に負けたとしても今ここから羽田に送り帰されないだけ得だと喜んだ。ただし私は正式に入国を許可されたわけではないので、その時点でパスポートは取り上げられ、〝日本航空の責任と監視のもとに〟との条件付きでロサンゼルス行きへの搭乗が許されたのであった。

その筋から連絡があったとみえて、五時間後にロサンゼルスにて私を待っていたのは、日本航空の職員と、いかめしい入国管理局員、そしてアメリカでは私を実の家族のように思ってくれているカリフォルニア大学のエレノア女史である。女史との抱擁もそこそこに、私は係員によって入管の別室に連れて行かれたが、そこでのやり取りは、ホノルルでのそれと全く同じことの蒸し返し、とりあえずその夜はエレノア女史が保証人になってくれて、彼女の家で宿泊が許され、解決は翌日に持ち越されることになった。

翌朝一〇時、指定された入管事務局へ私はエレノア女史に付き添われて出頭した。

「残念ですが、やはりあなたは東京へ送り返されます」

至極あっさりした担当の言葉に逆上したのは、当の私よりエレノア女史であった。

「じゃあ裁判の手続きをしますかな？」と相手は書類を出す。

そこで立ち会っていた日本航空の職員がアドバイスしてくれた。

「広石さん、先方が裁判のことを持ち出すのは、先方に勝つ自信があるからです。これは仮にあなたが勝つにしても費用も日数もかかって損しますよ」

私は担当者に尋ねた。

「要するに、合衆国を退去すればいいわけですね？」

「そういうことです」

「では喜んで出て行きましょう。次のフライトでメキシコ市へ飛び立ちます」

「いいえ、あなたは東京に帰らなければなりません」

「ホワイ？」とエレノア女史が金切り声を挟む。

「何故って、あなたはメキシコ市でも同じ疑いで入国を拒否されるでしょう。あなたは観光ビザしか持っていないのですから」

「それはメキシコ政府と私との問題で、合衆国が口を挟む問題ではありません。それに私はメキシコで仕事をしますが、ちゃんと音楽家ユニオンに入って、それなりの手続きをしますから、ご心配なく」

「でも、航空会社はあなたをメキシコに運ぶのを拒否するでしょう」

たまりかねたエレノア女史がまたまた口を挟んだ。

「あなたは職権を乱用しています。あなたが私と同じアメリカ人かと思うと恥ずかしくなりますわ。私は六〇年間、こんな不愉快な思いをしたことはありません。紳士の前で言うべき言葉ではないけれど、あえて言わせてもらいます。サノバビ……（これは相手を侮蔑する下品すぎる言葉なので決して使わないように）」と言いかけて、さすがに彼女は慌てて口を塞いだ。

結局、東京への送還は免れ、メキシコの入管の友人に電話をして、問題がないと

トリオ・ロス・チカノス
1950年代、音大生時代にデビュー。戦後第一次ラテンブームに乗り、東京キューバンボーイズと共演。NHKの音楽番組にも登場し、一躍ラテンボーカルトリオとして名をあげる。後に女性ボーカルのペピータが参加し、ショー的な広がりを見せるようになる。メンバーふたりの他界により解散。

いうことを日本航空の担当者にも確かめ、私はメキシコ市行きのウェスタン機に乗り込んだ。三時間ほどの旅でついたメキシコ市の入管では、もちろん何一つトラブルはなかった。

七五年　メキシコ

六年ぶりのメキシコのショービジネスの世界はかなり変わっていた。前にも書いたが、メキシコシティーがエンターテインメントの拠点であったことから、余りにも多くの国からアーティストが押し寄せ、メキシコ人の仕事場を奪うという状態だったのである。

この年メキシコのアーティストユニオンは同国のアーティストを守る為に外国人ひとりに対して八人のメキシコ人アーティストを雇わなければいけないという法律ができてしまった。私の仕事も前より厳しくなって行ったのは当然である。

そこで、私は日本を発つ前から話し合っていた日本人の音楽仲間を呼び、〝東京七五〟というグループを結成し契約を結んだ。メンバーはトリオ・ロス・チカノス&ペピータ(注)、デュオのマリキータ&ジロー(注)、ソロボーカルの財満光子(ざいまみつこ)(注)、そして私の計八人であった。

メキシコ市の有名なマリアッチ広場はマリアッチ楽団が溢れ、観光客やメキシコ

マリキータ&ジロー
1971年に結成された帆足(ほあし)まり子とギタリスト三村秀次郎(みむらひでじろう)によるデュオ。日本のみならず、度々メキシコを中心にラテンアメリカで公演する傍ら、アルマンド・マンサネーロ、『ベサメ・ムーチョ』の作者コンスエロ・ベラスケスなどの信頼を得る。2003年マリキータは他界し、その後ジローはソロ活動を続ける。

財満光子（1930-）
1960年代、東芝レコードよりデビュー。ラテン、ポップスと幅を広めるが、広島県生まれということもあり、毎年8月には広島市にて平和の歌を歌い続けている。

人にも親しまれている観光名所である。その広場に面して「プラサ・サンタ・セシリア」という民族音楽や舞踊を見せる大きなショーレストランがあった。集まった日本人のメンバーは八人だったので法律的には八×八の計六四名のメキシコ人と契約しなければ違反になるが、店にはマリアッチ楽団や民族舞踊のダンサーも多く、ある程度人数のつじつまがあったので、話し合いで折り合いをつけてもらった。ドラムの無いマリアッチ編成のバンドで、特に私のようにポップスを歌う時はかなり無理があったが、それでも日本人が八人揃うと見栄えはする。さらに、TVや新聞の宣伝のお陰で一か月近くの出演期間中は満員であった。

仲の良い友達ではしゃぎ回っていた頃で、今であれば罪になったであろうがよく悪さをしたものだ。

私は長い間、国から国を回る際に時差を調整するため、睡眠薬を常備していた。ライブが終わってホテルマンションに戻り、それを仲のいい三人とビールやテキーラに混ぜて飲むと桃源郷へ導いてくれるのだ。朝までいい気持ちで騒いだのはいいが、その日の昼の刑務所での慰問公演でヘロヘロになりすぎてしまい、観客からものすごいブーイングが来たと後で聞いたが、私にはそのブーイングさえ応援の言葉にしか聞こえなかったのである。夜の公演が終わり、マリキータ&ジローさん達にひどく叱られたが、私はまだシラフに戻っておらず、「芸術家はこのくらいのことをしないといけないんだよね」とヘロヘロの声で言っていたらしい。

やがてそのクラブのショーも終わり、一行はカリブ海色の強いメキシコ湾に面したベラクルス地方への公演に出かけた。しかし、私はホテルで突然の高熱に襲われ、前にも経験した腸チフスにかかったのだと思い、命にも関わる発作が出るのではなかろうかと怯えていた。案の定、私の体は硬直を始め、口まで紫色になっているのを感じた。悲鳴にも似た叫び声に気づいた仲間に身体中にウイスキーをぶっかけてもらうと、脱水症状で血圧が下は四〇、上は六〇くらいまで急激に下がり、生死の境をさまよっていた。

救急車が来てその土地に住む日本人の医師も駆けつけてくれたのを覚えているが、そこから私の意識はだんだん遠のいていった。これで三度目だが、意識が遠のく中でも「死にませんように」とひたすら神様に祈っていたのを覚えている。その後数日間、日本人の医師の自宅で看病を受け、少し落ち着いたところで、仲間のことも気になっていた私は反対を押し切りメキシコシティーへ戻った。やっと仲間と合流できたのも束の間、再び私は高熱にうなされ、以前かかった腸チフスとは明らかに違う異変を感じていたため、精密検査を受けたところ、ブルセラ（マルタ熱）にかかっていることが判明、長期の入院が必要だと言われた。

その翌日、ユニオンの計らいでいい病院を紹介してもらい、新しい病院に入院することになった。三食付きで入院費も無料、医師も看護師さんも皆温かい。そして、前記の出演していたレストランシアターに毎晩のように客として応援に来てくれていた、いわゆる体を売る女性達が、仲間とスケジュールを組んでは二、三人一組で朝と夕方にフルーツや、骨がとろけるまで煮込んだ鳥のスープなどを届けてくれた。私はこれまでのラテンアメリカの旅で、客と同伴でショーを見に来てくれたコールガール、コールボーイにどれだけ助けられたことか。彼らにはそれぞれ事情があり、子供や親を養うためにそういった仕事をしているのであって、知り合えばとびきり優しい。貧富の差の激しいラテンアメリカゆえに、その辺りの事情はよくわかる。

後年、別の国で私になついていた一二歳の小間使いの少女がいた。彼女が夜は体を売っていたことを知っていたので、ある日、「エイズや病気に気をつけなさい」と彼女を傷つけない程度に言ったことがある。すると彼女は「エイズはその場ですぐは死なないの。でも、私が今夜客を取らないとお母さんの薬も買えないし、食べるものにもありつけない。そっちの方がもっと怖い」と言うのである。厳しい現実を突きつけられた思いであった。

病状も少し落ち着いたので、私はひとまず病気を徹底的に治すために帰国することにした。一九七五年夏のことであった。

ブルセラという病気は日本には存在しないので、帰国してからあらゆる病院を訪ねたが、きちんとした治療を受けた記憶がなく、だんだん堪え難い倦怠感を覚えるようになった（後で知ったのがせめてもの救いだったが、このブルセラ菌というのは米国と旧ソビエトが生物兵器として作っていたと知らされた）。医師の診断によると、ウイルス性A型、B型肝炎を発症しているらしく、肝硬変から肝臓ガンになる恐れがあると医師から言われ、一九七六年二月、私は鶯谷の下谷病院に入院することになる。

東京キューバンボーイズとの旧ソビエト公演

前年から話があった見砂直照と東京キューバンボーイズとの旧ソビエト公演を、入院したために二度三度とお断りしたものの、どうしてもやれるところまで頑張ってほしいと説得されたので、出演を承諾し、一時的に病院を抜け出すこととなった。

モスクワへ着きまず驚いたのは、アーティストはソビエトでは特別階級で、国内の人が搭乗の為に長蛇の列で待っていても、私達をまず一番に案内してくれたことである。おまけに私のホテルの部屋はピアノ付きの豪華なものであった。

当時、ソビエト連邦と呼ぶだけあって、色々な国がその中にあったので、私が幾つの国をまたいだのか詳しいことはわからない。一番鮮明に覚えているのは、ウクライナの首都キエフの劇場の立派さと聴衆の音楽に対する熱気であった。

トロピカルアレンジの『エスパニョーラ』をスペイン語で、シャンソンの『そして今は』をフランス語で、最後に戦争に出た兵士が鶴になって戻ってくるという反戦歌の『鶴』(注)というロシアの国民的な歌をロシア語で歌ったのだが、この歌を歌った後は熱狂的な拍手が続き、私はもう一度舞台に戻って、礼をし引っ込む。それでも拍手は鳴り止まず、もう一度その歌をワンコーラスだけ歌った。もちろん、東京キューバンボーイズの演奏もすごかったことは言うまでもない。

モスクワの一万五〇〇〇人を超える規模のレーニン体育館では、女性歌手竹越ひろ子(注)の歌う『リザレクション・シャッフル』が本家のトム・ジョーンズ(注)よりも迫力があり、ラスベガス仕込みのステージングでおかっぱ頭を振り乱して歌う姿にオーディエンスも狂ったように拍手で応えていた。まるで西側諸国のロックフェスティバルのような熱気が漂い、これが社会主義国のソビエトなのだろうかと思わせるほどであった。まだその頃はビートルズの歌も禁じられ、欧米の歌にも政府の監視があると聞いていたが、オーディエンスは正直で、西側諸国の歌に飢えているのを感じたのだ。そして、当時は社会主義国同士ということもあり、キューバとの往来が盛んで、キューバのバンドや歌手も多く演奏に訪れており、ラテンが非常にウケているのを肌で感じた。

私は治療中に病院から抜け出したので、絶えず日本大使館の医師に相談しながら行動していたのだが、肝炎独特の酷い倦怠感で、朝の食事の時には皆に挨拶もできないほど精神的にも体力的にも限界が来ていた。

そんな中、日本の友人に「生き別れになった家族のひとりがロシアにいるので探

『鶴』Журавли
ラスール・ガムザートフ作詞、ヤン・フレンケリ作曲。ダゲスタン共和国出身の詩人ガムザートフが広島の原水爆禁止世界大会で見た千羽鶴がモチーフの曲。

竹越ひろ子 (1941-)
大阪出身のジャズ歌手。米軍キャンプで唄っていたところを力道山にスカウトされてデビュー。ラスベガスでも活躍し、『東京流れ者』が大ヒット。

トム・ジョーンズ Sir Thomas Jones Woodward (1940-)
ウェールズ出身のソウル歌手。ダイナミックなパフォーマンスでラスベガスとハリウッドを席捲。

してきてほしい」と出発前に頼まれており、その人を探すために危ない橋を渡ることになった。

コンサートマネージャーのS氏の紹介で、ソビエトの上層部とのコネもあるというその道に詳しい北朝鮮系の人の家を頻繁に訪ねるようになったが、当時外国人はソビエト人の自宅を訪れてはいけないという規則があり、私はそれを犯してしまっていた。さらに深入りしてしまったのがアダとなり、ナーヴァスになったS氏から「監視されているみたいだから早めに日本に帰ったほうがいい」と言われた。本当はこれには裏の裏の話もあるのだが、危険でもあるし迷惑をかける人もいるので、それだけは口が裂けても書けない。

マエストロ見砂直照氏には随分恩義があったのだが、自分の命の方が大切だとその時は思いつめており、当初二週間以内に病院に戻るという主治医との約束だったので、ツアー途中で帰国させてもらうことになった。

二年余りの入院生活

すぐ病院に戻った私は、それから一九七八年まで二年あまりの入院生活を送ることになる。

国の指定の難病で、肝炎から肝臓ガンに進行していくのが早いと言われていたので、私は恐怖心の方が先行して、来週まで生きていられるのだろうかというような不安で押しつぶされそうになっていた。私は運命を呪い、世を儚んだ。しかしながら、この時ほど生きること、歌うことへの執着が強くなったのは私の人生で後にも先にもなかった。

偶然ソビエトでインターフェロン（注）が開発されたという新聞記事を見て、私は藁をも掴む思いで、ソビエト公演中に世話になった読売新聞のモスクワ特派員と日本大使館の医師を通じて、運よくソビエトからインターフェロンを取り寄せることができた。日本人患者として初めてこの薬を使うということで、医学界では話題になったらしい。政府同士がギクシャクしている中でも一日本人歌手にソビエト政府が命の助けになるならと、好意を示してくれたことに私は今でも込み上げてくるものがある。そのインターフェロンは私には効力はなかったが、失望するよりも一連の関係者への善意の感謝の気持ちの方が強かった。政治家が他国とギクシャクしていても、民間外交の方が時には優れていると信じているし、私も及ばずながらそれを実行している。

一方、私は入院生活中にも関わらず、いかにして収入を得るかを考え、次のように箇条書きにしていた。

一、スペイン語通訳。

二、タレントの紹介（これまで外国人タレント招聘会社から頼まれ、好意で紹介

インターフェロン
抗がん剤、抗ウイルス剤として使用される蛋白質の一種。

していたのを仕事として手数料をもらう）。
三、地方のライブハウスに友人の歌手を派遣し紹介料をもらう。
四、スペイン語の歌の訳詞、および作詞。
五、病院にかけあい、屋上で生徒へのレッスン。
深刻な病気と皆思っていたので半分は好意で依頼してくれたのだとは思うが、入院生活の時の方が、収入はほんの少し増えていた気がする。まだ二、三〇代の綺麗な歌手が衣装を持ってレッスンに来るというので、男性患者はもちろん、女性患者やナースまで屋上に集まり、公開レッスンか、はたまたプライベートコンサートか、皆が温かい拍手をするので、生徒の間違いを指摘することもできず、レッスンにはならなかったが、とにかく退屈な毎日を皆で紛らわせて生活していた。

ある時は、メキシコ人女性と日本人男性の結婚話の通訳をし、喜々として帰って行ったはいいが、数か月後に再度ふたりに頼まれたのは、離婚話の通訳で、互いの勝手な言い分に辟易した。

またある時は、チリ出身の女性歌手の通訳も引き受けたりした。彼女の歌があまりにも下手なので、元々フラメンコが専門だという彼女に、そちらをメインで歌は付け足しにしてはどうかという招聘元の要求を訳して伝える。仏頂面で承諾した彼女ではあるが、踊りも下手なので、今度はトップレスダンサーとして歌ってほしいというマネージャーの要求であった。普通ならプライドも傷つけられ、ソファに突っ伏して泣いても不思議ではないのだが、彼女はすでにわかっていたらしく、渋々その要求を飲んだ。しかし、私のバストはお客さんに見せるほど美しいものではないので、ビーズやスパンコールで露出度を少なくしてほしい、と少しごねたが、そのマネージャーが女性だったため、いきなり彼女の上半身を裸にさせ、「こんな立派なバストは日本人から見れば綺麗なのよ」とおだて、渋々ではあるが、彼女を納得させていた。

いつの間にかこの病院が我が家のような居心地の良い場所になってしまい、いつの日か来る退院の日のことを考えるのが憂鬱にさえなっていた。入院してから二年の月日が経ち、主治医から「そろそろ退院のことも考える時期ですね」と言われ、嬉しさよりも不安の方が勝ってしまっていたほどだ。とりあえず病院から歌いに行く、というリハビリにも似たことから始め、その夜共演する女性歌手がメイクもばっちり、ド派手なドレスで迎えに来るようになった。私は黒のタキシードに底上げの靴で病棟の廊下を冷やかしにも似た患者の拍手に送られ、彼女の車で会場に向かう。そうやって二か月近くステージ復帰へのリハビリを繰り返し、ついに退院の日が来たのだが、〝おめでとうございます〟というよりも〝御愁傷様です〟という表現がぴったりのような不安で悲しい日であった。私の病気は完治したわけではないので、その後数週間で病院に舞い戻り短期の入院、そんなことを暫く繰り返していた。

ちあきなおみと私の不思議な関係

八四年、私は池袋の三五名ほどのキャパのライブハウスに、淡谷のり子など実力のあるゲストを迎え、毎晩メインボーカルとして出演していた。彼女は私のことを気に入ってくれて、今はなき浅草国際劇場での彼女の芸能生活五〇周年記念コンサートに私がゲストに呼ばれたのを機に親しくさせていただくようになったのだ。

そんな中、ヒットを出すためにレコード会社からあてがわれた歌に追われることなく、自分の求める歌しか歌わないという時期に入っていたちあきなおみをふと思い出した。偶然立ち寄ったレコード屋で手にした彼女のシャンソンとファドのアルバムを聞き、こんなにも説得力のある日本人歌手の歌は初めてで、彼女が何を目指しているのかピンときたのだった。私が嫌ってきた昭和歌謡に実にお洒落なコードが使われ、ジャズを聴いているような心地よさを感じたのだ。

私は以前、一度共演したことがあったので、以下のような手紙を書いた。

「ちあきさん、私にはあなたが目指しているものが見えるような気がします。日本では大きなステージに立つアメリカ人の有名ジャズ歌手が、ニューヨークであまり綺麗とは言えない小さなジャズのライブハウスで歌い、日本のどんな大きなステージよりも盛り上がっているのを見て感動しました。大変失礼ですが、あなたにそれを日本でやっていただきたいのです」

レコード会社はその手紙を見て大反対したらしいが、むしろ興味を持ったのが本人とその夫でありマネージャーでもある郷鍈治(ごうえいじ)氏であった。

ある日突然「一度お会いしましょう」という電話がかかってきたので、すぐに事務所を訪れ、三人で話し合った。いつも大きなステージに立ち、高いギャラを貰っている彼女だが、ふたりとも私の熱心さというか強引さに心を動かされたらしく、話し合いは前向きに終わった。

そして一週間後には私のショーを見にきてくれ、帰る頃には音響、照明、バンド四名、という風にどんどん向こうが段取りを進めていく。そのギャラの額をもしここで書いたとしたら、皆びっくりするだろう。計算からいくと大きな赤字ということは目に見えていたからだ。けれどその頃、彼女は自分の納得した仕事しか受けないということは業界内に知れ渡っており、TVもかたくなに断り続けていたので、客はちあきなおみに飢えていたのである。

私が宣伝する間も無く彼女自ら自分のラジオ番組で「ヒット曲は歌いませんけれど、今の私を見ていただきたい」と喋ってくれ、あっと言う間にチケットはソールドアウト。

本番を迎えた当日、その頃流行っていたシャンソン『それぞれのテーブル』の「店のドアが開き、入ってきたのは貴方だった」という出だしの歌詞を歌い出す直前に、彼女自らドアを開き入ってくるという粋な演出でショーが始まった。

ポルトガルのファドのメロディーを取り入れた『霧笛』に「愛する人を他の人に奪われたくないから、グラスのワインにそっと毒を入れる」という内容の歌詞があるが、実際にライブで見せた、テーブルの前の恋人がグラスに口をつけた瞬間を観察する凄みのある表情、これぞちあきの世界だ。その後ビリー・ホリデイの曲からジャズのテイストにアレンジされた古い歌謡曲まで幅広く歌い、私は日本にいながら、これ以上の素晴らしいショーを見たことは後にも先にもないと思った。このショーの入場料はひとり二万円だったが、入れ替え制にも関わらず、立ち見でもいいからと、二部も見て帰った人も多かった。

この夜のことはあっという間にマスコミにも知れ渡り、私は鼻高々であった。翌日の電話の彼女の「私の表現したい歌をあそこまで熱心にお客さんに受け取っていただいて、感激のあまり朝まで眠れなかったんですよ」という言葉に、彼女の繊細さを改めて感じた。そして私は赤字どころか、かなりの黒字を出したのである。

その後まもなく彼女はビリー・ホリデイのナンバーだけを日本語で歌う二週間のロング公演を行った。伴奏はピアノのみのひとりミュージカルで、ピアニストは客席に背中を向けており、歌と歌の間に芝居をしながらピアニストに語りかける。ピアニストは無反応なのだが、あたかも会話が生き生きと展開していくようで、只々その実力に開いた口が塞がらなかった。

暫くしてＴＶ出演やコンサートを再開したが、夫である郷鍈治さんの他界で今日まで沈黙を守っている。五三歳で引退し、七八歳のニューヨーク公演でカムバックしたブルースの女王、アルバータ・ハンターの八四歳の時のコンサートビデオを「貴方の八〇代の歌を楽しみにしています」と手紙を付けてプレゼントしたところ、返ってきた丁寧な令状には「私もこれを手本にしたいと思います」と書かれていた。八〇代になって突然カムバックすれば嬉しい、と勝手な夢を見ている私だ。

私の八〇年代

短期のメキシコやアメリカの仕事を受けたものの、疲労が激しく、すぐ日本に舞い戻る状態が続いた。それとともに八〇年代は日本のラテン界が冬の時代に入ったと言ってもいいだろう。いわゆるフリオ・イグレシアス(注)のようなラテン・ポップス歌手が時々来日する程度で、私も和製フリオ・イグレシアスに仕立て上げようというレコード会社の企画で、かの有名な大野雄二(注)氏をプロデューサーに迎え、キングレコードからアルバムをリリースすることになった。

たくさんの予算をかけてもらい、オーケストラもアレンジもカッコ良いポップな仕上がりになったのだが、運悪く、ポリープができてしまい、歌だけは音程も上手く取れていないような仕上がりであった。その上、ラテン・ポップスというものが浸透していない時代だったので、中途半端なセールスで終わってしまった。八〇年

フリオ・イグレシアス Julio Iglesias (1943-)
〝世界の恋人〟の異名を持つスペインのポピュラー歌手。代表曲『黒い瞳のナタリー』『ビギン・ザ・ビギン』。

大野雄二 (1941-)
ジャズピアニスト、作曲家、編曲家。藤家虹二クインテット、白木秀雄クインテットを経て作曲家に。歌謡曲、映画音楽、TV劇伴の大家となる。

代は私にとっても冬の時代だったのである。

忘れもしない、昭和天皇のご体調が秋からお悪くなった年、歌舞音曲は控えるようにという暗黙のルールが芸能界に出来ていた。そんな時、偶然耳にしたジプシー・キングス(注)の『バンボレオ』と『ジョビジョバ』が世界中でブレイクし始め、これぞ私の歌だと感じ、すぐに日本語バージョンでカバーすることにした。

明けて一九八九年五月、シングルカセットとレコードがリリースされたのだが、皮肉にもこの年あたりからレコードからCDに切り替わるようになり、セールスに支障が出るようになってしまったのである。けれど、捨てる神あれば拾う神あり。この曲はヒットとは言えないまでも、ニューヨークに飛び火し、ディスコやサルサ・クラブで面白がってDJがこぞって流すようになっていたのだ。そこからじわじわと話題を集め、「これ誰?」「これ何語だい?」と聞くオーディエンスも出てきたらしく、ある日私の元にニューヨークのラテンクラブ「チブチャ」のオーナーから連絡があった。アメリカンドリームというのは実際にあるのだ。なんと、その後まもなくわざわざ日本までオファーに来たのである。

そこのクラブにはかの有名なサルサの女王セリア・クルス、ルイス・エンリケ(注)他サルサの一流どころばかりが出ているのを知ったのは実際に行ってからのことである。普段は彼らが二ステージをこなすのだが、今回は特別に私が一時間のスペシャル・ショーを先にやらせてもらえたので、他の共演者のショーをじっくり見る

ジプシー・キングス
Gipsy Kings
スペイン系ロマの一家で結成されたフランスのバンド。クロード・マルチネスをプロデュースに迎え1980年代に『バンボレオ』『ジョビジョバ』の大ヒットを飛ばす。

ルイス・エンリケ
Luis Enrique (1962-)
〝サルサの王子〟の称号を持つニカラグアの歌手、作曲家。『Yo No Se Mañana』の大ヒットで知られる。

ことができ、感動というよりも、歌やバンドの巧妙さに久しぶりにぶったまげた。

　和製英語が日本でしか通じないように、日本のクラブとアメリカのクラブではニュアンスも雰囲気も違う。カッコ良いラティーノスがドレスアップして遊びに来て、一晩を楽しむのである。アメリカにありながらラテン系のショータイムは遅く、お店のクローズは朝五時頃になる。

　私のレパートリーはジャズの『アズ・タイム・ゴーズ・バイ』(注)のスペイン語バージョン他、もちろん『ジョビジョバ』や『バンボレオ』もカリブ海色を強調したスタイルで歌った。さらにこの店のオーナーのフランス人の奥さんが店長だったので、私はシャンソンの『ラ・ヴィ・アン・ローズ』(注)をフランス語圏のマルティニーク諸島のリズムで歌った。オーナーがコロンビア人なので、客はコロンビア系が多く、彼らに向けてはかつて歌ったコロンビアのヒット曲、『エスプーマス』をセレクトした。

　決定的に日本と違うのは、彼らが音楽を聞くとき、脳と下半身で受け止めるので、そこにたまらない色気が漂うことである。共演者が私より数倍歌が上手いとしても、私はエキセントリックかつ普通からはみ出た存在なので、客も「おっ、そう来たか！」と食いついてくれるのである。

　やがて、朝が近くなった頃、ＢＧＭがシャンソンに切り替わる。するとフランス人の夫人がカウンターにほろ酔いで突っ伏し、ノスタルジックな表情になる。そし

『アズ・タイム・ゴーズ・バイ』
As Time Goes By
ハーマン・フップフェルドが1931年に作曲した曲。映画『カサブランカ』のテーマ曲として知られる。

『ラ・ヴィ・アン・ローズ』
La Vie En Rose
エディット・ピアフ作詞、ルイ・グリェーミ作曲のシャンソンの大定番曲。

て客は慣れたもので、席を立ち、外へと消えていく。シャルル・アズナブール(注)の『ラ・ボエーム』が『蛍の光』のように聞こえてくる。

元中曽根首相のアメリカでの発言とその反響

一九八六年、元中曽根首相がアメリカを訪問した際、「アメリカの教育水準を下げているのはヒスパニックやアフリカ系のマイノリティである」と発言したらしい。これは大きなニュースになり、日本のマスメディアでも取り上げられたが、渡米がその直後だったので、ニューヨークの某ラジオ局の『誰もが言わないこと』という番組から日本人ラテン歌手として出演オファーが来た。スペイン語と英語が混じったバイリンガルのための番組で、辛口の質問が多いため、自分の保身のために人気のあるタレントは出たがらないと聞いていたが、私にはむしろそれを切り返すことに興味があり、嬉々として出演を決めたのだった。

そのラジオ局はマンハッタンの高層ビルの中に入っていた。そして、番組が始まるや否やDJがナレーションぽく「日本は今や世界中の空き地に日の丸を立て、このロックフェラーセンターやニューヨークのビルを買い占め、第二次大戦の復讐に押し寄せている！」と始めた。まるで私を裁判にかけるが如く、バックには私の『バンボレオ』が流れている。その頃の日本はバブル景気で、『ジャパン・アズ・ナンバー

シャルル・アズナブール
Charles Aznavour
(1924-2018)
フランス出身のシンガーソングライター・俳優。5つの言語で歌い、最も世界に知られたフランスのシャンソン歌手のひとり。

ワン』という本が飛ぶように売れた直後でもあり、ハワイのホテルを買い漁った日本の芸能人がいたことも記憶にある方は多いだろう。

私はスペイン語も英語も日常生活のやりとりができる程度だったので、難しい政治的な話をネイティヴと討論するには限界があった。しかし、番組は電話での視聴者参加型で、英語でわからない言葉はスペイン語に切り替え、逆もまた然り。電話をかけてくるリスナーに言葉を教えてもらいながら番組が進んでいったので、なんとか切り抜けられた。

「中曽根首相が言った例の発言に同じ日本人としてあなたはどう思いますか」という核心となる質問に対し、「まず共和党と民主党、また日本人の考えがひとりひとり違うように、私を首相と同列にしないでいただきたい。そして日本の政治家のメンタリティーは非常に遅れていると私は確信しているんです。確かにこの国にも人種に関係なく貧しい人、富める人、学力の劣る人、優れている人がいるでしょう。それをこの国のマイノリティで一括りにするのはあまりにもインテリジェンスがなく、無理解な意見です。たまに来る日本の政治家はアメリカの大衆の中に入る機会もないでしょうし、短い時間のUターンですからむしろ私の方がその辺のことはわかっていると思いますよ。私は歌いながらこれでも民間外交をしているつもりです」と答えた後はリスナーからの思いもよらない質問攻めで、答えに窮することもあった。

そんな中、実に感動的な電話が割り込んで来た。それは、「日本は戦後戦争放棄をし、軍隊を持たない、という主義を持っているじゃないですか。それに匹敵する素晴らしい国がコスタリカですね。あの国は中米にありながら警察しかいない。やはり戦争放棄の国です」という賛美の内容であった。残念ながら、あれから何年も経ち、現在ではコスタリカの方が日本よりも平和志向を堅持している。

なんだかんだで煙に巻いたのか巻かれたのか、ワイワイガヤガヤの楽しいトーク番組であった。

久しぶりにエキサイティングな経験をし、やはり私はこちらに戻ってきたい、日本では生きている喜びが見出せないと再々確認したのであった。とりあえず、マイアミやニューヨークのプロモーターに会い、再渡米も頭に入れながら、私は帰国の途についた。

1975年 メキシコ TVショー『シエンプレ・エン・ドミンゴ』に東京75で出演

NYのラジオ番組『誰もが言わないこと』に出演

第 12 章
カリブ午前〇時

1992年 アルバムのジャケット撮影で16歳のモデルと

日本政府指定の難病　快方に向かう

私の病気は相変わらず快方には向かっておらず、病院と自宅の往復が続いていたが、日本で仕事をしても一生うだつが上がらないだろうという思いは強く、心はいつもアメリカやラテンアメリカにあり、次の海外への仕事の準備に入っていた。

私の帰国と入れ違いでオルケスタ・デ・ラ・ルス(注)が再度渡米し、ビルボードチャートで一一週間一位を獲得。ラテンアメリカのサルサブームは彼らの活躍でさらに盛り上がったと言っても過言ではない。そして、日本人でサルサと言えばヨシロウである、ということになっており（本格的なサルサでは無いけれど）、もしかしたらもう一度ヨシロウブームを起こせるかもしれないというお互いの利害が一致し、一九九一年、録音のため再度私はベネズエラに呼び出されたわけである。私のトランクは静脈注射の薬とディスポーサブルの注射器でいっぱいになっており、病気の不安と再びの夢が交差する旅であった。

この録音のプロデューサーはかの有名な『コーヒー・ルンバ』を手がけたウーゴ・ブランコである。同じ日本出身でデ・ラ・ルスと同じ音楽性ではあまりにも脳がないということで、ソカ(注)、メレンゲ、サルサ、ランバダ(注)他カリブ海のリズムが満載の『カリブ午前〇時』というアルバムを手がけてもらった。さすが金持ちの国、ホテルの食事も私の友人が遊びに来ても食べ放題、飲み放題、それをレコード会社

オルケスタ・デ・ラ・ルス
１９９０年ビルボード誌ラテン・チャートで11週間にわたって1位を記録するなど、その活動は世界に認められ、国連平和賞、米国グラミー賞ノミネート、日本レコード大賞特別賞他、数々の賞を受賞。１９９３年紅白歌合戦出場。メインボーカルのＮＯＲＡは、１９９５年以降、度々ＹＯＳＨＩＲＯ広石のコンサートにゲスト出演。ソロシンガーとしてもワールドツアーを行う。バンドは一時解散するも、その後再結成し、現在に至る。

ソカ
トリニダード・トバゴ発祥のポピュラー音楽。カ

が後日払うという贅沢ぶりである。

順調に録音が終わった後、マイアミに立ち寄り、『テレムンド』というヒスパニック向けのTV局の番組に何本か出演、一足先に録音曲を披露したのである。この番組は全米およびラテンアメリカの国々でも放映されるので、日本で二〇年頑張るよりも何億という人口が見ているTV一本に出た方が話が早いのだ。日本に帰国する際、LAの空港で「昨日TV見ましたよ」と声をかけられたが、残念ながら日本で同じ言葉をかけられたのは二〇年以上前である。日付変更線を越えるあたりから私は再び無名の歌手になるのだ、と心が落ち込んで行くのを感じていた。

だが帰国後、とても嬉しい知らせが飛び込んできた。

診察が始まるなり主治医から開口一番「広石さん、海外旅行中何か特別な治療をしましたか？」と聞かれ、「いいえ、どうかしたのですか？」と逆にたずねた。なんと主治医曰く「実はあなたのウイルスがマイナスになっているんですよ。そして抗体ができています」とのことだった。

最初にその言葉を聞いた時、嬉しいというよりもドクターのミスジャッジではないかと疑ったほどだ。

私は驚きながら「出国前に友人から癌の特効薬である霊芝（れいし）(注)をもらったんです。それを旅行中飲み続けたのですが、考えられるとしたらそれしかありません」と言うと、「霊芝が効いたかどうかの医学的な根拠はないですが、そういう免疫ができ

リプソとソウルミュージックの混合の意味。カリブ一円で人気のあるジャンル。

ランバダ
メレンゲやクンビアがブラジルのリズムの影響を受けて誕生したジャンル。男女が絡み合うエロチックなダンスが伴うのが特徴。1989年にフランスのカオマが『ランバダ』という曲を世界中で大ヒットさせた。

霊芝
マンネンタケ科の一年生のキノコ。古代中国では採取された霊芝はすべて皇帝に献上されることが義務付けられていたという秘薬。

る時期に来ていたのかもしれませんね」と主治医は不思議そうに答えた。

病院からの帰途、一五年間一日も欠かさず自分で静脈注射を打ち続けた日々を思い出し、私は気が違わんばかりの嬉しさで、夜遅くまで家族や友人に電話をかけ、疲れ果てて眠り込んだのだった。

三度目のベネズエラデビュー

健康に少しばかりでも自信を持ち始めた私は、ベネズエラから帰国したわずか二か月後、アルバム発売の宣伝のため再びカラカスの空港に立っていた。

明けて翌土曜日、私はラテンアメリカで定番の長時間音楽番組『サバド・センサシオナル』に出演した。

この国の人気司会者ヒルベルトの「初めてベネズエラを訪れた日本人初のメレンゲ歌手ヨシロウ」という大ウソの紹介と共に、アルバムのメイン曲『セ・メ・バ（はかない恋）』のイントロでステージへ。TV局のスタジオとはいえ、ステージも広く、オーディエンスもぎっしり。「キャー！」という掛け声と拍手で迎えられ、歌う前から客との距離はぐっと縮まり「しめたっ！」と思った。あらゆる年齢層が入り交じり、もはやカリブ海圏ではこの種の音楽は世代には左右されないと感じる。

この日は、人気歌手が沢山出ていたが、私が出演した時間帯の視聴率が一番良かったと聞かされた。私が珍しく少し変わった歌手というのがウケたのだろう。

そして、長年キューバで活動した日本人歌手、岸のりこ(注)がベネズエラ・ソニーと契約しレコーディングに入るというので同じ時期に現地に滞在していた。その後アルバムを聞かせてもらったが、サルサやバチャータのアルバムで、これまで聞いた日本人歌手のアルバムとしては極上と断言したい。

私のプロジェクトは相当金銭的にゆとりがあったらしく、TV出演が終わると私のアルバムのビデオクリップ撮影の為に一五人ほどのスタッフがマイアミに移動、アメリカの有名モデルを起用し、一流ホテルやビーチや劇場を借し切り、私の為にしてくれたのか？　彼らが贅沢をしたかっただけなのか？　と思わせる程豪華なものだった。

帰国してホッと一息、と言いたいところだが、ほどなくして一九九二年七月二二日、本格的なレコード発売とその宣伝の為に再びカラカスの空港に降り立った。マイアミで撮影したビデオクリップも完成し、私の到着直前に全ベネズエラのTV局で私のビデオが流れたと聞いた。いったい誰がお金を出したのであろうか。光栄ではあるが、それに費やした金に見合うだけ売れるのだろうかと、私はかなり心配になってきた。

そんな心配をよそに翌日から私はどの都市へ行ったかも記憶に無い程キャンペーンに引きずり回された。

岸のりこ
現東京キューバンボーイズのレギュラー歌手。自らのライブではキューバ・ラテンを軸にフィーリン、ボレロの世界を展開している。

ベネズエラ第二の都市の油田で知られるマラカイボでのTV出演が決まり、二時間の昼帯番組に出演したが、私の歌は全部口パク、最初の曲はバックミュージシャンが四人、さらに、アルバム制作に同行していた日本のサルサバンド、ソン・レイナス(注)のリーダー村松(むらまつ)いづみが何故かキモノ姿でコンガ奏者として板付いていた。そして二曲目になると、ミュージシャンはひとり増え、三曲目になるともうひとり増え、最後の曲でやっと八人のメンバーが揃った。いくらラテンアメリカといえども遅刻してきた、というわけではなく、急な話だったので連絡が行き届かなく慌てて駆けつけた、というのが実情であったらしい。私も口パク、バンドも当て振りだから音楽的には支障は無いのだが、実に滑稽だったに違いない。

話は変わるが、ここでベネズエラでのレコーディング中に会った日本人について触れたい。この頃、『月刊ラティーナ』(注)に掲載されていたベネズエラから送られてくる音楽レポートに実に興味深い話題が載っていて、現地の音楽家以上に的確で奥深い文章を書いていたのが石橋純(いしばしじゅん)氏であった。録音スタジオでのウーゴ・ブランコとの会話も、ウーゴが驚いて逆にベネズエラ音楽の歴史を彼に聞くほどだった。氏のプロフィールには家電メーカーソニーの駐在員として一九九六年まで延べ八年間ベネズエラに滞在、現地の祭りと宴の現場に立ち会う、とある。現在、東京大学教養学部教員を務められており、スペイン語教育とラテンアメリカ地域文化研究を担当されている。ベネズエラ音楽が昨今、日本でかなり広がってきたことは氏

ソン・レイナス
1994年、女性だけのサルサ・グループとしてボーカルの村松いづみをリーダーとして結成される。その後海外公演も行い、レパートリーはサルサの定番にこだわらず、アニメのヒット曲などを進んで起用、それがヨーロッパでも成功し現在に至る。

『月刊ラティーナ』
1952年に『中南米音楽』として創刊。68年間に渡りラテンアメリカ及び世界各地の音楽を日本に伝え、まだ海外の音楽情報が入りにくい時代に日本のラテン音楽を牽引。

のたゆまぬ努力の賜だと思う。

キューバン・クレイジー　チェロ

私はこれまで幾度となくマイアミを訪れているが、ベネズエラの帰途、今回も前述したキューバ系の女性ダンサー、チェロの家に滞在していた。我々は姉弟のような関係であり、強い信頼に結ばれた同性同士のような親友でもあるが、またしてもぶっ飛んだ彼女を見た。

ある日、セリア・クルスと人気を二分し、センセーショナル且つエキセントリックなパフォーマンスで〝キューバン・クレイジー〟という異名を持ち、〝サルサ、ラテンソウルの女王〟とも呼ばれたラ・ルーペのショーを見に行くことになり、夜八時に当時のチェロの恋人ジャックが迎えにくるということで、ふたりとも大慌てで出掛ける準備をしていた。私はバスルームの便器に腰掛け大の方をしていたのだが、チェロがけたたましくノックし「開けてよ、化粧が間に合わないから」とせかすので、仕方なくドアを開けると彼女は慌てて鏡に向かってメイクアップを始めた。慌てて用便を済ませた私の尻を見て「まあ、ヨシロウ、綺麗なお尻をしてるわね、シルクみたい」と遠慮なく触り、「こちらの男は毛深くてなんか嫌なのね、ジャックが来たら見せてあげて、綺麗だと言うわよ」と喜んでいる。これぞキューーバ女性の典型的なクレイジーさだ。やがて八時きっかりにジャックが到着、お茶を飲みながらおしゃべりが始まったので、先ほどの件はすっかり忘れてくれたのだと思った矢先、チェロが「ねえジャック、ヨシロウのお尻ってとても綺麗でシルクの様な肌なのよ、あなた見たいと思わない？」と問うも、ジャックはうろたえた顔で返事ができない。至極当然なことだ。渋っている私にチェロは「ヨシロウ、見せてあげないと、今日のラ・ルーペのショーは行かないことにするわよ」と言うので、渋々ズボンとパンツを少しだけ下ろしジャックの方に向ける。「ねえ、綺麗でしょ？これって東洋人の肌なのよね、ねえジャック」とチェロが聞くが、ジャックは真面目を絵に描いたようなアメリカ人、「オー、イエス、ビューティフル」と答えるが、チェロの顔を立てて無理やりに言うから顔も声もまるで表情がない。チェロは大喜びだったが、ジャックも私も実に気まずい空気を感じていた。

ぶっ飛んでいるラ・ルーペのショー

その夜のラ・ルーペのショーであるが、そのぶっ飛び様は亡命キューバ人が一番多いと言われるマイアミだからこそ見られるものであろう。彼女を知り尽くして詰めかけた客がいてこそ成り立つものだ。

ステージも佳境に入ると、自らのネッカチーフをコンガ奏者の首に巻きつけて、グイグイ引っ張るかと思えば、ピアノを押しながらリズムを取るので、ピアニストも横に揺られながら演奏している。そして、ストッキングを破りブラジャーを外して観客に投げ捨てる。トランス状態になっているらしく、カツラをとり、つけまつげを外し、リズムのリフレインで踊り狂う。客の中にもアフリカ伝来の宗教、サンテリア信仰者がいると見え、永遠と続くリズムに合わせてトランス状態で揺れている。

長年彼女を追いかけていただけに、見に来た価値は一二分にあった。顔見知り程度ではあったが、興奮して楽屋を訪れた。こちらが聞きもしないのに、「私がこんな狂乱状態になるのはドラッグをやっているからと陰口を叩く人がいるのよね。でも私はサンテリスタ（サンテリアの信者）だからこんな風にトランス状態になるのよ」と言っていたが、その数年後、五二歳の若さでドラッグが原因でこの世を去った。

その翌日、前夜の疲れもあるというのに、チェロは朝一〇時にはジャックの昼休みに合わせておめかしをし、二時過ぎに帰ってくるからと嬉々として出かけて行った。帰って来たチェロに「どうだった？」と聞くと、「オー、サッチアナイス・ファ〜〜〜ック！」と言うや否や、興奮冷めやらないのか、口でリズムを取り、踊り始める始末。

彼女がこのようなエキセントリックな振る舞いをする一方、過去に相当苦しい経験をしたのだと私は聞かされていた。折に触れ、キューバに残っている家族や親類に送金をしなければと言っていたし、革命政権を憎みながらも私がキューバのボレロを歌うとよく泣き出し「ヨシロー、あなた国を捨てるという意味がわかる？」と必ず同じセリフを繰り返していた。

まもなく私はマイアミのレコード会社、ロドベンのスタッフやプロデューサーと打ち合わせをすることになった。私の歌を聞き、八〇年代から九〇年代にかけて流行っていた少しソフトなサルサ・ロマンティカとサルサ・エロティカをメインにアルバムを作ろう、という話になったのだ。元々私はサルサ歌手と胸を張って言えるほど高度なことはできないし、スタッフもそこのところはお見通しだったのだろう。とりあえず録音の用意ができるまでは日本で待機しているようにと言われ、帰国の途についた。

1992年 マイアミ 人気ダンサーと撮影

ベネズエラにてウーゴ・ブランコ（右端）と

1992 ベネズエラ TVショー

NYにてルイス・エンリケと共演

NYにてアンディ・モンタニェスと共演

第 13 章
キスで殺して ～サルサ・エロティカ～

1991年 マイアミ TVショー

マイアミでのレコーディングに挑戦

明けて一九九三年、レコーディングが行われたのは「マイアミ・サウンド・スタジオ」というスタジオで、マイアミ・サウンド・マシーン(注)のヒット曲『コンガ!』を録音した場所であり、このグループの世界的なヒットでスタジオの名前を変えたのだという。ミキシングルームには山盛りのコカインが置いてあり、疲労回復に良かったらどうぞ、という雰囲気だったが、ここまで来てこれが囮りだったら二度とアメリカに帰ってこれないと思い、手は出さなかった。

このスタジオは私のために一〇日間貸切られており、二四時間好きに使うことができた。全一〇曲をこの期間に録音するのは今回の録音だけでは無理なスケジュールであったが、とりあえず出来るところまでやろうと決め、深夜を過ぎても休憩を入れながら挑戦していった。

サルサを知り尽くしたディレクターやミュージシャンだけに、「ヨシロー、マイアミのサルサクラブでこの出来では踊りがストップしてしまうよ」という厳しい意見も飛び交い、ほんの少しのリズムのズレも聞き逃さない。英語の部分をもう少しネイティブにしたいという私の要求にディレクターは「とんでもない、少し訛りがあったほうがいいんだよ。そのほうがラジオから流れた時に、リスナーは『あ、これアメリカ人じゃないよね』と、おしゃべりをやめて注意して聞き入るんだ」と、

マイアミ・サウンド・マシーン
Miami Sound Machine
1975年美人歌手グロリア・エステファンをメインボーカルに擁し結成。1985年『コンガ』がビルボードホット100で10位、『バッドボーイ』が8位、『ワード・ゲット・イン・ウェイ』が5位と快進撃。グロリア・エステファンは世界的スーパースターになった。

的確なアドバイスで答えてくれる。五、六曲終えたところで時間切れになり、一旦日本に帰国し再度マイアミに戻ってくるということになった。

日本に帰国して聞いた私の歌はがっくりくるほど下手であった。早速、プロデューサーに連絡し、残りの歌を含む全曲を録り直すということになった。甘く見ていたというか、わかっていたことではあるが、サルサがこんなにも難しいということを再度思い知らされたのだった。一九六六年、セリア・クルスと共演した翌日から、このタイプの歌はとてもじゃないが敵わないと思っていたはずなのに、もうそろそろいいだろうというおごった気持ちになった自分を恥じた。

何故かマイノリティと仲良くなれる私

二度目の滞在中、今回のアルバムのプロデューサーでもあり、ニューヨークやマイアミでは名の知れたアレンジャー兼トランペッターのティト・リベーラの家に泊まっていた。マイアミは広く、スタジオへのタクシー代が片道一〇〇ドルはかかってしまうので、ある日勘を頼りにバスで帰ることにしたのはいいが、降りた所はつい数日前まで黒人暴動で死者が出た地区のバス停であった。

危険を感じ、タクシーを三〇分ほど待つも来る気配さえないので、不安は募るばかり。すれ違う人々は皆黒人ばかり、向こうも私を警戒している様子で、やっと私の話を聞いてくれた若い黒人夫婦も「それなら一ブロック先のスーパーマーケットでタクシーを呼んでもらいなさい」と言って慌てて通り過ぎていく。アジア系の私がひとり突っ立っているというだけで、向こうもこちらを恐れているのだ。私は一ブロックを追いかけられるように走り、その先に見つけたスーパーにやっとの思いで入れてもらった。その店のスタッフも客もほぼ全員がパレスチナ人らしく、助けを乞うと、「日本人かい？　ここらは物騒なんだ。タクシーを呼んであげるから、絶対ここから外に出てはいけないよ」と優しく迎えてくれ、タクシーが着いた時もドアを閉めるまで、二、三人で私をガードしてくれた。

マイアミは当時、亡命キューバ人の富裕層が増えており、リトル・ハバナと呼ばれるキューバ人街にはその他のラテンアメリカからの移住者、または密入国者が入り混じり、ラテン系の賑わいは絶えなかった。ちなみにマイアミは、近隣のカリブ海圏の国からボートで密入国する人も多く、タクシー運転手などの多くはハイチからの移民であった。

車の中で流れるのは決まってハイチの民族音楽であるコンパやズークなどで、一度彼らのパーティーに招かれて体感したが、これまで聞いたラテンの雰囲気とは違い、フランス語とアップテンポのリズムが混ざり合うのが実に心地よかった。人種の多様性とはつまりこのことだと感激し、ここに住みたいと来るたびに思うのだった。

この地は当時世界のラテン音楽の中心地で、レコード会社、プロダクション、TV局などが多く、各国のスターはここに住居を構えていたので、時間ができればグロリア・エステファンやフリオ・イグレシアス（360頁注参照）の家の周りを見て回ったが、あまりにも広すぎて、全て回ることは到底できなかった。

東京芝浦のサルサクラブ「ロコロコ」

その頃、芝浦には「ジュリアナ東京」というお立ち台で有名な大きなディスコにバブリーな人々が足を運び、そのエリアに前年、日本最大と呼ばれたサルサクラブ「ロコロコ」が開店し賑わっていた。

ある日店を運営していたエージェントから、一晩でもいいので「ロコロコ」でのライブにゲスト出演してくれないかという話が舞い込んで来た。しかし、専属のバンドも結成して間もないと聞いていたので、まずはリハーサルをしてみて、うまくいけばやりましょう、という話でスタートしたのだった。実は、その二週間前に私は「ロコロコ」を訪れてライブを見ており、ミュージシャン個々人はいいプレイをするが、サルサをまだ知らない人が半分程いるな、という印象だったので、一抹の不安もあったのだ。

そんな中迎えたリハーサルの当日、私がマイアミでレコーディング中の楽譜をメンバーに配ったところ、そのうちの何人かはアレンジャーの名前を知っていて「えっ、これサル・クエバス(注)? あ、これラモン・サンチェス(注)だ」と私よりその世界に詳しいメンバーがいて、急にミュージシャン達の顔色が変わった。

音を出してみてびっくり、〝えっ、これが先日聞いた同じバンド?〟と思うほどいい音を出すではないか。私もその気になり、この若い人達(二〇代前半が多かった)がサルサをやれる時代が日本にもきたのだとジーンとくるものを感じたのだった。

三月一五日、月曜日にも関わらず口コミでいつもより多く客が集まり、この日はバンドも私も、そして店の関係者にとっても忘れられない夜になった。当時、〝出稼ぎ〟と言われていた日系ラテンアメリカンの人達が本気で踊りだしたのにつられて、日本人もフロアに出てきて躍り出す。まるでラテンアメリカのクラブで歌っているような盛り上がり方で、大盛況のうちに終った。

店との約束では二日間の出演ということであったが、一部のステージが終わった時に店長や本社からのスタッフが来て、「このまま続けていただけませんか」という予期せぬ申し出があった。まだマイアミやベネズエラのエージェントとの契約は切れていなかったが、私も日本と海外の行ったり来たりに多少疲れは感じていたし、毎度のビザの申請などの煩わしさ、更に入院中の老いた母のことも絶えず気になっており、このまま自宅からこの若いミュージシャン達と音楽を作り上げていく

サル・クエバス
Salvador "Sal" Cuevas
(1955-2017)
マンハッタン生まれのプエルトリコ系ベーシスト。スラップやタッピングなどモダンな奏法でラテンベースに革新をもたらした超売れっ子。

ラモン・サンチェス
Ramon Sanchez
(1951-2016)
チャンキーの愛称で知られるサンディエゴのメキシコ系ギタリスト。超売れっ子アレンジャーでもある。

ということに、これまで感じたことの無い希望を持ち始めていた。五〇代の私に若い彼らが言った「一緒にやりましょうよ」という言葉に彼らの本気を見たのである。

メンバー曰く、これまで店の言われるままにオールディーズや歌謡曲のサルサアレンジなどをやっていたが、何か目指しているものと違うと感じていたらしい。すると、店のスタッフも「実はそうなんです。客離れし始めたのは、本物のサルサが聞けないという客の失望もあったのです」と割り込んでくる。

そんなやり取りがあり、これまで日本で歌うことを嫌っていたのに、このバンドに惚れてしまい、初めて日本で本気で活動する気になった。当時の「ロコロコ」は、週末ともなればかなり多くのラテン系の客が押しかけ、スペイン語の歌詞の意味にも反応してくれ、彼らが醸し出す熱に日本人も誘われ、ラテン特区のような雰囲気になっていたのだった。

さらに、プエルトリコのアンディ・モンタニェス(注)、キューバのパウリートF.G.(注)とそのバンドのミュージシャン、その他多くの日本公演で来日した海外のスター達が訪れ、飛び入りでセッションをやる喜び。謙遜ではなくサルサでは大人と子供の差ほどもある実力なのだが、私はそんなことには慣れていたので、むしろサルサの神髄はこうなんですよ、と客に自慢さえできた。

私の海外での契約はまだ残っていたので、日本でしばしの休みをもらい、その年の四月、胸を弾ませて初めてのコスタリカへ発った。何しろ日本と同じ（今の日本

アンディ・モンタニェス Andy Montañez (1942-)
プエルトリコを代表するサルサ歌手でエル・グラン・コンボの初代メインボーカリストのひとり。現在フリーで活躍中。

パウリートF.G. Paulito F.G.
キューバの人気サルサ歌手。ボレロなども進んで録音した。代表曲『Con La Conciencia Tranquila』。

は少しあやしくなったが）戦争を放棄した国で、軍隊を持たず警察だけが治安を管理しているということは度々聞いていたので、この旅には特別な思いがあったのだ。

さらに、私の憧れでもある浜村美智子さんが、私が本場でどんなショーをやるかに興味を持ってくれ、さらにラテンアメリカをもっと知りたい、ということで歌手ナタリーとともに同行することになったのだった。

今回のコスタリカでの仕事は、日本商社が日本のラテン歌手を紹介するという趣旨のホテルのディナーショーで、出演はメキシコ公演中だったマリキータ＆ジローと私、バンドはこの国のトップをいくグルーポ・マナンティアル（注）という組み合わせであった。前日のリハーサルで、二〇代くらいのバンドメンバーが私の伴奏をしながら踊るがごとく踏むステップが余りにも格好良く、そのクオリティとポテンシャルの高さに大きな感銘を受けた。そして翌日のショーは大成功、と言いたいところだが、客の半分以上は商社関係の年齢層の高い日本人で、バンドと私の奮闘にもかかわらずイマイチの盛り上がりだったのが残念。

三日間の滞在であったが、アメリカ人の観光客が非常に多く、聞けば退職後は老後の移住にこの国を選ぶ人が多いのだとか。みんな口を揃えて治安がいいのが一番の魅力だと言っていたが、確かに街へ出ても皆親切で性格も温厚だと感じた。治安の悪い中米の国にあって、この国は高い理念を持って自然や固有の動植物の保護に力を入れており、平和憲法を持っている日本とこの国が尊敬されているということ

グルーポ・マナンティアル Grupo Manantial
コスタリカの国民的バンド。ルイス・ジャカモ、ツーコ・サエンス、リカルド・コレットにより1976年結成。

東京サルサボール
ここではメンバーを紹介したい。
Piano & Arrangement：奥山勝／Bass：松永敦／Drums & Timbales：大野孝／Congas：佐藤英樹／Bongo：田鹿健太／Trumpet：菊池成浩、中尾龍一／Trombone & Arrangement：相川等／Trombone：岩崎浩／Coro：亜美、聡美、郁子（初代）以下ゲスト及びサポート Piano：森村献、中上香代子、岡田玄、土肥弘明／Bass：コ

を日本の政治家達も今一度自覚してもらいたいものだ。

もっと滞在したい気持ちを抑えながら四月六日、マイアミへ発ち、私はそのまま残されたレコーディングに入った。

決してうまくいっていたわけでもないが、「ロコロコ」で何日か歌ったおかげで今回は前回よりもやや楽な録音であったが、もうこのあたりでOKを出さなければいつまでたっても終えることはできないだろう、と自分自身に言い聞かせた。

朝四時に最終日のレコーディングが終わり、そのまま空港に発った。ディレクター兼ミュージシャンのティト・リベーラが一年近くかけてマイアミと日本を三往復した私に「ヨシロウ、お前は本当の意味でマチョだよ、誇りに思う」と言ってくれ、かたく抱き合い別れた。

帰国して休む間もなく「ロコロコ」出演に戻ったが、バンドの名前も店と相談の上、YOSHIRO&東京サルサボール(注)に変えさせてもらった。サルサとサボール（クールとか味わいがあるという意味）をくっつけた造語で、海外に出るようなことがあった際、この名前の方が受け入れられやすいと思ったからだ。

TVやマスコミの宣伝効果もあり、客が入りきれない日もあった。このようなサルサのクラブができたのは、オルケスタ・デ・ラ・ルスのブレイクの影響もあり、更にその母体である日本で初めてのサルサバンド、オルケスタ・デル・ソル(注)が日本でのベースを作ったおかげであろう。しかしバブルは弾け「ジュリアナ東京」

モブチ・キイチロウ、池田達也、伊藤寛康、小泉哲夫／Synthesizer：奥山真理／Guitar：伊丹雅博、越田太郎丸／Violin：SAYAKA／Sax：加塩人嗣、今尾敏道、大堰邦郎／Trumpet：Luis Valle、牧原正洋、佐久間勲／Trombone：中路英明、島田直道／サルサダンサー：市川奈美&バイラドーラ／マネージメント：野島明

オルケスタ・デル・ソル
1979年、日本初のサルサバンドとして結成される。アルバム発売以後、メディアへの露出度も高く海外公演も果たす。日本にサルサを広めた功績は大きい。2018年、キューバ、メキシコ、ドミニカ共和国のツアーを行い現在に至る。

が閉鎖するという噂が入り、「ロコロコ」も一九九四年一月三一日に惜しまれて閉店することになる。その後、新宿の歌舞伎町に「ココロコ」という更に大きなサルサクラブができる予定なので、我々も定期的に出演して欲しいというオファーもあり、キューバからのグループが長期出演するという話もあったので、お先真っ暗ということでもなかった。

そして迎えた最終日、閉店を聞きつけた常連客や東京近郊のラテン系の客達が押しかけ最後の日を惜しんだのだった。

東京サルサボールと初めてのアメリカ公演

私は「ロコロコ」閉店後、メンバーを少し入れ替えてアメリカへ進出する計画を立てており、その年の五月、我々のコンサートにニューヨークからプロモーターを招いた。

アメリカでのプランを練ってもらうため、あらゆるジャンルのラテンを披露したのが功を奏し、その年の一〇月には我々一行のアメリカ行きが決定、ミュージシャン九人、女性コーラス兼ボーカルふたりの計一一人との楽しくもハードなツアーが始まったのだった。

ニューヨークに到着し、翌日にはすぐバスでワシントンＤＣへ。サルサ、メレンゲ、ボレロがメインのライブを披露し、大いにウケたのであるが、終演後すぐバスでニューヨークへ戻り、着いたのは朝の八時という余りのハードさに、ライブの成功を喜ぶ余裕もなく、全員ベッドに倒れこんだ。

翌日、朝五時にホテルを出発してロサンジェルスへ向かうも、途中経由地で事故があり到着したのが午後五時。着いてから初めて知らされたのだが、このクラブは、かの有名なホイットニー・ヒューストンが主演した映画『ボディーガード』の舞台となる「クラブ・マヤン(注)」であった。

一〇〇〇人以上入れる広さの楽屋には、歓迎のワインやビュッフェスタイルの御馳走、さらに花まで飾ってある。その入り口には銃で武装した大柄なガードマンがふたりおり、疲れたなどとは口にも出せない。幸い深夜一二時からの一ステージのみであったが、二〇〇〇人ほどのキャパに満員のお客からの口笛や声援が心地よかった。

その後サンフランシスコ、ラスベガス、ニューヨークを回ったが、時差と余りのハードスケジュールに私はもちろん二〇代のメンバーも流石に疲れ果て、体力のコントロールに苦労している様子だった。

ラスベガス公演の会場は中心地からかなり離れた砂漠の中のラテン系サルサクラブでちょっとしょぼい感じはしたが、ホテルは市街地にある「リヴィエラ」という高級ホテルを三日間取ってくれており、各々が十分に遊び、アメリカを満喫出来た

クラブ・マヤン
LAダウンタウンにある1927年創業の元映画館。マヤ文明をモチーフにした壮麗な装飾で有名。数多くの映画の舞台となっている。90年代以降はラテン系音楽中心のクラブとして発展。

のが良い思い出となった。

東京サルサボールと二度目のアメリカ公演

明けて一九九五年春、再びサルサボールとLAでのマヤン公演の準備に入った。前年はアメリカ側のプロデューサーから一方的に言われた曲を歌い、演奏しただけだったので、必ずしもそれが我々の特色を生かす曲ではなかったと痛感していた。そこで、ピアニストでアレンジャーの奥山勝（おくやままさる）、トロンボーン奏者でアレンジャーの相川等（あいかわひとし）と話し合い、これまでの私の経験を伝え、これならいけるという曲に絞った。セレクトしたのは、メキシコが誇る偉大なシンガーソングライター、フアン・ガブリエル（注）の『アスタ・ケ・テ・コノシ』とアルマンド・マンサネーロの代表曲『アドロ』（97頁注参照）のサルサバージョン、そしてサルサの帝王ことマーク・アンソニーとインディアのデュエット曲『ビビール・ロ・ヌエストロ』などであった。

初日、中南米サルサメドレーと題し、まずは野暮ったく聞こえるマリアッチ風のイントロで入り、その後ラテンアメリカ六か国の曲が展開されていく。東京でのリハーサルでは「なんでこんなダサい曲をやるの？」とメンバー全員に言われていたが、私には勝算があった。

もくろみ通り、イントロを聞いただけで、この種の歌にはつきものの裏声で鳴き

フアン・ガブリエル
Juan Gabriel
(1950-2016)
メキシコのシンガーソングライター。1986年発表の『Hasta Que Te Conoci』はビルボードラテンチャート2位を獲得。

が入った客の叫び声が会場中に響き渡る。それを十分味わいながら歌に入ると、このランチェラの名曲がとたんにサルサに切り替わるのである。

そのトリックが客も私も堪らなくスリリングで、我が意を得たりと勢いづいていく。様々な国から来ているラテンのオーディエンスは自分の国の曲に切り替わる度に拍手を送るのだが、『アスタ・ケ・テ・コノシ』では初めのルバート（注）の部分から大きな拍手が来た。そしてこれは後々他の国でも必ず求められる私の持ち歌になった。さらに、一九九四年にやっと発売されたマイアミ録音の『キスで殺して』の中から、ラテン系好みのキャッチーな曲も披露。今回初めて出演する大高實（おおたかみのる）とカリビアンブリーズ（注）のボーカル、川西（かわにし）みつこ（注）とのデュエットと彼女のソロでは、豊かな声が大きなホールに響き渡り、今回はアレンジもメンバーに合う仕上がりだったので、前年より遙かにいいサウンドを背中に感じ、終演後、客や店のスタッフからメンバー全員に賛辞が送られたのだった。

ルバート
あるフレーズ内のテンポを自由に加減しながら演奏すること。

大高實とカリビアンブリーズ
東京キューバンボーイズのトロンボーン奏者である大高實が1992年に結成し、キューバ音楽をメインに活動。1998年にはキューバ文化省の招聘公演を大成功に収め現在も活躍中。

川西みつこ
ヤマハ・ポピュラーソングコンテストで歌唱賞受賞。その後レコードデビュー。1996年よりYOSHIRO広石に学び、米国、キューバ、ベネズエラなどの国際フェスに出演。

1993年 マイアミ “サルサ・キング” アンディ・モンタニェスと

マイアミのリハーサル・スタジオにて ウィリー・チリーノ（中央下段）、ティト・リベーラ（右）と

1993年 ロコロコにて東京サルサボールと

1997年 マヤンにて東京サルサボールと

第 14 章
ついにキューバ本国へ

1997年 ハバナ テアトロアメリカにてオマーラ・ポルトゥオンドと

初めてのキューバ訪問

一九九六年の暮れ、翌年六月に予定されているキューバの国際音楽祭『黄金のボレロ・フェスティバル』にゲストとして出演して欲しいというオファーが入った。

とても嬉しいニュースであったが私には解決しなければならない大きな問題があった。まず、長年ベネズエラやマイアミで仕事ができたのは、レコード会社やTV局のバックアップがあってのことであり、それらを運営している人達の多くは亡命キューバ人、つまりキューバを逃れてきた反カストロ政権の人達だということだ。亡命キューバ人が多いマイアミを拠点に活躍していたプエルトリコ系の人気歌手がキューバ公演から戻った後、彼らの反感を買い、マイアミでの仕事をボイコットされたと聞いたことがある。亡命キューバ人の親友チェロに相談したところ「できるなら行って欲しくないけれど、行くのであれば私に知らせないでちょうだい」と悲しそうな返事が返ってきた。

しかし私は一九五〇年代からキューバのボレロやフィーリンを好んで歌ってきたし、私が憧れるオマーラ・ポルトゥオンド（注）も出演すると聞き、キューバへの憧憬は抑えがたいものになった。

あれこれと考えを巡らせているうちに、私は政治体制やイデオロギーは関係なく、キューバの今の音楽の世界に触れてみたいという思いが強くなり、フェスティ

オマーラ・ポルトゥオンド
Omara Portuondo
(1930-)
キューバの女性コーラスグループ、クアルテート・ダイーダ出身。1959年ソロデビュー。ブエナ・ビスタ・ソシアル・クラブにも参加。90歳をむかえる2020年前半に、2枚のアルバムを発表。

バル参加を決心したのであった。

さらに話は膨らみ、音楽ジャーナリスト竹村淳（たけむらじゅん）（注）氏の口利きでオマーラとのデュエット録音の話が進み、一九九七年秋の私の東京五反田ゆうぽうとでのコンサートにゲスト出演してくれるという話も決まったのである。

アメリカとキューバの同時公演

一九九七年六月、東京サルサボールとの三度目のＬＡでのマヤン公演を終えた後、私は単身メキシコ経由でハバナ入りをした。

初めての訪問なので張り切り過ぎて早く着いたが、ボレロ・フェスティバルの主催兼招聘元のキューバ・ナショナル・アーティスト・ユニオン（ＵＮＥＡＣ）側はこれ幸いと、タバコの産地として知られるキューバ第二の都市、ピナール・デル・リオのル・マジョールという五、六〇〇人は収容できる野外キャバレーシアターへの公演に私をはめ込んでくれた。

地方都市といえどもかなり難度の高いアレンジのリハーサルを聞き、この国のレベルの高さに感心したものだ。ディレクターのレイ・モンテシーノスの話によると、社会主義のこの国では、革命後のミュージシャンは音楽学校出身者が多く、学費も国が保証するので、優れたミュージシャンが多く輩出されるというわけだ。

竹村淳（1937-）
音楽ジャーナリスト。1976年よりフージョン系の音楽の紹介に努めるが、やがてブラジル音楽、さらにキューバ音楽の魅力にとりつかれる。1981年から2005年までNHK-FMで中南米とカリブの音楽のDJを務め、ラテン音楽の普及に貢献。著書に『ラテン音楽パラダイス』（NHK出版）、『ラテン音楽名曲名演ベスト111』（アルテス・パブリッシング）など。

私はその夜のトリを務めるということで、客席の後ろから出演者全員を熱心に聞いたが、二〇代から八〇代と歌手の年齢層も幅広く、海外からのゲストも混じり、その音楽的センスは、さすがボレロ発祥の国、と感銘するばかりだった。

終演後、スタッフと客席でラム酒を飲みながらとりとめもない話をしていたが、私はその話よりも夜空の星の輝きに魅惑され、子供の頃我が家の庭から星を見たときに、宇宙には果てしが無いということを考えていたら気が変になりそうになり、このまま死ねたらいいと思った夜を思い出していた。

オマーラとのレコーディング

ハバナへ戻った私は、いよいよ念願のオマーラとのデュエット曲『愛の奇跡（Como Es Posible）』(注)のレコーディングに入った。録音したのはキューバでは有名な「エグレム」というスタジオで、私にとってその後の財産ともいえる曲になったのだった。このコーディネートをしてくれたのは、キューバ在住のパーカッション奏者、河野治彦(こうのはるひこ)氏である。

レコーディングも無事終わり、オマーラに誘われて、海辺のマレコン通りに面した一等地のマンションの最上階にある彼女の家を訪れた。コーヒーを飲みながら、彼女が私に「ねえ、ヨシロー、あなた生徒に歌を教えているって聞いたけれど、私

『愛の軌跡（Como Es Posible）』
1997年発表のアルバム『Como Es Posible』に収録。

も実は最近日本から来る人に歌を教えてくださいって頼まれるのよ。でも私は人に教えたことがないし、教え方を教えてくれないかしら？」と冗談めかして言う。さらに「じゃあ私が生徒になるわ。玄関から入って来るところから始めましょうよ」と言って、茶目っ気たっぷりのボーカルレッスンが始まった。

私がいつも生徒にしているように「あなた達は骨格や顔を魚に例えれば、マグロのような立体的な体型をしています。それに比べ我々東洋人はヒラメやカレイのような薄っぺらい骨格なので、あなた達に比べ、声の響きにハンディがあるのです。そして、発声をするときはお尻をキュッと上に上げるとうまく共鳴します。お尻を上にプッシュして声を出させますので、あなたのお尻を触っていいでしょうか？」と言ったところ、「まあ！　女性のお尻を触るなんて⁉　私、どうしましょう……」と言って手を震わせ、取り乱したふりをする。そのままふたりともソファに倒れ込んで笑い出したきり、レッスンは終わってしまった。

黄金のボレロ・フェスティバル

休みなく入ってくるTVやラジオのインタビューで疲れ果てた状態で、ハバナでのボレロ・フェスティバルが始まった。

すべての劇場のイベントを書くのは長くなるので、印象的だった三日目の「テアトロアメリカ」でのことを書かせていただく。

この劇場はハバナ・ビエハ（ハバナ旧市街）にあり、一九四一年にオープンしたというだけあってスペイン風のオペラ劇場のような歴史を感じさせる。初日から感じていたことだが、ここの客層は庶民的で熱狂的に私を迎えてくれた（他の劇場で歌った同じ曲でも反応がダントツに違った）。

一曲目を歌い終えた後、「長い間この地を訪れたいと思いながらも、つい最近までマイアミをメインに仕事をしていたので、複雑な事情があり……」と話し始めたのだが、途中で言葉が詰まってしまった。すると、客はすぐ察したらしく、「よくぞ来てくれた」と客席のあちこちから掛け声がかかり、感情を抑えることができなくなった。すぐ次の曲に入り、全員総立ちのまま二曲目を歌う。二曲で終わる予定だったのだが、拍手が止まないのでピアノだけでオマーラもカバーしている、フランク・ドミンゲスの『君の教え』を歌った。このことがきっかけで後々「テアトロアメリカ」では温かく迎えられ、まるで我が家のような居心地の良さを感じるのだった。

翌六月二六日は全フェスティバルの最終日、収容人数五〇〇〇人を誇るカールマルクス劇場で「サルサ・オールスターズ」というイベントが行われた。メインバンドは、作家の村上龍（むらかみりゅう）(注)氏が世界一上手いバンドとして何度か日本へ招聘したキューバのトップバンド、エネヘー・ラ・バンダ(注)で、国内外のサルサのスター

村上龍（1952-）
小説家。1976年発表の『限りなく透明に近いブルー』で群像新人文学賞、芥川賞を受賞。キューバ音楽に造詣が深くCDブック『シボネイ-遥かなるキューバ』を発表。レーベル「MURAKAMI's」を主宰しキューバのミュージシャンの作品発売や来日公演のプロデュースも行っている。

エネヘー・ラ・バンダ
NG La Banda
フルート奏者ホセ・ルイス・コルテス率いるバンド。キューバのサルサ・ミュージック「ティンバ」の代表グループ。

が集いボレロを歌うというものである。

意外だったのは、普段サルサ歌手としてバンドと共にステージに立っている人が多く、スローのボレロを広いステージで歌う時はステージの使い方に慣れておらず、どこかおどおどしていたことだった。そしてもちろん一流の歌手はそうではないが、キューバやラテンアメリカの歌手の多くは声量に頼りすぎて、抑えるということを知らない。情感を込めて歌うことも忘れ、やたらに声自慢になることが多く、上手い割には拍手があまり来ないのである。

私もその日は三曲歌ったが、客席の中まで降りていき、できるだけお客と私の対話をするように心掛けた。唯一の日本人歌手ということも手伝い、私がステージに上がった途端、舞台の雰囲気がガラリと変わった。最後は観客は総立ちになり、手前味噌だがこの日一番盛り上がったと思う。

ところがである。フィナーレで全員がステージに上がり、サルサの〝モントゥーノ〟と呼ばれるソロ歌手とコーラスの掛け合いに入り、各々の即興に入るともう手がつけられない。私は八小節歌ったところで言葉が尽きてしまい、すぐ隣の歌手にバトンタッチしたが、これぞサルサ歌手の聴かせどころと言わんばかりに、全員が即興で盛り上げ客は踊り狂う。母国語といえども、よくもこんなに即興で言葉が次から次へ出てくるものだと感心し、この日はキューバのサルサ歌手の凄みを思い知らされた。

終演後、ホテルへの帰途、車を遠回りさせて眺めたハバナの下町は、私が初めて訪れた一九六〇年代よりもっと以前のラテンアメリカの世界をいやが応にも思い出させ、旅の感傷に浸ったのだった。

ハバナから帰国して

一九九七年七月二日、帰国して休む間もなく、昨年に続き二度目となる一一月三〇日の五反田ゆうぽうとでのコンサートに、オマーラ・ポルトゥオンドをゲストに迎える為、招聘の手続きやアレンジの打ち合わせに追われていた。

私が東京サルサボールのミュージシャンと出会って日本に定住しながらも、自由にメジャーで活動できる場所である海外で毎年ツアーを行うという目標はこの三年で実現したわけだが、私が目指すラテン音楽を受け入れてくれる土壌は日本にはなく、半ば意地で開いたコンサートが昨年の第一回目だった。

オマーラは、一九七〇年の大阪万博で初来日し、一九九二年には一〇〇人近いオーケストラ、ダンサーによる大規模なミュージカル、『ノーチェ・トロピカル』の主演歌手として日本武道館で公演した。にもかかわらず、日本での知名度は知る人ぞ知るという感じで、マスコミや新聞社に売り込んだものの「失礼ですがオマーラって誰ですか?」という期待外れな返事が返ってきた。やはり日本ってこうなんだ、と思い知り、それなら私ひとりでチケットを売りましょう、と心に決めたのだった。

私は当時から自宅兼スタジオで生徒に歌を教えており、彼らの力を借りてチケットを売ってもらうかたわら、自ら行きつけのスナックや知り合いのクラブで一、二曲歌ってはオーナーにチケットを売ってもらうという地道な営業を続けていた。帰ろうとすると、客に呼ばれては飲まされ、家に着くのは朝の六時ということもざらであった。翌日二日酔いのままライブハウスに歌いに行き、そこで恥もかなぐり捨ててチケットを売る毎日。二〇〇〇人近い劇場を満杯にしなければという意地と、大手スポンサーがついていた彼女の武道館公演に勝る、内容の濃い音楽を届けたいという強い意志もあった。

オマーラを迎えてのコンサート

そんな怒涛の毎日があっという間に過ぎ、いよいよ一一月三〇日、本番の日を迎えた。

この日はキューバでオマーラの『ドゥルメ・ネグリータ（おやすみ赤ちゃん）』（注）を聞いてファンになったという渡辺真知子（わたなべまちこ）（注）が友情出演。三日前からリハーサルに入っていた東京サルサボールとオマーラとの息もピッタリで、私がリクエストし

『ドゥルメ・ネグリータ（おやすみ赤ちゃん）』 Durume Negrita
エルネスト・ウッド・グレネト作のキューバの子守唄。

渡辺真知子
1987年『カモメが翔んだ日』他ヒット曲は多く、ラテンのライブも定期的に催す。

たボレロ『テ・ケリーア（愛していたのに）』（注）では、ミュージシャンの何人かが彼女の歌心にショックを受け、泣きながら演奏していたのが今も強烈によみがえる。

リハーサルの時にオマーラが言った「私はあなた達のデリケートな演奏が好きなので、無理してキューバに近づけないでちょうだい。あなた達の演奏に私が乗っかった方がうまくいくと思うの」という言葉に、「これでいいんだ」と気づかされ、当日は緊張しながらも気持ちのいいパフォーマンスでライブをスタートすることができた。

一部の幕が上がると、客席はほぼ満員。私は出たばかりのアルバムの中からボレロの名曲『悲しいけれど（como）』の日本語バージョンを皮切りに、続けて四曲歌い、渡辺真知子に変わると彼女のヒット曲とは歌い方をガラリと変え、ぐっと抑えたボレロ『コモ・フエ』（注）とアンニュイなボサノバ『ベサメ・ムーチョ』で魅了する。

いよいよ二部の後半、その一か月前に発売されたばかりのオマーラとデュエットした私のアルバムタイトル曲『愛の軌跡』を歌い始めると、被せるように歌いながら、オマーラがさりげなく登場する。スローなボレロなのに、大歓声で迎えられる。オマーラの顔を見つめながら、お互いにかなり高揚しているのを感じていた。彼女の歌心がそうさせるのか、なんとも言えない心地よさで私の歌も同じ世界に招き入れられ、間奏ではピッタリと体を寄り添わせて静かに踊りながらも、うねりを感じさせるのはさすがであった。

『テ・ケリーア（愛していたのに）』Te Queria
フィレモン・ガルザ・ジュニア、アマリオ・マルチネス作。

『コモ・フエ』Como Fue
キューバの大歌手ベニー・モレ作。

オマーラとの極上のデュエットが終わり、私は「オマーラ、ありがとう」と手を差し伸べながら袖に引っ込んだ。

　彼女が二曲歌い終えたところで、再度私がステージに出て行き「これからオマーラが歌う歌は、『テ・ケリーア』という私がリクエストした曲です。この曲には悲しい思い出があるらしいのですが、絶対お客さんは感動すると思うから、と無理にお願いしました。この歌詞には、自分の権利を否定してまであなたを愛した、という深い意味が込められています」と端的に説明して私は下がった。イントロが始まると、彼女の目は切なく訴えかけてくる。ＣＤの中では泣きながら歌っているのだが、一番は感情をあえて抑えているようであった。間奏の後、だんだん思いがこみ上げてきたのだろうか、楽屋のモニターを見ながら、彼女とミュージシャン達の目に涙が光っていたのを、今でも忘れない。オマーラを招待したことがこれで報われた、と思った瞬間であった。

　オマーラの最後の歌は、ソンの定番『ソン・デ・ラ・ローマ』(注)で、客を巻き込み途中で客席に降りて行く。その後私が三曲歌い、最後は私のアルバムに収録されているサルサの名曲『ヒスパニック・ウーマン』(注)を、後半でふたりを呼び出し、コーラスと歌の掛け合いを三人で交互に歌った。気がつくと客は全員総立ちで、空いているスペースでは若いサルサ・ファンが踊り狂っていた。このようにして、ベスト・パフォーマンスは幕を閉じたのだった

『ソン・デ・ラ・ローマ』
Son De La Loma
ミゲル・マタモロス１９２９年作曲。

『ヒスパニック・ウーマン』
Mujer Hispana
１９９４年発表のアルバム『キスで殺して』のために書かれたJ.J.Quirozによるオリジナル曲。

来年のコンサートにも出演してもらうことを約束し、彼女と息子のアリエールは帰国の途についたが、来年もまた正月明けからチケットを売り歩かなければいけないと身が引き締まる思いだった。

年が明け、また前年と同じように六月にマヤン、その次はキューバのボレロ・フェスティバルの為ハバナを訪れたが、前年より更に熱い歓迎を受けた。おそらくひとりの日本人歌手がオマーラの歌を愛し、東京に呼んだということにキューバのアーティストユニオンなどから感謝されたというのも手伝ってのことであろう。この年特筆すべきは、『コンティーゴ・エン・ラ・ディスタンシア』などフィーリン、ボレロの名曲を数多く残したセサール・ポルティージョ・デ・ラ・ルスと共演したことだ。彼の歌をクリスティーナ・アギレラ(注)、ルイス・ミゲル(注)など若い人気歌手が競って歌うほどで、キューバの歴史的な男性シンガーソングライターである。そして、今は亡きエレーナ・ブルケが車椅子で登場。途中から奇跡が起きたように彼女は立ち上がり、全身全霊で身体を揺らし歌った姿に、客は魂を奪われたように酔いしれた。

帰国後、一一月のコンサートに向け再びチケット売りと練習に追われる日々が始まった。昨年オマーラを知らなかった人も彼女の魅力に夢中になり、更に盛り上がったことは言うまでもない。

クリスティーナ・アギレラ Christina Aguilera (1980-)
エクアドルとアイルランドの血を引くアメリカ出身のシンガーソングライター、ダンサー。アメリカの雑誌『ローリング・ストーン』の選ぶ歴史上最も偉大な100人のシンガーで第58位に選ばれている。

ルイス・ミゲル Luis Miguel (1970-)
ラテンアメリカを代表するメキシコ人歌手。〝メキシコの太陽(ソル・デ・メヒコ)〟の異名をとる。1991年にリリースしたアルバム『Romance』は史上もっとも多く売れたスペイン語のアルバム作品と言われている。

文化庁芸術祭賞音楽部門優秀賞を受賞

一九九九年一〇月、文化庁芸術祭賞音楽部門で優秀賞を受賞した。音楽部門といえども、クラシックの有名なオーケストラから演歌までと幅広く、賞を取るのは非常に狭き門で、ラテン歌手としては初めてであった。感慨深いのは、古典芸術部門で能楽狂言方和泉流の野村萬斎（注）が新人賞を受賞していたことである。彼はまだ三〇を過ぎたばかりだったので、新人賞であったが、その後、その世界では最高峰まで上り詰め、二〇二〇年に予定されていた東京オリンピックではチーフ・エグゼクティブ・クリエイティブ・ディレクターを務めている。大衆芸能部門では、腹話術師のいっこく堂が最優秀賞を受賞した。まだまだ各ジャンルで賞をとった偉大な方がいるが、そこは省かせていただく。

ブエナビスタ・ソシアル・クラブのブレイク

キューバを代表する老ミュージシャンを扱ったドキュメンタリー映画『ブエナビスタ・ソシアル・クラブ』が二〇〇〇年一月から日本でも公開され、七か月間というありえないほどのロングランで社会現象になっていた。

久米宏がキャストを務めるニュース・ステーションにオマーラともうひとりの

野村萬斎（二世）(1966-)
狂言方和泉流の能楽師。

男性歌手イブライム・フェレール(注)が番組に招かれたり、はたまた普段はジャニーズ系のアーティストやアイドルタレントしか扱わないはずの女性週刊誌までもがこぞって取り上げ、アーティストというよりもはや老アイドル扱いで、私は一年前の振り向く人もいなかったマスコミに皮肉の一つも言ってやりたくなった。近年、日本でラテンのアーティストがこれほどブレイクした例は、ブエナビスタ・ソシアル・クラブ以外に私は知らない。

ライ・クーダー(注)がプロデューサーを務めたこの映画のヒットの要因の一つは、実力がありながら社会主義の国交もないキューバの老ミュージシャンを強調したこと、メイン歌手のイブライムに至っては、つい昨日までは靴磨きをしながら生計を立てていたという売り文句など、配給会社の世界へ向けての宣伝もトリッキーなまでにアメリカ資本主義的だったということが功を奏したのであろう。社会主義のキューバはアメリカの経済制裁のせいで、経済的に豊かではないが、ミュージシャンは全員が国家公務員で、最低の生活は保障されており、本当は靴磨きなどするはずもないのだが……。

驚いたのは日本の若い世代までが何度もこの映画を観に行き、感激したということだ。何よりも私自身、一年前までは一枚のチケットを売るのにも苦労したことを思い出し、複雑な思いだった。

そしてこの年の九月、オマーラをメインにしたブエナビスタ・ソシアル・クラブ

イブライム・フェレール Ibrahim Ferrer (1927-2005)
キューバ人歌手。ソ連でコンサートをしフルシチョフ書記長の前で唄うほどの経歴がありながら『ブエナビスタ・ソシアル・クラブ』以前は靴磨きなどで生計を立てていたと言われている。

ライ・クーダー Ry Cooder (1947-)
LA出身のギタリスト。タジ・マハールのバンドで頭角を現し、ローリング・ストーンズとも共作をするなどして地位を確立。

のコンサートが、渋谷の「オーチャードホール」で開催され、光栄にも私がゲストとして呼ばれ、デュエット曲『愛の奇跡』を歌った。

幸せとは何なのか、未だによくわからない私であるが、この時だけはオーディエンスから伝わってくるオーラと極上のバンドサウンド、そしてオマーラの歌に魅惑され、私もいつもより自然体で歌えているようで、すべてが一体になった瞬間、この多幸感に浸る為に歌を追い続けてきたのだと改めて思ったのだった。

春風亭昇太師匠のラジオ番組に招かれて

この年、落語家の春風亭昇太（注）師匠のラジオ番組に招かれ、私のアルバムから数曲流してもらい、海外に出た頃の日本ではあり得ない抱腹絶倒な話で大いに盛り上がって終わった。さらに、師匠がもっと話を聞きたいということで、数日後、今では人気絶頂の林家たい平（注）師匠を伴って私の家を訪れてくれた。ラジオでは語れなかったもっと下世話な話や、危険だったコロンビアでの仕事などに笑い転げ、とどめは私がルパン三世の七〇年代のオープニングテーマ他、挿入歌を歌っていると知り「え～っ？　そうなの？　信じられないっ」とこれまたびっくり。

その後、この時の会話をネットや雑誌で面白おかしく取り上げてくれたおかげで、長い間謎に包まれていたルパン三世のオープニングテーマを歌ったのは

春風亭昇太（1959-）
『笑点』でお馴染み柳派の人気、実力ともにトップを走る落語家、俳優。東海大学時代『ラテンアメリカ研究会』に入部しようと部室を訪れたが留守で隣の落語研究会に入部したのが噺家になるきっかけだったという。

林家たい平（1964-）
『笑点』でお馴染みの落語家。物真似や歌も上手い。林家こん平の弟子。

YOSHIRO広石であるということが広まったのである。

さらに、TV番組『たけしの誰でもピカソ』(注)から是非出演して欲しいという依頼があった。本番では海外と同じ衣装で、ということだったので洋風歌舞伎の衣装を着て東京サルサボールのバックでサルサを歌い、狂ったように踊り歌った。少し残念だったのは歌の聞かせどころがカットされ、盛り上がって踊り狂う箇所だけがフォーカスされていたことだ。渡辺満里奈(わたなべまりな)さんと今田耕司(いまだこうじ)さんが丁寧に紹介してくれ、途中脱ぎ捨てた洋風着物をビートたけしさん自らが丁寧に拾い上げ持ってくれていたことに私はえらく感激した。

私とタイとの関係

二〇〇〇年秋には前年の芸術祭優秀賞記念コンサートをゆうぽうとで開き、アルパ（ハープ）奏者のルシア塩満(しおみつ)、トリオ・ロス・ペペス、ボーカリストのリコ福村(ふくむら)(注)と川西みつこがアカペラカルテットを急遽編成してくれ、前年にも出演したサルサダンサーの市川奈美(いちかわなみ)とユウコたちが祝ってくれた。

ゆうぽうとでのコンサートは五年続けたが、大きな会場を満員にするには私の日本での知名度ではかなり無理があり、ストレスで精神状態はボロボロになり、翌年二〇〇一年を最後に暫く休むことにした。しかし、キューバのボレロ・フェスティ

『たけしの誰でもピカソ』
1997年から2009年まで続いた芸術をテーマにしたバラエティ番組。

リコ福村
1972年からプロ活動。ラテンバンドC-imageのリーダー。

バルは、招聘元から、日本からもっとボレロ歌手を連れてきて欲しいと言われており、半ば強引に私が東京支部のような役割を押し付けられていた。だが、求められる以上は喜んで出演した。なぜなら、そこに満員の客が待っているからである。そんな訳で、翌年から川西みつこ、リコ福村、Ｍｉｉｃｏ(注)、やまもときょうこ(注)等のプロの他に、一五人近いボレロが好きな私の教室の生徒達にも、その後二〇年近くに渡り一緒に出演してもらった。

私がどんなに歌に夢中になっても、いつも付いてまわるのは私の性的マイノリティの悩みである。この歳になっても自己肯定が出来ず、それを忘れる為に逃げるように度々タイを訪れていた。タイは私自身が私でいられる数少ない国で、真剣にタイに移住するかを思い悩んでいたほどだ。

二〇〇三年三月、縁あってバンコクのライブハウス「ラ・ニーニャ」から出演依頼がきた。断る理由なんか無い。結果から言わせてもらうと本場ラテンアメリカの価値あるといわれるコンサートやライブに出るよりも私個人としては大きな意味があったのだ。

その日の出演はライブハウスと聞かされていたが、そこは一流ホテルの地下のクラブで、客席も五、六〇〇人はゆったりと座れ、ステージもダンスフロアも広く、身が引き締まる思いだった。バックミュージシャンはキューバからのグループでリハーサルの時はそれ程上手くはなかったが、本番は自分が乗せれば、そこはラテン

Miico
20代で東京キューバンボーイズやノーチェ・クバーナの全国ツアー参加。一時引退するも2003年よりYOSHIRO広石に師事。2008年キューバ国際ボレロフェスに出演。

やまもときょうこ (1967-)
元オルケスタ・デル・ソルのボーカリスト。2019年日本ジャズボーカル賞大賞受賞。アゼルバイジャン共和国とも交流が深く、度々歌唱招聘されている。

系、これまでの経験からいい展開になると読んでいた。

本番が始まり、一曲目のサルサではサルサダンスレッスンを受けていると見られる初心者っぽいカップルが一〇組前後踊っていたが、席に座っている客達はサルサなどとは全く縁の無い多国籍の観光客と見受けられ、それ程盛り上がってもいない。これは何とかしなければと思い、歌が終わるなり、まずタイ語で「サワディー・カップ！」、そして英語で「グッド・イブニング！」、韓国語で「アンニョンハセヨ！」、ロシア語で「ボリショイ・スパシーボ！」等、私が知っている限りの多言語で、観客とコミュニケーションを交わす。

そしてメレンゲのリズムで、『ウィー・アー・ザ・ワールド』、『エル・クンバンチェロ』、韓国の『アリラン』、フィリピンの『ダヒルサヨ』、トルコの『ウシュクダラ』、アフリカの『マライカ』、カンツォーネやシャンソンなどの曲の聞かせどころをピックアップして歌いに歌い続けた。

気が付けばダンスフロア中に客が出てきて私が見たこともないような民族舞踊風に浮かれている人もいれば、はたまた沖縄のカチャーシー風、そして紛れもなくラテン系だとわかるメレンゲを踊っているカップルもいる。ステージからそれを見ながら、今日のライブは大成功だと思うのだった。何故ならこれだけの多国籍、多民族の人々を一体化させることができたのだから。

「ありがとう。世界はひとつなのです、今夜はあなた達を誇りに思います」

アルコール依存症

一方、日本での仕事は小さなライブハウスでも、いいミュージシャンに恵まれ、私が心から伝えたい内容の歌だけを歌うようになっていた。そして改めて気が付いたのは、これまで毎年続けてきた恒例の生徒とのジョイントライブにやりがいを感じていたということである。しかし前にも書いたように、この歳になっても自己肯定が出来ず、それを忘れる為に酒の力に依存するようになっていた。

芸能界はあらゆる個性の人間の集合体で、私も自然体でいられたが、けれど世間はそう簡単ではなく、外に出れば時として又は相手によって私は自分を偽って演技しなければならない、という問題に、いい加減嫌気がさしていた。いや、それは今に始まったことではない。私は幼い時から自分を偽り続け、もうくたびれ果ててしまっていた。決して叶うことのない恋、理不尽な人生、希死願望も大きくなり、それを打ち消す為に更に飲酒量は増えていく。もっと詳しく書くと、かつてウイルス性肝炎に罹った時にインターフェロン治療を受けた副作用として精神不安症になり、その後パニック障害と過呼吸になり、世間でいう単に鬱病というカテゴリーでは収まらない病に苦しんでいた。パニック障害に悩む読者の方も中にはいると私は推測する。恐怖を打ち消す為にまず救急用に酒を飲む、同時に医者からもらった薬も飲むものだからその両方が体内で喧嘩して精神はもっと乱れてしまう。世間にはけれどこのような障害を持ち、悩んでる人が少なくないことを知ってもらいたい。これは一生治らない病気ではなく半年、あるいは一年くらい続いたかと思うと、ある日突然、霧が晴れたように治り五、六年、あるいは一〇年もパニックは起きず、また何かの機会で突然再発することもある。

　ステージが終わると打ち上げと称して飲みすぎ、誰かに部屋まで運ばれるようになっていた。朝五時頃、目が覚めると近くの早朝までやっているスナックに行っては飲み、帰りは店で馴染んだ友人におんぶされて再度帰宅するというざまであった。昼過ぎに目が覚めるとまた馴染みのマッサージに電話をし、缶入りの酒を五本買ってきてもらい飲みながら体を揉んでもらう、という体たらくであった。その間、食事はコンビニのお粥だけで更に次の日も次の日も同じことの繰り返しだったので段々体調は悪い方へと向かっていった。

　既にアルコール依存症になっていたのに、まだやめられるという甘い考えが災いし、夜中に自室で倒れて怪我をし、目の横の血管から出血が止まらず、同じマンションのいつも親切にしてくれているEさんに付き添われ救急車で運ばれた。その後一週間も経たないうちに居酒屋の急階段から転げ落ちたらしく、意識が回復したのは病院の集中治療室で、前夜のことなど記憶にないのであった。ＣＴスキャンの結果、脳に異常は無いと言われたが、頭の痛みは強烈なもので、その夜は点滴の中のモルヒネの量を最大にしてもらったが朝まで一睡もできなかった。

翌日、無理矢理に退院してみたが、風が吹いても髪の毛をそっと触っても激痛が走る。馴染みの鍼灸師に昼夜泊まりこみで針治療をしてもらいながらも、あまりの激痛に夜中に何度もたたき起こしては、痛みをとって欲しいと懇願する日々が続いた。その後、痛みが完全に治まるには八年の年月を要したが、痛みに耐えながらも都内やキューバでの仕事もこなした。勝手なもので仕事の前の一週間前から酒は断つことができ、終わるとまた飲み始める、というだらしなさであった。

心が痛んだら気軽に精神科へ行きましょう！

私は断酒会に定期的に通う一方、長い間、精神科へ通っており、主治医の勧めで専門のカウンセリングも受けていた。

カウンセラーには何ひとつ包み隠さず自分の悩みを話せるので心も休まり、次のカウンセリングの日が待ち遠しかった程だ。カウンセリングの内容は二〇分程、心の中を吐き出し、その後目を閉じて下さいと言われ、カウンセラーが穏やかに話かけてくる、初日はこんな感じだ。

カウンセラー「広石さん、今何が見えていますか？」

私「ライオンが交尾しているのが見えます」

カウンセラー「それを見てあなたはどう感じていますか？」

私「性的な興奮を覚えます」
次の回ではいつものように会話をし、やがて眼を閉じる。
カウンセラー「今何が見えますか？」
私「小さい時乗った電車の窓から別府の大きな大仏様が見えます」
カウンセラー「あなたはどう感じていますか？」
私「毎週、親類の家に遊びに行く時に、見えていたのです。それが楽しみでした」
また、別の日はこんな感じだ。
カウンセラー「今何が見えますか？」
私「子供の頃、縁側で祖母と月見をしています」
カウンセラー「何か聞こえますか？」
私「コオロギやクツワムシが合唱しています。そして祖母が飾ったススキが見えます」
また次の回も繰り返される質問に、いつも子供の頃育てられたあの茅葺(かやぶき)屋根の祖母とのシーンしか出てこないのである。やがてカウンセラーの声が遠くなり私はそれはそれは気持ちのいい眠りに落ちる。その時の心地良さがたまらなく、いつの間にか私はそのカウンセリングに依存するようになっていた。そのことを主治医に伝えると真顔になり、「ああっ、やっぱりそうですか！　カウンセリングの依存です、即刻今日でやめましょう。カウンセラーにも伝えておきます。たまにこういう患者がいるのです」という答えが返ってきた。

そして後日カウンセラーには、私の人生で悩みを知らず楽しく生きてこられた時期は小学校の頃、祖母と暮らした疎開先の杵築での生活までなのだと言われた。さらに主治医に「広石さん、あなたは今ある長所を伸ばすべきです。多くの芸術家がそうであるように、あなたには特殊な才能があると思われます。想像力、感性、すべてが優れているのです。人と違うということが長所と考えて歌手の道を邁進して下さい」と言われ、いくらか心が和むのだった。

しかし私はこのクリニックの待合室で何度醜態をさらしたことであろう。ある時はまだアルコールも抜けず、「人生って何てつまらないんだっ‼」とわめき号泣したりしたが、私をよく知る優しいスタッフがいて、泣き終わるまで別室に移し、そっとしておいてくれるのだった。

キューバより音楽功労賞を授与される

二〇〇五年に入り、キューバ芸術家音楽ユニオンより音楽功労賞を授与されるという知らせが入り、その年のハバナでの国際ボレロ・フェスティバルの中で受賞式とスペシャルコンサートの時間が与えられた。その日のライブでの選曲や練習の日々はわずかな期間ではあるが、持ち上がってくる飲酒欲求をはねのけてくれた。

六月にハバナを訪れた私はリハーサルやインタビューに追われながらも久しぶりに心引き締まる思いだった。そんな中、世界ツアーで多忙なはずのオマーラがひょっこりホテルに現れ「私もお祝いに歌うのよ」と聞かされたが、その時偶然ハバナにいたのか、それともこの日のためにスケジュールを合わせてくれたのか、聞いておけばよかったと今になって思う。

当日は体調も良く、リラックスした状態で本番を迎えた。たまたまキューバの前衛的なダンスで名の知れたナルシソ・メディーナ(注)が客席にいたので紹介し、「次の曲で気が向いたらステージに上がってきて下さい」と誘った。

土着的なアフロのパーカッションでアレンジされた『リンゴ追分』からスタートすると、客席を立ったナルシソは踊りながらステージに上がってきた。あぐらの状態で膝を組み歌い、その周りを彼が覆いかぶさるように踊る。歌も即興で変化していき、気が付くと、ふたりともトランス状態になり、上半身を震わせながら向き合い、座ったまま踊る。バンドも興奮し、アフロキューバンな即興で参加、客席からの叫び声も音楽の一部として聞こえてくる。いい加減踊りくたびれたところで私が「チャンゴーッ‼」(アフリカから伝わる自然崇拝の神々の一つ)と叫ぶと、ナルシソはひざまずいた私の背中に覆い被さってきた。さらに重なるように観客からの拍手が押し寄せ、私が手で合図しても拍手はなかなか鳴り止まなかった。翌日の朝のTVニュースで、この場面は〝日本とキューバが合体した見事なコラボであった〟

ナルシソ・メディーナ Narciso Medina (1961-)
キューバ、グァンタナモ生まれ。キューバ国立芸術学校在学中から振付を始める。ナルシソ・メディナ舞踊団を主宰し世界各国でコンテンポラリーダンスの魅力を伝導している。

と大きく伝えたそうだ。

その後、賞状とトロフィーが渡され、感激して戸惑う私の横にオマーラがさりげなく寄り添い、普段クールなオマーラがこの時だけは少し泣きそうに私の目を真正面から見つめながら、名曲『グラシアス・ア・ラ・ビーダ（人生よありがとう）』をアカペラで歌い、祝ってくれた。私は狂いそうなまでに感動し両手で顔を覆った。この数年アルコール依存に悩まされたことが、ふと頭をよぎり、もしかしたら立ち直れるかもしれない、と思ったのだった。

Eさん夫妻との関係

帰国して暫くはキューバでの興奮状態から冷めやらず、生徒とのジョイントコンサートでも前向きな気持ちで歌ったのであるが、終演後の乾杯で飲んだビールで元の木阿弥になってしまった。一週間飲んではステージ前の一週間は止めるというような体たらく。要はアルコール依存症は一生治らないのである。マリワナや薬物依存症も同じこと、一生それと闘っていかなければならないのだ。

事情を知っている同じマンションのEさん夫妻がとても心配してくれ、近くのスーパーで買い物までしてくれるようになっていた。ほとんど毎晩、夕食を済ませ差し入れと自分用の日本酒を持参して訪れるのはいいが、私はその酒を見て「一口ちょうだい」「ダメだよヨシロウさんは」「一口でもいいから」「一口だけだよ」と言って私は一缶飲み干してしまう。依存症のことがよくわからないEさんは私がこの一缶でやめられると思っているのだ。「これで終わりだよ」と言いながらも自分も酔ってきて、これ以上飲ませまいと私を見張っていて中々帰らない。いい加減ひとりになりたい私は、奥さんに電話して「奥さん、Eさんが中々帰らないんですよ、迎えにきて下さい」とお願いするが奥さんは温かく「まあ、ヨシロウさんと一緒にいたいのですよ。もう少しお付き合いくださいね」と明るくあしらう。しかしEさん夫婦は本気で私を立ち直らせたい、そしてまた夜中に倒れるのではないかと絶えず心配してくれていたのだ。

二〇〇八年九月のある日、部屋に入るなり「あっ、危ないよ！　顔色がすごく悪い」と言ってそのまま救急車で病院に運んでくれた。彼の勘は的中していて、すぐそのまま入院、四、五日は食事も受け付けず、点滴を受けることになった。ガンマGTPは五〇〇をはるかに超えていてかなり危険な状態だと知らされた。二週間の入院でやっと危機を脱した私は、主治医と軽い冗談も言い合うようになっていた。

退院して翌々日の一〇月のある日から、待ってましたとばかりに生徒が連日レッスンに来るようになり、こんな私でも必要とされているのだと、嬉しかった。私はと言えば定期的に同じ病院に外来で通うことになり、二〇二〇年の今まで一〇年あまり、一滴も酒を口にしていない。

二〇一一年　東日本大震災の年に

二〇一一年三月一一日に起こった東日本大震災の記憶は、今でも強く皆さんの心に刻み込まれているだろう。あれから九年経つが、ＴＶや新聞に触れるにつけ、復興にはまだまだほど遠いと失望する。

あの年の三月、海外の知人や仲間から励ましのメールが続々と入り、日本なら立ち直れる！　と少し興奮状態になっていた私だった。当時はイベントを中止するより決行した方が少しでも経済が回り、復興の助けになるという機運だったので、二週間後の浦和でのライブは計画停電の最中でも行うことにした。大きな会場ではなかったにせよ、私にとっては大きな意味を持つイベントだったのだ。

一方で大きな心配を抱えていた。その年の一〇月、歌手活動五五周年記念コンサートを一〇年ぶりに五反田ゆうぽうとで開くことになっており、スペシャルゲストにオマーラ・ポルトゥオンドを招待することが決まっていたのだ。

しかし、震災後、外国人アーティストの公演は次から次へとキャンセルが続き、その時点では口コミでチケットを予約した人が二〇〇人近くいたというのに、その後一か月以上、一枚の予約も途絶えてしまっていた。さらに今回はスペインにあるオマーラのエージェントを通し、友人として甘えることなく正規の条件で契約していたので、前回と比べて破格な条件を提示されており、その費用を回収するに足るチケットを売らなければならない。

この時期、TVや新聞の広告も激減しており、大手の新聞広告も信じがたい程安くなっていたので、しめた、と思い出してみたが、それに値するほどの申し込みも無く、いかに震災の影響が大きいかを実感した。そして、この事情を知った音楽情報誌『SALSA120%』(注)をはじめ、アオラ・コーポレーション(注)、『ラテン音楽新聞』、日本ラテンアメリカ文化交流協会(注)、『月刊ラティーナ』、他多くのファンの方々が協力してくれ、多くの生徒が最後の最後で驚くほど多くチケットをさばいてくれたのだった。

一〇月一一日、ハバナよりオマーラ一行が無事発ったというメールに安堵したものの、次の日の深夜に、オマーラが機内でアクシデントに遭い、カナダのトロントの病院に運ばれ、乗り継ぎに間に合わなかったのでバンクーバーへ飛び、そこで一泊するという電話が入ったきり、連絡が途絶えてしまったのだ。飛行機がトロントに到着した時、荷物棚から別の乗客の重い荷物がオマーラの頭を直撃し、病院へ運ばれたのだという。

私は二日後の公演にオマーラは出演できるのだろうかと、発作が起きるほど心配し、チケットの払い戻しやオマーラに代わるゲストなどを考え、朝まで眠ることができなかったが、本番前日の早朝にエア・カナダから、今日の一五時成田着の便でオマーラが到着するとの連絡が入った。我々はオマーラとリハーサルができるよう

『SALSA120%』
1998年9月に創刊。サルサ及びキューバ音楽を広める。2017年の号を最後に休刊中。

アオラ・コーポレーション
ラテンのCDを中心に、その他広域に渡る国々のより優れたアルバムを販売。その貢献度は高い評価に値する。YOSHIRO広石のアルバム『愛の音』『UNO』『花は咲く』『Cool & Sensual Latin From Japan』も当社が発売元になっている。

日本ラテンアメリカ文化交流協会

に、最後の最後まで待っていたが、スタジオに着くのは夜中になるだろうと諦め、その日は解散したのだった。

そんな中迎えた本番当日、楽屋入りしたオマーラの額には包帯が巻かれていたが、本人はいたって元気のようで安心したのも束の間、直前のリハーサルはさながら戦場のようで、私はほとんどリハーサルもできず、不安を抱えた状態で幕が上がったのであった。

一曲目が始まり、自分の声がよく聞こえないことに気が付いた。この三日間ろくに眠っていないストレスで突発的な難聴になっていたようだ。三、四曲は誤魔化しながら歌ったが、途中ピアノ、バイオリン、シンセ、ベースの四人の小編成になると、自分の声もモニターから聞こえやすくなり、気持ちを切り替えることができた。

そして一部の最後は黒人奴隷の悲哀を歌ったスタンダードナンバー『タブー』である。特別参加のキューバの男性ダンサー、オルランドとポピーのふたりが見事な肉体美を惜しげもなく披露し、ブロンズのような美しい肉体に観客は目を奪われたようである。彼らの上質な踊りに刺激され、私も徐々にいつもの自分を取り戻すことができた。最後はアクロバティックに彼らの手のひらに乗り、そのまま高く持ち上げられ、アフリカの神々の名前を繰り返し叫び、一部の幕が下りた。

二部の初めに私が二曲歌ったところで、オマーラの到着前のアクシデントを日本語とスペイン語で説明した。その事情を知った聴衆は更に大きな拍手で彼女を迎え

1967年「ラテンアメリカ友の会アミーゴ」の名で帆足まり子が創設。1995年に改名し、日本とラテンアメリカの文化交流に力を注ぐ。またラテンアメリカ情報誌『¡HOLA AMIGOS!』を1987年に創刊し、合わせて月刊で『AMIGO NEWS』を発行。ラテンに関する情報発信に努め現在に至る。

る。

今回はオマーラのファンの為に、いつもより曲数を増やして歌ってもらい、客席は狂乱状態になっていた。フィナーレはバンドも全員一列に手を繋いで並び、気が付けば聴衆の大半はステージ前まで押し寄せてきていて、いつまでも続くカーテンコールの中、最後の幕が下りたのだった。

1997年 ハバナ サルサ・オールスターズと

1997年 ハバナ ボレロ・フェスティバル テアトロ・ナショナル

ハバナにてエレーナ・ブルケ、セサール・ポルティージョと

2011年 ゆうぽうとにて ダンサーのオルランド（前列）、ポピー（後列）と

2016年 歌手生活60周年コンサート NORA、川西みつこと

終 章

それぞれの存在 ～性的少数者の誇り～

オバマ前大統領二期目の就任演説がもたらしたもの

"Our journey is not complete until our gay brothers and sisters are treated like anyone else under the law, for if we are truly created equal, then surely the love we commit to one another must be equal, as well."

「わたし達の旅は、ゲイの仲間達、そしてレズビアンの仲間達が他のあらゆる人と平等に扱われるようになって初めて完全なものとなるのです。というのは、もし人間が真に平等に創られているのなら、互いに誓い合う愛も、必ず平等でなければならないからです。」

二〇一三年一月一三日にワシントンで開かれた、バラク・オバマの二期目の就任式でのこのスピーチは、日本ではほとんど大きく扱われなかったが、アメリカ及びヨーロッパその他の国々では、大きな感動を持って伝えられた。私自身、当事者として、これまでの国家元首がここまで踏み込んで言及したことに驚きと共感を覚えたのであった。思えば初めて私がこの国を訪れた一九六五年頃は、キング牧師が公民権運動でノーベル平和賞を取った後であったが、まだまだ人種差別は根強く、ましてやゲイ、レズビアンは法律的に禁止されていた時代であった。そんな中をかいくぐってきた私だが、こんな時代がやってくるとは思っていなかった。

二〇一五年六月、米国でも同性婚が成立。嗚呼、何年経っても埋まらない海外と日本の差。さらに同年七月二〇日、五四年ぶりにアメリカとキューバの国交が回復した。そして一〇月には、なんとブエナビスタ・ソシアルクラブがホワイトハウスに招かれコンサートが開かれたと知り、更に私の希望は膨らむのだった。

二〇一六年三月二五日にはローリング・ストーンズ(注)が一二〇万人にも及ぶ観衆を集めて、両国の国交正常化を祝うハバナ公演を行った。キューバはもちろん、世界に一二〇万人収容のスタジアムなどあろうはずもないが、どうやら野球場のスタンドを壊し、その後ろに続く野原でもライブが見られるようにしたらしい。しかも入場料無料で、ジェット機で運ぶ機材等ももちろん全てストーンズ持ち。なんと、ステージ設置と撤収、野球スタンドの復旧等諸々の費用は二億円をはるかに超えたという。唯一儲かったのは、野球場の中が見える近くのビルに住む人達で、入場料を取ってにわかアリーナ席としたそうな。

アメリカと国交正常化後の初キューバ訪問

二〇一六年、日本でも新聞やTVで国交正常化後のキューバのニュースが報道され、何度も訪れたハバナであるにもかかわらず、初めて夢の国を訪れるようで気分

ローリング・ストーンズ　The Rolling Stones
1962年ロンドンで結成され未だにスタジアムツアーを続ける世界最長寿ロックバンド。

が高揚していた。

六月一五日、私はときめいた気持ちでハバナ空港へ降り立った。ハバナ空港の手荷物引取所は着いたばかりの旅行客で溢れ、ターンテーブルの荷物も見えない程である。これまでののんびりした空港とは余りにも違い、どこからこんなに多くの客が訪れたのかと驚く。アメリカから久しぶりの里帰りなのだろうか、こんな状況でも何故か嬉しそうな表情の人が多いのが印象的だった。

翌日、表通りに出ると、アメリカ人の旅行者やウェディングドレスにタキシードをキメたハネムーンらしきカップルが、一九五〇年代のアメリカのクラシックカーに乗り浮かれていた。車は過剰なまでのデコレーションで、そこまでしなくてもいいだろ！　と言いたかったが、かなり多くの国民が観光業へと鞍替えしたらしい。この頃、一番懐が潤っていたのはタクシーの運転手だと聞いた。

次の日、私は指揮者のモンテシーノス氏に案内され、スタジオで四曲ほどボレロ・フェスティバルのリハーサルをしたが、五二人編成のシンフォニック・ラテン・オーケストラのサウンドがあまりに美しく、歌いながら思わず泣きそうになるのを堪えるのに苦労した。

今回の旅のもう一つの目的は、オマーラとのレコーディングであった。曲は、昔彼女がエレーナ・ブルケ、モライマ・セカーダとクアルテート・ダイーダというトリオを組んでいた時に、三人の固い友情を歌い、大ヒットした『アミーガス（友達同士)』である。この曲をライブでは、すでに他界した他のふたりに捧げる為に彼女がそれぞれの声色を使い分け、時には天を仰いで涙を流しながら歌う。それをあえて「歌で結ばれたふたりだから、どんなに辛いことがあっても歌い続けていきましょう」とオマーラと私の友情に置き換えて新しく録音する、という私の希望を彼女は一言でOKしてくれたのだ。

六月一九日、定刻通りにスタジオに現れたオマーラは、自分のパートだけ録音すると、次の予定があるとのことで、あたふたとスタジオを後にしようとしたので(私のパートは帰国してから録音するということになっていた)、慌てて追いかけながら「オマーラ、この録音のお礼の契約書はまだ交わしてないけれど、どうすればいいの?」と聞くと「別にいいわよ、息子のアリエールにチャーハンでも奢ってね」と、ひょうきんに去っていった。

ボレロ・フェスティバル本番

六月二四日、歌い慣れた「テアトロ・アメリカ」に出演。バンドも若手のルックスも見栄えがするメンバーに代わっていた。出演者も海外からのゲスト歌手も若返っていて、歌のレベルも上がっているのを感じたが、クリスティーナ・アギレラやルイス・ミゲルの歌で勉強していたのであろう、歌い方がほぼ真似なのに失望した。かつてのようなベテランが醸し出すオリジナリティを持った歌手は激減していたのだった。

さらに、初めてこの劇場に出演した時から私を気に入ってくれていたチーフディレクターのムーサは二年前にあの世へ旅立ち、絶妙な司会で私を紹介してくれていた名女優のオンディーナも病床にあるということで私の心には喪失感が漂っていた。

二〇〇八年にこの劇場に出演した時、私の出番前に、劇場専属のダンサー達が男性同士、男女、女性同士のペアになり、『愛は自由！』というタイトルのボレロで踊った。曲が終わるやいなや会場はすごい反応で拍手は中々止まない。キューバ革命は〝肌の色に関係なく全ての人が平等に扱われる社会〟を目指したが、同性愛者達はそこから漏れていた。見つかれば強制労働、刑務所送りという厳しい社会的制裁があったので、多くの同性愛者達は亡命したという。社会主義のキューバでこれ程この国の人々が愛の自由を求めているのだと知り、私は泣きたくなる程のショックを覚えたのだった。

あの日のことを思い出しながら、この日も温かい拍手を貰い劇場を後にしたけれど、出演した喜びよりも寂しさの方が勝っていた。

翌日ホテルのロビーでスペイン人とペルー人の男性ファンふたりに話しかけられた。聞けばネットで調べて来てくれたのだという。何度もキューバに来ているにもかかわらず、こういうファンがいるのだとは気が付かなかった。これまでのキューバ公演が報われたと心から思うのだった。

この日はフェスティバルの最終日。劇場からは、TV中継も入るので二曲で一〇分以内に収めて欲しいと言われていた。

その夜歌った曲は、私が前年出したアルバムから『花は咲く』のスペイン語バージョンで、ボレロからサルサへ展開していくという格好いいアレンジに仕上がっていた。しかし、聴衆にとっては初めての曲なので余りノッてこない。ボレロが終わったところで間があったので、あらかじめ指揮者と打ち合わせしていた通り「マエストロ、このボレロはウケない、スロー過ぎるんだ。もっとイキのいいサルサに変えよう！」と私が叫ぶやいなや、イキのいいサルサに切り替わった。私の狙い通り聴衆はワーワー叫んで喜び出し、次々にステージに上ってくる女性達の踊りの格好いいこと。約束の一〇分はかなり過ぎていたが、お咎めはうけなかった。

オバマからトランプへ、変貌し過ぎたキューバ

二〇一七年秋、アメリカの大統領がトランプに変わると、オバマ前大統領が制定した人間味溢れる政策が次々と変えられていった。雪解けに向かっているように見えた両国の関係は解消され、キューバへの規制や制裁を元に戻し、アメリカ人のキューバ旅行も極端に制限されるようになった。

私はすでに来年のキューバ国際ボレロ・フェスティバルの出演を決めていたので、余計心配は募っていた。ボレロを勉強している私の生徒達から「生でライブを見てみたい」、「キューバを知りたい」という声も出ていたので、どうせ行くなら出ましょう！　ということで、私を含め八人で大挙して押し寄せることになった。

日本を発つ前に「キューバは朝決まっていたことが一日に何回も変更になることがあります。そこをよ〜く納得した上で行ってください。責任は持てません」と何度もくどいほど念押ししていたが、いざ着いてみると「聞かされてはいたけれど、ここまでいい加減だとは思いませんでした。でもこれがキューバなんですね、いい思い出になります」と半ば呆れたようだった。

ホテルのロビーも街も二年前の浮かれた雰囲気はなく、観光客をあてにした派手なクラシックカーの運転手やレストランなどの経営は苦しくなったと聞いたが、確かに私が見た前回の希望が溢れた賑わいはそこにはなく、まるでカーニバルの後のような寂しさが漂っていた。

どうやらその前年キューバは歴史的なハリケーンの被害を受け、ただでさえインフラ整備が遅れているところへ、トランプ政権による経済制裁が再度始まり、まだ復興半ばだったということが少しずつわかってきた。ハバナに着いて翌日、以前と同じ五〇人編成のオーケストラとのリハーサルはうまくいったものの、前から決まっていた出演日などのスケジュールが直前にコロコロと変えられ、それを毎回メンバーに伝える立場の私はイライラが募り、部屋に閉じこもるのだった。

最悪のコンディションと最高の聴衆

ボレロ・フェスティバル最終日、私は最悪の日を迎えることになる。なんと、昨夜はちゃんと歌えたのに、朝起きたらほとんど声が出ないのである。

午後になれば少しづつ元に戻るだろうと、午後一時に劇場入りし、発声をしてみたがほぼ声が出ない。慌ててチーフプロデューサーに事情を説明すると、顔見知りのエレスバンが直ぐ病院に連れて行ってくれた。

ドクターは「どこまで声が出るようになるか保証はできませんけれど緊急処置です」と言ってステロイド療法をしてくれ、錠剤と吸入器を処方してくれた。その後エレスバンができる限りのことをしてくれたが、絶望的なまでに声は出ない。

本番に入り、イントロが始まったのを止めて、かすれた声で「実は今日になって声が出なくなったのです。これから歌う二曲を皆さんで一緒に合唱していただけませんか。いつも皆さんが一緒に歌って下さった曲です。助けて下さい」と聴衆に懇願し、タンゴの名曲『ウノ』（注）をボレロのアレンジで歌い始めた。

人生の残酷さを歌ったこの名曲を何故かキューバ人は好む。かすかに出る声を絞り出し、マイクを近づけ皆で歌えるように手で煽ると、すぐに会場中に皆の声が響

『ウノ』UNO
エンリケ・サントス・ディセポロ作詞、マリアーノ・モレス作曲のタンゴクラシック。ボレロ、マンボ、サルサで歌う歌手も多い。

き渡った。さらに間奏では、全員立ち上がって応援の拍手をしだしたのを目の当たりにし、涙を見せまいと後ろを向いてしまった。これは観客全員が歌詞を知っているからこそ成立したもので、日本だったら私はどうしていただろう。長い間歌ってきて多くの失敗から学んだ私のズルいやり方だったが、彼らに対する敬意と感動の気持ちを抑えきれず、その場に跪きたくなった程である。急に声が出なかったのはストレスからなのか、安い車のガソリンによるハバナの空気の悪さなのか、冷房の近くのベッドで寝ていたのが原因なのか今でもわからない。

メキシコでドキュメンタリー映画に出演

二〇一七年一一月、メキシコの映画プロデューサー、ファン・カルロスから、一九五〇から六〇年代に活躍したメキシコを代表するモダン・ボレロのシンガーソングライター、アルバロ・カリージョ（53頁注参照）の生誕一〇〇周年ドキュメンタリー映画に出演して欲しいという連絡が入った。

どうやら、彼の代表作『ラ・メンティーラ』と日本でもなじみの『サボール・ア・ミ』を歌った代表的な歌手として私が選ばれたらしい。その当時のことを知る人は少なく、他にもこの曲を歌った歌手は多かったはずだが、既にその多くはこの世を去り、いつの間にかこの時代まで歌ってきた私がひとり勝ちしたようなものだ。

今回のキューバ訪問はメキシコ経由だったので、行きと帰りの時間を利用して、空港近くのホテルのサロンにスタッフ一同が集まり、二回撮影が行なわれた。

ハバナに到着した際はプロデューサーのファン・カルロスのインタビューだけだったが、二回目はギターデュオとしてアルバロの息子ふたりが駆け付けてくれ、彼らの伴奏で私が歌うことになっていた。前述の通りキューバの最終日以来、声はどんなに頑張っても低いところしか出ず、私は只々謝るしかなかったのだが……。

その後、撮影はインタビューのシーンに変わり、息子のマリオが「ヨシロウ、あなたはあの頃『ラ・メンティーラ』を歌う度に涙を流した、と言われていますが、この歌の何があなたを泣かせたのですか？」と聞いてきた。私は当時のことを思い出しながら「実はあの年、東京を発つ日に父が亡くなったのです。その三か月前、故郷の病院に結核で入院していた父から会いたいと電話があったのですが、私はベネズエラ行きの準備で忙しかったので会いに行かなかったのです。あの時会いに行けばよかった、と今でも悔やんでいます。父は最後に、私に何か伝えたかったのだろうと思います。その思いが、あの歌のメロディーに刺激され、どうしようもなく自責の念に苛(さいな)まれ泣きたくなるのです」と言って、私はマリオにイントロを弾いてもらい、かすれた声で喋る様に『ラ・メンティーラ』歌い出したのはいいが、感情がこみ上げてきて、泣くどころか号泣してしまった。

プロデューサーは「いいテイクが撮れた、これは使える」と大喜び。アルバロの息子ふたりは「父の為にここまで泣いてくれるとは」と感動し、「さぞや天国で喜んでいるでしょう」と私に手を差し出した。声はかすれてうまく出ていなかったが、この場面をいいところで使いたい、という皆の言葉に救われた感じだった。

プロデューサーのファン・カルロスは「是非時間を見つけてアルバロの生誕地オアハカ（メキシコの南部にある先住民が多く住む州）に来て下さい。あなたは知らないでしょうが、ヨシロウの名前は知れ渡っているのですよ」と言いながら彼はスマホを開き、私が歌うルパン三世のテーマに合わせて踊っている子供の映像を見せてくれた。「子供達はあなたのこの曲がとても好きなんですよ」と言われビックリして喜んだが、もし私が歌いに行ったら子供向けのアニメ歌手として扱われるのではないかと、ふと不安にもなるのだった。

ニューアルバムのレコーディング

二〇一八年七月二日、帰国して間もなく奥山勝プロデュースのニューアルバム『Cool & Sensual Latin From Japan ～GRITO DE VERDAD 真実を叫ぶ～』の歌入れに入るも、声の調子は相変わらず悪く、レコーディングが終わったのは年の暮れであった。

そんなコンディションの中、久しぶりの大舞台となるＮＨＫ主催の東京ジャズフェスティバルに私はオマーラのグループのゲストとして呼ばれた。オルケスタ・デ・ラ・ルス、コーラスグループのマンハッタン・トランスファー(注)、ジャズ界の巨匠ハービー・ハンコック(注)など世界に名の知れた超一流アーティストに交じって歌い、大きな拍手も貰ったが、私は自分の出来ばえには納得していなかった。

一〇月に入り、メキシコからアルバロ・カリージョの生誕一〇〇周年を記念した、メキシコの五つの都市のでコンサートツアーを企画しているので是非出演して欲しい、という話が入った。長い間歌ってきた経験で、悲しくも先方より私の方が危険を先に察知するようになっていた。この頃、中米から多くの難民がメキシコを通過してアメリカを目指しており、メキシコの多くの都市はその難民救助に追われていると知っていたので、実現の可能性は少ないと踏んでいた。

年が明けた二〇一九年一月末、案の定、メキシコへの難民事情が日本のＴＶにも大きく取り上げられ、たまりかねた私は先方に「日本でも報道されています。無理をしているのではないでしょうか？」と電話を入れた。先方は「ヨシロウさん、許して下さい。メキシコの今の事情をそこまでわかっていたのですね」と詫び、このツアーは取りあえず延期ということになった。

そして二月にニューアルバムが発売になった。これまでとは趣の違ったサウンドの良さ、奥山勝のアレンジも良く、新しい若い層が宣伝してくれてリスナーの幅が広がったのが何よりの喜びだった。数年前から若いＤＪの松下源（まつしたはじめ）（ＤＪサモハン

マンハッタン・トランスファー
The Manhattan Transfer
1973年結成。ティム・ハウザー、アラン・ポール、ジャニス・シーゲル、シェリル・ベンティーンによるジャズコーラスグループ。代表曲『トワイライトゾーン』『バードランド』。

ハービー・ハンコック
Herbie Hancock (1940-)
シカゴ出身のジャズピアニスト。マイルス・デイビス・カルテットで頭角を現し、フリージャズ、ジャズファンク、フュージョン、ヒップホップと各時代の潮流を常にリードし続ける。代表曲『ウォーター・メロンマン』『処女航海』など。

キンポーとして活動）が事あるごとにクラブで私の曲をかけてくれており、今回特に力を入れて『いとしのエリー』のサルサバージョン他をクラブでプレイしてくれ、若い女性達が踊っているシーンを動画で見るにつけ、今の自分の年齢を思うと不思議な気持ちになるのだった。

このアルバムは二〇一九年ラテングラミーにもエントリーされ、心ときめかせる一方で、世界のトップアーティスト達が名を連ねているのを見て〝諦めなさい！〟と自分に言い聞かせた。

その後、グラミーアワードからメールが入り、セミファイナルまで私の名前が残っているのを見て心躍らせた。それなのに、それなのに、その二日後のファイナルにはもう私の名前は載っていなかった。嗚呼っ‼

二〇二〇年一月、音楽マニアの間ではよく知られている高円寺のレコード店「LOS APSON?」の店主、山辺圭司（やまべけいじ）氏が選んだ年間五〇選チャートの七位に私のニューアルバムを選んでくれた。この店はラテンをメインにしているわけではなく、世界中のあらゆるジャンルに交じっての結果というのが嬉しい。しかも私が訴えたかった、私自身が作詞、作曲を手掛けた『それぞれの存在（マイノリティ・プライド）』がイチオシと書かれていた。

『それぞれの存在（マイノリティ・プライド）』

今だからＹＥＳと言いたい、ＹＥＳと
私が生まれてきたことに
今だからＹＥＳと言いたい、ＹＥＳと
私が存在することに

あれは一六の頃、大人になる前の季節
叫びたくなる、若さの衝動　その後で感じる孤独
生まれた町を後に　わずかな希望を胸に
どこまでも遠くへ　遠くへ羽ばたいた夏の日

初めて知る都会では、見知らぬ遠い国では
それぞれに違う人たちが、わかり合い暮らしていた

私は初めて気付いた　自分自身を生きる事を
今だから言いたいあなたに　孤独を恐れないで
いつか時代は、いつか時代は　追いついてくるだろう

そしてあなたの存在にＹＥＳと言うだろう

Yes, we are free now
We are free now
Yes, now I'm free

五〇年前が再び

二〇二〇年四月一七日、私は八〇歳の誕生日を迎えた。歌い始めてから六四年目になる。予期せぬ新型コロナウイルスの流行が、まさかここまで世界中の人々にダメージを与えるとは思い至らなかった。日本、いや世界のまだ見ぬ友人の皆さんに、私の心からのお見舞いの気持ちをお送りすると共に、この困難な時期を乗り越えていこうではありませんか。

さて、これは偶然と言うべきなのか、一九六五年、ジュディ・ガーランドをラスベガスまで見に行き、ルーレットに夢中になっている間に彼女のショーが終わったことは前にも書いたが、現在、彼女の伝記映画『ジュディ 虹の彼方に』（注）が世界中でヒットしている。虹の向こうまで行けるかわからないけれど、彼女のヒット曲『虹の彼方へ』を、今の私に合うように勉強し直している。

『ジュディ 虹の彼方に』 ２０１９年に公開されたジュディ・ガーランドの伝記映画。監督はルパート・グルード、主演はレネー・ゼルウィガー。

そしてこちらも機を同じくして、ミュージカルの名作『ウエスト・サイド・ストーリー』(注)が才能ある若手の出演者によって再公演されたが、初演時の主人公ジョージ・チャキリス(注)とあの頃、LAの行きつけのバーで度々会ったのも同じ年。

さらに『三島由紀夫vs東大全共闘 五〇年目の真実』という映画が上映されたと聞いた。三島氏は私が日本を発つ六四年まで、銀座のライブハウスに度々見に来て下さっていたが、予言めいた言葉を残し、私がアルゼンチン公演中に他界された。五五年前に私に影響を与えたこの人達が、今また同じ時期に話題を集めているということに不思議な縁を感じる。

日本でのＬＧＢＴ（性的少数者）の立場

日本に限らず世界中どの国でもＬＧＢＴの人口は八・九％と言われている。つまり一〇〇人中約八、九人がＬＧＢＴであるという事実を多くの人は知っているのだろうか。学校のクラスに置き換えれば、一クラス三〇人中に少なくとも二、三人はいるということになる。学校の先生で「うちのクラスにはそういう生徒はいない」と言う人もいるが、それは生徒が隠しているか、言うのが怖いだけのこと。「うちの会社にはそういう人はいない」と言う人もいるが、それは当然のこと、当事者の六、七％しか公表していないからである。なぜなら職場の三人のうちひとりは、そ

『ウエスト・サイド・ストーリー』
1957年初演。レナード・バーンスタインの音楽で有名なブロードウェイミュージカル。1961年に映画化され空前の大ヒット。劇中歌『アメリカ』『トゥナイト』『マリア』などはスタンダード化した。

ジョージ・チャキリス George Chakiris (1934-)
ギリシャ系アメリカ人俳優、ダンサー。

ういう人が入社してくるのを嫌がっているという事実。

時として当事者の子供を持つ親から相談を受けることがある。理解のある人もいるが、多くの親は自分の子供がそうであるということを認めようとしない。

私は「あなたの息子さんや娘さんは、その様に生まれてきたのです。しかも、あなたが生んだんですよ。子供の幸せを願うのであれば、受け入れるべきではないでしょうか。息子さんは変われないのです」と答える。多くの親子がこの問題で疎遠になる不幸を私は見てきている。

日本には一〇〇〇万人の性的少数者がいて、その二〇％が親しい人だけにしか告白できていないという現実。そして、当事者の自殺率はそうでない人の六倍に当たる。多数派か少数派かという、人数の差だけで少数派の人権は無視されるのである。

ニュースでもお分かりのように、台湾はアジア初の同性婚を認めた国である。そして台湾の総統、蔡英文（ツァイインウェン）はご存じ女性であり、的確な政策の下、世界でいち早くコロナを封じ込めた。台湾に移住して同性婚をした日本人の言葉によると、「生まれて初めて自分自身を生きられるようになれた」という。ニュージーランド、ドイツ、アイスランド、ノルウェー、フィンランド、その他、女性が国のトップを司る国々の多くはコロナ問題にせよ、その他の先進性を発揮している。

この側面からみると日本は決して先進国とはいえないのではないか。今や三〇か国近くの国が同性婚を法的に認め、二〇か国近くが同性パートナーシップを取り入れている。日本でも渋谷区、世田谷区に始まり、今では四七の自治体が認めた同性パートナーシップ制度であるが、東京都も国も知らんふりなのである。あの社会主義国、ＬＧＢＴに対する理解が遅れていたキューバでさえも、二〇一九年に国民投票の末、八七％が同性婚に賛成して承認された。

この日本では性的少数者が平等に扱われていないのである。

人間は愛する権利は平等な筈なのに……。

読者の皆さんもこの問題について深く考えていただきたいのです。けれど、一部の保守的な政治家が立ちはだかっている限り、この国はこの問題について海外の先進国に大きな遅れをとるでしょう。それ故に私は歌の世界に逃げ込んできました。そして、幸いにもそこはとても居心地のいい私の住処となったのです。

夢や希望は叶わないこともあります。けれど私は八〇代に突入して、これまで以上に私が求める音楽を探し続けていきたいのです。

そして若い皆さん、もしイジメなどで悩んでいる時は、暫く学校を休んでみるのもいいでしょう。または、あなたに合った自由な学校もあるでしょう。許されるのなら海外にももっと目を向けましょう。あなたの力が生かせる国がきっときっとあるはずです。

私の歌の旅もまだ続いているのです。

あとがき

一九七六年の入院中、『月刊ラティーナ（旧中南米音楽）』の記者が病院を訪ねてくれ、ラテンアメリカの旅日記を連載で書いて欲しいという申し出があった。結果として二年余りの連載となったが、その間の内容は一九六五年から一九七一年までの記事である。面白い経験談として今の視点から当時の内容は少し変え、編集部の意向で終戦から二〇二〇年まで書き記すこととなった。まずこのきっかけを作ってくれた、月刊ラティーナ社にはあつく御礼を申し上げます。一九五二年の創刊から二〇二〇年五月までの長きに渡り日本のラテンシーンに貢献してくれた功績は大きな財産として残ります。私のデビューから今日まで、絶えず私の活動を取り上げてくださったことに深く感謝申し上げます。

そして、多くの国からラテン音楽への貢献に対して表彰され、多岐にわたり私を支援してくださった、中南米音楽著作権協会駐日代表で株式会社マトバ真珠宝石店代表の的場博子（まとばひろこ）さん、一九七一年より、『月刊ラティーナ』を皮切りに多岐にわたりラテンアメリカ他、海外の音楽情報を発信し、私のライナーノーツ及びコンサート評を度々書いてくださった佐藤由美（さとうゆみ）さんと、グルーポ・チェベレのボーカリストで早稲田大学法学学術院准教授の岩村健二郎（いわむらけんじろう）さんに深く感謝の意を表します。

［著者略歴］

YOSHIRO広石（よしろう・ひろいし）

1940年生まれ。日本を代表する国際的なラテン歌手で、1965年ベネズエラのTV局に招かれたのを機に、北、中南米で高い人気を得る。その後現在まで日本と海外をいったりきたりの活動。現在まで15か国以上でアルバムが発売されている。1999年には文化庁芸術祭賞音楽部門優秀賞を、さらにこれまでラテンアメリカ4か国で様々な賞を受賞している。2019年にはアルバロ・カリージョ（『サボール・アミ』の作者）のプロジェクトから功労賞が贈られた。

YOSHIRO

～世界を驚かせた伝説の日本人ラテン歌手～

2021年4月1日　第1版第1刷発行

著　者　YOSHIRO広石

発行所　焚書舎

〒177-0053　東京都練馬区関町南4-6-15-307

TEL　090-1593-1822

MAIL　funshosha@gmail.com

注　釈　高木壮太　YOSHIRO広石

編　集　斎藤録音　松下 源

編集協力　佐藤英樹　長谷川慶多

装　幀　國枝達也

印刷・製本　シナノ印刷

ISBN978-4-9911745-1-3

二〇一六年一月、吉祥寺の老舗ジャズクラブの「サムタイム」に出演の際、この日が初めての出会いでもある松下源氏が客席にいた。聞けば私のCDを聞いたのがきっかけで来てくれたのだという。DJ、ミュージシャン、レコード制作、と多岐に渡り活動しているという自己紹介で、二〇代後半という若さにも驚いた。その後間もなく仲間のミュージシャン、イラストレーター、書籍関係者ら数人で私へのインタビューも兼ねてうちを訪れてくれ、その時の南米でのエロティックな話、成功と失敗談などがネットのインタビューで公開され、あり得ないような面白い話、として多くの書き込みがあった。そんな縁もあって、この行動的な若者に乗っかってもいいかと、二年という月日を費やし書き終えたわけだ。この本の発起人となった松下源氏、素晴らしい装丁を担ってくれた装丁家の國枝達也氏、ギタリストでもある編集担当の斎藤録音氏、そして細やかな注釈を作ってくれた作家で音楽プロデューサーの高木壮太氏、ありがとう。でもこれからがスタートですよ、くれぐれもよろしくね。